塩の街

有川 浩

角川文庫 16082

CONTENTS

塩 の 街

塩 の 街、そ の 後

塩の街

Scene-1

街中に立ち並び風化していく塩の柱は、
もはや何の変哲もないただの景色だ。

*

両肩にリュックの肩紐《かたひも》がきつく食い込む。重さは既に痛みと同義になっている。

「……いってェ」

もはや無意識に呟《つぶや》くが、その一言は肩と同時に背筋と足の痛みも兼ねたぼやきになっている。

あげく、脳天を灼《や》くような初夏の日差しが、刻一刻と体力を奪っていく。

そのうえ空きっ腹ももう限界だ。最後に食べたのは食いつないでいたカロリーメイトが一本、それで丸二日歩きづめだ。

東京ってこんなに遠かったんだなあ……。

あまり東京に遊びに出たことがないので非常に大雑把な見当だが、平時なら——交通機関が生きていたら、高崎《たかさき》まで出て上越新幹線で一時間。在来線を乗り継いでも三時間はかからない距離だ。

平時じゃないから仕方ないのか。二本の足では三日かかってまだ目的地に着かない。やはり文明は偉大だ。失ってみて初めて分かるのは親の恩と同じだ。

せめて車でもあればよかったが、家に一台しかない車を自分のわがままで持ち出すわけにはいかないし、そもそも今の状況では給油もままならない。道すがら見かけたガソリンスタンドはどれも廃墟《はいきょ》同然で、軒並み閑古鳥が大合唱だった。流通している燃料がもうないのだろう。

三日前に群馬《ぐんま》の自宅を出発してからひたすら国道をたどり、東京都内に入ったのは今朝方だ。標識などを見るにどうやら新橋《しんばし》に差しかかったようだが、出発してから今までに走っている車は一台も見かけなかった。空っぽの車道は静まり返ったままで太陽にアスファルトを焼かれている。車が消え去っただけで、街はこんなにも静かになるのか――

不思議なのは、そんな状況にあっても歩行者が車道を往来しようとしないことだ。車は車道、人は歩道。固定観念は意外と人間の深いところまで根を下ろしているのかもしれない。

もっとも、敢《あ》えて車道を歩かなくてはならないほどの人通りもないのだが。

確かに住所は新橋のはずだが辺りには鄙《ひな》びた町の商店街ほどの人通りしかない。軒を連ねるビル街のテナントも営業しているところは一軒もなく、薄汚れたショーウィンドウの中には埃《ほこり》を被《かぶ》ったディスプレイが放置されているだけだ。そのディスプレイも大半はガラスが破られ、商品らしい商品は持ち去られてレイアウトの棚やオブジェが残っているだけ――街のあちこちに林立する風化しかけた白い柱が、そのうらぶれた風景をより寂しく引き立てている。

疎開で東京が空洞化しているという噂は本当なのかもしれない。日本各地に似たり寄ったりの状況が発生している以上、どこに疎開すれば助かるかなど誰にも分からないが。テレビ放映も新聞も止まった現在、正確な情報は知るすべもない。

背中の荷物が一際重くのしかかる。そろそろ体力の限界なのか。

「ああ――」

痛い。疲れた。腹減った。どう呟くか決めかねている間に、遼一《りょういち》は道に倒れ込んでいた。

意識を失っていたのはどれくらいの間か。

目を覚ましたのは、少し舌足らずな声に呼ばれてだった。

「あの──大丈夫ですか？ もしもし？」

薄く目を開けると、スーパーのビニール袋を提げたジーンズ姿の女の子が、腰を屈めて遼一を見下ろしていた。

うわぁ、若い──と、その滑らかな肌が目に染みた。遼一の年代になると女は化粧をせずに外を出歩くのが少数派になってくるので、塗りたくらない肌を間近に見るのは珍しい。ニキビの盛りは過ぎているようなので、年齢は低めに見積もったとしても高校生くらいか。そこそこかわいいけどまだちょっと乳くさい感じかな──髪はもう少し長いほうが好みだけど、どっちにしろ子供は守備範囲外、と……

男の性《さが》でついつい値踏みをしながら、遼一はゆっくりと体を起こした。

「あ、起きられますか？」

女の子が起き上がるのを手助けしようと遼一のそばに屈み込んだ。起きるのを一番邪魔しているリュックに手をかけて引っ張り起こそうとするが、

「うわ⁉」

予想外の重量にリュックを持つ手がすっぽ抜け、後ろへたたらを踏んでしまう。今度は遼一が女の子の腕を摑《つか》んで引き止めた。

「大丈夫？　ごめん、すごい重いから手ぇ出さなくていいよ」

登山に使うような大型のリュックに中身がみっちり詰まっているのだ。こんな華奢《きゃしゃ》な女の子が片手で引き起こせるようなものではない。

腰を痛めないようにゆっくり起き上がり、遼一が路上にあぐらで座り込むと、女の子もそのそばにしゃがみ込んだ。

「……大丈夫ですか？」

「うん、ありがとう……ちょっと疲れて腹減って節々《ふしぶし》痛かっただけだから」

「……それ、あんまり大丈夫って言わないと思います」

「あ、やっぱり？」

遼一がへらっと笑うと、女の子は自分の提げたビニール袋をごそごそ引《ひ》っ掻《か》き回した。

「あの、すぐ食べられるの、これしかないんですけどよかったら」

言いながら、女の子がリンゴを一つ手渡した。

「ああ、こりゃありがたい」

遼一は申し訳程度にシャツでこすってからリンゴにかぶりついた。果汁が渇いた喉《のど》に凍《し》みる。痛いほどだ。

物も言わずにあっという間に果肉を食い尽くす。

「……あの、失礼ですけど……どれくらいご飯食べてなかったんですか？」

「いやー、二日前のカロリーメイトが最後のメシでね。しかも一本。よく保《も》ったわ」

もう食べるところがなくなってしまったリンゴの芯《しん》を名残惜しく見つめてから、遼一はそれをすっかり葉の落ちた枯れかけの街路樹の根元に放り投げた。——塩害でへたばっている木に大した養分にはならないだろうが。

「ありがとう、助かったよ。お陰で……」

元気になった、と言いながら立ち上がるが足元はまだ少しふらついた。女の子は心配そうに遼一の様子を見ている。

遼一はゆっくりと辺りを見回した。

「海——どっちかな」

「え？」

唐突な問いに首を傾げた女の子が、少し考えてからある方向を指さした。

「道順とかはよく分からないんですけど、東京湾なら……ほら」

指をさした彼方《かなた》、街の地平のさらに向こうに、ビル群から斜めに突き抜けてそびえる白い塔のような物体が見えた。巨大な涙滴を斜めに傾けたような奇怪なオブジェである。

「見えるでしょ？　結晶——あれ、東京湾の中ですから。あれが見えるほうに行けば、東京港に着くと思うんですけど……」

「ああ……さすがにでかいね。うちの近所のより何十倍か大きいなあ。いい目印だけど——」

遼一は煮え切らずに首をひねった。

「東京湾てきれいかな？」

「……それは、あんまり」

「それじゃダメだなあ……きれいな海に行きたいんだ。きれいであったかい海。知らない？」

「ごめんなさい、電車使えるときならいくつかお勧め知ってたんだけど……歩きだとちょっと分からないです」

「そっか……ありがとう、それじゃ」

軽く手を振って歩き出そうとしたとき、女の子が釣られたように手を出して遼一のシャツの裾《すそ》を引いた。

「あのっ」

呼び止めたものの切り出し方を迷っているように女の子は言葉を探している。やがて、逡巡《しゅんじゅん》しながら顔を上げた。

「あの……あたしの大家さんのとこ、来ませんか？」

「はあ」

「おなか空いてるんでしょ？　そんなんじゃ海まで行けませんよ。来てくれたら何か出せますから、寄って行きませんか」

どうしてそんなに親身になってくれるかは分からなかった。だが、何か食わせてくれる——という申し出には抗《あらが》いがたかった。

言葉で返事をするより先に、腹の虫が反応した。

「えっと……じゃあ、お邪魔しようかな」

照れ笑いしながら頭を掻くと、女の子もおかしそうに吹き出した。

せめて女の子の荷物でも持とうかと思ったが、自前の荷物が重すぎて人の荷物まではとても手が回らない。

まあそれほど重そうでもないから、勘弁してもらうか――女の子の提げた袋の中身をちらりと覗《のぞ》くと、野菜だの肉だのの食材が主だった。

「この辺ってまだ買い物できるんだ？　配給だけじゃなしに」

「はい。米ドルじゃないと通用しないけど近くに外国人のマーケットがあるんです。秋庭《あきば》さん……あ、あたしの大家さんが、大陸系の商人はどんなことになっても最後まで商売やめないって。それに不法滞在の人とか配給もらえないから、そういう人向けにも重要なお店だって」

「へえ……」

世の中こんなになっても人間意外とタフなんだな。そんなことを思ったとき、アスファルトの上でずるりと足が滑った。

「うわった！」

「あ、気をつけてくださいね。この辺、賑《にぎ》やかだったから塩も多いんです」

確かに――今まで歩いてきた道程《みちのり》と比べて道路を侵食する白の割合が多い。街路に立ち並ぶ塩の柱も数が多いようだ。

もう見慣れたが、シュールな光景だ。

肩に食い込むリュックの肩紐が心なし重みを増したような気がして、遼一は肩紐の下に親指を滑り込ませた。

＊

道すがらで自己紹介を交わし、女の子の名前が分かった。小笠原真奈《おがさわらまな》。呼び方はナチュラルに「真奈ちゃん」にシフトした。

真奈が遼一を連れ帰った先は、年季の入ったマンションの二階だった。真奈の選んだドアには紙切れを貼った表札に、走り書きの字で『秋庭』とある。

真奈がチャイムを鳴らすと、中から鍵《かぎ》がガチャリと回った。家主はご在宅らしい。

軋《きし》みながら開《ひら》くドア。中から顔を出したのは長身の男だった。次の誕生日で二十六歳になる遼一よりいくつか年上に見える。

「ただいま、です……」

男の顔色を窺《うかが》うように、真奈が声をかける。

男は真奈の後ろに遼一を確認すると、見る間に険のある顔になった。元々の顔立ちの鋭さも手伝って相当に人相が悪くなる。

「──捨ててこい！」

言うなりドアを閉めようとした男に、真奈が叫んだ。

「秋庭さん秋庭さん秋庭さん！　待って待って待って！」

呼び止めながらすかさず足を玄関の中に突っ込んでいる。なかなか素早い。秋庭と呼ばれた男はそれ以上ドアを閉めるのを諦《あきら》めてまくし立てた。

「毎度毎度毎度、買い物行くたび何かしら拾ってきやがって！　未成年の分際で男拾ってくるたァどういう了見だ！　犬猫とはわけが違うんだぞ、噛《か》まれる前に捨ててこい！」

「大丈夫です、噛みません！　ほーら人間のひとですよ、犬じゃないんですから！　秋庭さんも噛まれたりしません、大丈夫！」

「あほう、俺が噛まれてたまるか！」

ギャーギャーと喚《わめ》き合う二人を見ながら、遼一は隣近所を見回した。住人がいたら何ごとかと出てきてしまいそうな騒ぎだが、左右のドアは静まり返ったままだ。ほかに住人はいないのかもしれない。

それでもこの騒ぎを放置するのはどうかと思われたので、遼一は二人の間に口を挟んだ。

「あのう……」

一言挟んだだけで、二人が揃って遼一を振り向いた。

「何だ」

じろりと秋庭に睨《にら》まれ、遼一はへらっと笑った。

「噛みつく心配なら大丈夫ですよ。俺、年下は守備範囲外なんで。真奈ちゃんって俺より相当年下ですよね」

がくっと肩を落とした秋庭に、真奈が言い募る。

「ほら、噛まないって自分で言ってるじゃないですか！　だから入れたげて——」

「もーいい、お前は黙っとれ！　意味も分からんとキャンキャン吠《ほ》えるな！」

真奈の頭を軽く叩《たた》いてから、秋庭は投げやりにドアを開け放して奥へ引っ込んだ。

真奈に促されて遼一も上がり込む。殺風景で調度の少ない２ＤＫだ。いかにもな男所帯だが、あまり散らかってはいない。

「大家さんて……今の？」

訊《き》くと、真奈が頷《うなず》いた。

「そうです、秋庭さん。いきなりあんなふうでびっくりしたでしょう？　でも大丈夫ですよ、すぐ怒るし恐いけど親切だから。あたしのことも他人なのに面倒見てくれてるし……」

見るからに一人暮らしの男の家に住み込む女子高生（推定）。かなり世間の邪推を受けそうなシチュエーションだが、もはや世間自体が崩壊しつつある昨今では大した問題ではない。

「何か食べるもの出しますから休んで待っててくださいね。そっちの部屋にソファがありますから」

言い置いて、真奈は玄関脇にある台所へ入った。

残された遼一が、申し訳程度の短い廊下を渡って指示された部屋へ入ると、ソファのセットには秋庭が先に座っていた。じろりと遼一に一瞥《いちべつ》をくれ、何も言わずにつけっ放しのテレビに目を戻す。

取りつくしまがないので、とりあえず自己紹介から入ってみる。

「あの……どうもお邪魔しまして。谷田部《やたべ》遼一と申します。このたびは真奈さんに大変お世話に……」

秋庭はテレビを見たまま手を振って、遼一の言葉を遮った。

「いいから荷物置いて座んな。どうせ上がり込んだんならしっかり休んでけ」

無愛想ではあるが一応滞在の許可が出たので、遼一はリュックをソファの脇に下ろしてから秋庭の向かいに腰を下ろした。

秋庭の見ているテレビ画面にはざらついてはいるが映像が映っている。どうやらさっき真奈に教えられて見た東京湾の結晶の映像のようだった。

「まだ、テレビやってるんですか」

「切れ切れにだけど、何とか国営だけはな」

「うちのほう、もうNHKも駄目ですよ。放送塔やられちゃったみたいで」

「もう東京だけかもしれんな……けど、ここも塩害情報と結晶レポの再放送がやっとだ。外信どころか国内情勢も入らん。塩害情報は毎日更新ってのが建前だが変わり映えのしないデータを機械音声が読み上げるだけ。どこが昨日と違うやらさっぱり分からん。初期に撮り貯めたVをオートでリプレイしてるって噂まである。ラジオはまだ頑張ってるらしいが、生きた情報がないのはどっちにしろ同じだ」

「東京でもそんなんですか……」

「結晶から怪電波でも出てるんじゃねェかって噂もあるぞ、ネットもとっくの昔に切れたしな。民間通信サービスは電話から何から軒並みダウン。生き残った技術者も軍関係のネットワーク維持に駆り出されてるらしいし」

景気の悪い話で沈黙が流れたとき、台所からいい匂いがしてきた。嗅覚《きゅうかく》が刺激されて腹の虫が鳴る。それを聞いて、秋庭が喉《のど》の奥で小さく笑った。

遼一は決まりの悪さに照れ笑いして頭を掻《か》いた。

「すみません、何か……真奈ちゃんの厚意に甘えてノコノコと」

「拾うほうが悪いんだからあんたが謝るこたァないよ。野垂れ死にそうなところにメシ食わすなんて言われたら俺だってホイホイついてくさ」

「ご洞察のとおり、メシに釣られました」

遼一がまた頭を掻いて笑うと、秋庭は面白くもなさそうに答えた。

「洞察も何もないさ、あいつが拾ってくるもんは餓《かつ》えて行き倒れる寸前と相場が決まってるんだ。——さすがに猫、犬ときて人まで拾ってくるとは思わんかったが」

「優しい子ですね」

「余計なもんに引っかかるんだよ」

秋庭が溜息《ためいき》混じりに呟いて腰を上げるのと、真奈が台所から出てくるのが同時だった。

「拭《ふ》いとくからメシのほうやっとけ。俺らも昼にすんだろ」

言いつつ真奈の持った台布巾《だいぶきん》を取り上げる。真奈も素直に渡して台所に戻った。

そのやり取りの何気なさが二人がここで過ごした時間を思わせた。それなりの時間をともに過ごした呼吸があった。

——なるほど、確かに。

遼一は内心で呟いた。確かに余計なものだ。この二人の空気における自分の存在は。

「うわ、旨《うま》そう！」

真奈の並べた皿を前に、遼一は歓声を上げた。

何の変哲もない野菜炒《いた》めと白い飯、野菜の切れ端を使った味噌汁《みそしる》だったが、こんな何の変哲もない食事にはこの数ヶ月間お目にかかっていない。遼一の住んでいた町は便の悪さのせいか配給が滞りがちで、農家などにつてがない家は不自由な食生活を強いられることが多かった。やはり都会はこんな非常時でも流通に恵まれている。

「うわー、食っていいのこれ⁉」

「え、あの、あんまり期待されても困るんですけど、どうぞ」

どうぞが出た瞬間遼一はがっついた。まるで腹ぺこの犬のようである。

「……相ッ当、飢えてたんだな」

呆《あき》れたように呟き、秋庭は真奈のほうを向いた。

「真奈、メシ炊飯器ごと持ってきとけ。注いでやってたら食う暇ねェぞ。自分で注がせろ」

「そうですね……」

台所に立った真奈が持ってきた炊飯器は、飯が冷める前に遼一がきれいに平らげてしまった。

「……見事な食べっぷりだったな」

秋庭が半ば呆れて声をかけると、拾われた行き倒れは苦しそうに腹をさすりながら笑った。

「いやあ、ようやく人心地つきました。丸一日何にも食ってなくて。あげく荷物は重いし」

「どこまで行くんだ？」

秋庭が先手を打ってそう訊いたのは計算含みだ。長く滞在させるつもりはない。

真奈という被保護者を抱えている立場では、この来客の居候を許せる余裕はない。小娘一人と二十代半ばの男では食い扶持《ぶち》の量がまったく違う。

行き先に困っているのだろうが、協力できるのは住人が消えたこのマンションの空き部屋を適当に都合してやることと、配給場所を教えてやることくらいだ。

配給だけで食い足りないなら仕事くらいは紹介してやれるが、それもこの時世では特殊技能を持った奴に限られる。

秋庭の質問に答えようとした遼一に、ぱっと真奈が割り込んだ。

「海、行きたいんですって、遼一さん」

「海？」

秋庭が目顔で遼一にも問うと、遼一もこくりと頷く。

この辺で海と言えば——

「一番手近は当然、東京湾だがな。築地《つきじ》辺りでいいなら歩いても三十分かからん」

「ああ、でも……できれば、きれいな海がいいんです。人が泳げるような砂浜の……」

「関東で海水浴場ったら……久慈浜《くじはま》、大洗《おおあらい》、九十九里《くじゅうくり》……下って観音崎《かんのんざき》に逗子《ずし》、由比《ゆい》ヶ浜《がはま》に江《え》ノ島《のしま》、茅《ち》ヶ崎《がさき》ってとこか」

「ああ、鎌倉《かまくら》のほうはいいですね。由比ヶ浜って確か鎌倉ですよね？　海きれいですか？」

「まー東京湾よりゃマシだろうよ、どこでも」

　遼一は身を乗り出した。

「由比ヶ浜って今日中くらいで着けますかねえ」

「無理だな」

　秋庭はあっさり片づけた。

「ここから鎌倉までざっと五〇㎞。電車が生きてりゃものの一時間だが、徒歩でこの距離移動するのは骨だぜ。一般人が一日で歩けるのはせいぜいがとこ四〇㎞前後としたもんだ。しかもこれはかなりの健脚者が万全の体調で軽装で臨んだ場合だ。日ごろ長距離歩き慣れてない奴が四〇㎞も歩いたら、歩き終わった瞬間に死ねるな。マメなんか破けて血ィ噴くぞ」

「でもそこがいいなあ」

　物腰は柔らかいが、諦める気配はない声である。

「道、教えてもらえます？」

「行く気か、歩いて」

「しょうがないです。急いで行かなきゃいけないもんですから」

こともなげに笑った遼一に、真奈が声を上げた。

「無理ですよ、だって遼一さん荷物あんな重いのに……」

「どれ」

秋庭はソファの横に置かれた遼一のリュックに手をかけた。持ち上げようとした途端、筋肉に高いテンションがかかる。予想外の重さに筋を違えそうになった。

「えらいこと重いな！　振り回したらちょっとした凶器になるぞ、こりゃ」

「ええ、ちょっと」

遼一が照れくさそうに頭を掻く。

「こんなもん担いで歩こうってか、そりゃ遠からず行き倒れ間違いなしだぞ」

「ええ、でも」

また真奈が横から口を挟んだ。

「無茶ですよ！　だって遼一さん、さっきあたしと帰ってくるときすごく足遅かった！」

「それはほら、荷物重いから」

ごまかそうとした遼一に、真奈はかぶりを振った。

「歩き方も変でした。ホントはもう足の裏、ずるずるでしょ？」

そうそう、ごまかそうったって無駄無駄——と、秋庭は内心で肩をすくめた。ぼんやりしているようで意外としっかり見ているのだ、この娘は。

「……秋庭さん」

真奈に呼ばれて、秋庭は顔をしかめた。——これは。

「何とかなりませんか？」

ほら来た。秋庭は大袈裟《おおげさ》に真奈と逆の方向へそっぽを向いた。

「ならん。知らん。俺に言うな」

「道を教えてもらえるだけで充分助かりますよ。俺、簡単な日本地図と地元の地図しか持ってなくて、この先の道が分からなくて途方に暮れてたんですよね」

遼一が言いながらにこりと笑う。邪気のない心底からの笑顔。

秋庭は遼一をじろりと睨んだ。

「……あんたのそれも天然か」

悪意のない無意識の強制力——引き受ける義理はないはずなのに断ることをいたたまれなくさせる。

かてて加えて、横からは真奈が痛いほどひたと見つめてくる。

ある意味脅迫じゃないのか、これは。

「……一応参考までに訊く」

秋庭の苦虫を噛《か》み潰《つぶ》したような前置きに、遼一と真奈が揃ってかしこまった。

「そのクソ重たいリュックしょって、あんたどっから歩いてきた？」

「あ、群馬のほうから……最初は自転車だったんですけど、途中で壊れたもんですから」

訊くんじゃなかった。秋庭は激しく後悔した。

正面には人畜無害の底意のない笑顔。横には真奈のすがるような眼差《まなざ》し。

このご時世に、殴れば人を殺せそうな重さの大荷物を背負って海のない県から海を目指して歩いてきたバカ。

そのバカを拾うバカ。

そして――そのバカどもにほだされるバカ。

「ええいクソ！」

秋庭は頭を掻きむしって立ち上がった。

「ちょっと待ってろ！　何時間かで戻る！」

言い捨てて玄関へ向かう。

遼一は慌てて腰を浮かしたが、追う前に秋庭は表へ出てしまった。

「真奈ちゃん、いいの？　秋庭さん、怒ったんじゃ……」

「――大丈夫。遼一さん、今日、海に着けますよ」

言いながら真奈は、テーブルの上の空いた食器を片づけはじめた。

「誰かに優しくするとき、怒るんです。そういう人なんです」

数時間後、戻った秋庭に呼ばれて下に降りると、マンションの前にはくたびれた白いセダンがアイドリングしていた。ロングセラー車としてよく知られた車種である。

「廃車寸前でそこらにほっぽってあった奴だ、応急処置はしたがどこまで心臓《エンジン》が保《も》つかは保証できん。サスも抜けちまってるから乗り心地も期待すんなよ」

運転席のドアを開けてトランクレバーを引いた秋庭が、じろりと真奈を睨みつけた。

「最悪俺たちの帰りは歩きだ。その段になって歩けないとか吐《ぬ》かしたらはったおすぞ」

「はい！」

真奈は大きく頷《うなず》いて、自分の抱えていたリュックを軽く掲げて見せた。

「準備しときました」

服装もジーンズにTシャツ、足元はスニーカーと歩くことを前提にしたスタイルである。

「傷バンとマキロンとタオルと水筒とお弁当……おにぎり、傷むといけないから全部梅干なんですけど、いいですよね？　あと、寒くなったらいけないから上着も入ってます」

秋庭は苦虫を噛み潰した。おっとりしているように見えてそういうところにソツがない辺りがかわいげがない。

「荷物は二つに分けとけ。それから寝袋。ベッドの下に一個あるはずだ」

腹立ち紛れに抜かった部分を素っ気なく指示すると、真奈は慌ててマンションに駆け戻った。その絵に描いたような一生懸命がまた癪《しゃく》に障る。

「——兄ちゃん！　荷物よこしな、積むぞ！」

トランクを叩きながら声をかけると、遼一はちょっと困ったように首を傾げた。

「あー……すみません、持って乗っていいですか？　俺、後ろ乗りますから」

「……邪魔じゃないなら好きにしろ」

「ありがとうございます」

言いつつ遼一はリュックをいそいそ後部座席に積み込んだ。シートの上にリュックを置いた途端、車体がギシッと鳴いて大きく沈み込む。

唖然《あぜん》とした遼一に、秋庭が投げやりに声をかける。

「言ったろ、サスもへたってるって」

へたっているとは言ってもほどがある沈み方だ。廃車寸前とは誇張ではない。

「ほんと満身創痍《まんしんそうい》ですね……せめてエンジン切っといたほうがよくないですか？　真奈ちゃんが戻ってくるまで休ませといたほうが……」

エンジンは秋庭が戻ってきたときからずっと掛けっぱなしで、遼一は死にかけのエンジンの負担を心配したらしい。が、

「切ったら次が掛かるかどうか怪しい。放出しきったバッテリーにむりやり補充液ぶち込んで一時間ちょい充電しただけで、二度も三度もセル回せるとは思えん。レストアして走った距離が五〇〇ｍじゃ、蓄電より放電量が多いだろうしな」

言いつつ秋庭は片足を路面に滑らせた。アスファルトの上に撒《ま》き散らされた塩粒がずるずると靴底に滑る。

「この足元で押しがけしたいか？」

遼一は黙って首を横に振った。車の尻《しり》を押す前に滑って転ぶのがオチである。

「心配しなくてもすぐ戻るさ。ああ見えて空気は意外と読んでる」

——秋庭がそう言ったとおり、真奈は待つ程の時間も空けず、息を切らしてマンションから走り出てきた。

＊

「うわあ——、車乗るなんて何ヶ月ぶりだろ！」

「はしゃぐな、ドライブじゃねェぞ！」

助手席の真奈を叱りつけながら秋庭はアクセルを踏み込んだ。エンジンはそれに応じて唸《うな》るし、回転計の針も跳ね上がるが、速度はじりじりとしか上がらない。

「ええいクソ、パワーが逃げる。クラッチ板が磨《す》り減ってやがるな」

後ろから遼一が乗り出して声をかける。

「さっきからギアもよく抜けてますね」

「ああ、オイルが完全にへたってやがる。エンジンも死にかけだし、いっぱいまで引っ張って五十㎞しか出ないってのは泣けてくるね」

無理に回せないためか秋庭の運転は出発以来きっちり法定速度遵守だ。それでもたまに回転音に異音が混じり、エンジンの機嫌を取って減速することも少なくない。

「さっすが放置車、こりゃ帰りはマジで歩きかもな」

信号がほとんど死んでいるので、ゴーストップが少ないのが救いだ。

機械関係について無知な真奈は気楽だが、実はかなり悲惨な状況でのドライブである。

「平常時なら目的地まで二時間弱ってとこだが……」

秋庭は腕の無骨なダイバーズウォッチを見た。時刻は午後四時を回っている。

「日が落ちる前に着けたら御の字だろうな」

道も平坦《へいたん》なばかりではない。放置車や事故車などで塞《ふさ》がれた道路もあり、そんな場所を迂回《うかい》しながらの運転である。大きな道であればあるほど大規模な事故の跡がいくつも残っていた。

しかし、他にほとんど走っている車がいないのが幸いして、悪路に死にかけの車でも順調なペースで都内を抜け出せた。多摩川《たまがわ》を越えて神奈川へ入った頃、後部座席からは盛大ないびきが聞こえてきた。

真奈がそっと後ろを窺う。

「よっぽど疲れてたんですね」

サスペンションがへたって路面の荒れがダイレクトに伝わる車内で、遼一は目を覚ます気配もなく熟睡している。

「すみませんでした」

後部座席から目を戻した真奈が、小さな声で謝った。

「何だ、いきなり」

「無理言って——秋庭さん困らせちゃって」

「今さら殊勝になるな、気持ち悪い」

秋庭が素っ気なくあしらうと、真奈は俯《うつむ》いてしまった。

真奈が何かを拾ってくるのはこれで三度目である。最初は猫、次は犬、そして今度は人だ。拾ってくるたび大物になっている。秋庭は最初の二回を思い返した。

「これ以上大きいもんは拾ってくるなよ」

真奈と暮らしはじめてしばらく経つ。その間に、ある程度の性格の傾向は摑《つか》んだ。

余計なものに引っかかる。引っかかったら後先考えない。日頃はおとなしいくせにそうなるともう後に引かない。捨ててこいなどと言っても聞くものではない。叱りつけたら猫を抱えて家出した。何十年前のホームドラマだ。とは言え、そうなったら大人が折れないことには仕方がない。

困った性格である。——だが、一番厄介なことには。

この娘は自分のことでそうした困った性癖を出したことは一度もないのだった。

だから困ったことに怒れない。

「……お前、何であの兄ちゃん拾ってきたんだ？」

「えっ、あの」

急に訊かれて、真奈が慌てたように顔を上げる。

「行き倒れてたから……」

「それは分かってる。けどお前のこったからまたどうせ妙なことに引っかかったんだろ。何に引っかかったんだ？」

真奈はしばらく黙って考え込んだ。

やがて。

「……海、行きたいって言ったんです。遼一さん。きれいな海がいいって——そのときの目が、すごく静かで強くて。あんなに疲れてるのに、あたしと話した後すぐ歩き出そうとしたんです。怖いくらい急いでて、何か……止めなきゃってそう思って」

「……『待て、急ぐな』か」

それは秋庭も感じていたことだった。道を教えてくれと頼んだとき彼はにこやかに微笑んでいたのに——何をどうしても『きれいな海』へ行くまでは止まらない、一歩も引かない頑《かたく》なさが見え隠れしていた。

まるで静かな狂気のような。

「きっと、すごく大事な用があると思うんです。だから」

「だから俺をアテにしたってか？」

「……ごめんなさい」

ますますしょげてしまった真奈に、秋庭は無造作に片手を伸ばした。反射的に首をすくめた真奈の頭を軽く叩く。

驚いたようにこちらを向いた真奈のほうは向かず、秋庭はずっと前を眺めていた。

車のスピードが見る間に落ち、最後にガクンと軽くつんのめるような衝撃を伴って止まった。

遼一が目を覚ますと、秋庭が忌々しげにハンドルを手放すところだった。

「ガス欠だ」

「じゃあここから歩きですね」

「気が早い」

秋庭が降りようとした真奈の襟首を摑んで止めた。

「まだエンジンがおしゃかになったわけじゃなし、帰りのこともあるのに動く足を捨てるなぁ惜しい。というわけで……おい、兄ちゃん手伝え」

言いつつ車を降りた秋庭に合わせて遼一も車を降りた。揃ってトランクに向かった二人を、慌てた様子で真奈が追う。

「あの、どうするんですか？」

「給油だ」

「給油って、ガソリンスタンドなんか開いてないですよ」

「そのためにこういうもんがある」

秋庭が開けたトランクの中からゴムホースを取り出した。

「放置車二、三台こじ開けて回れば、当面の燃料くらい手に入るだろ」

「じゃああたしも」

「お前は車の番だ、来たって役に立たん。すぐ戻るから待ってろ。ドアは全部ロックしとけよ。何かあったら叫べ、そう遠くへは行かん」

車載工具とホースを持って歩き出した秋庭に、遼一も空のポリタンクを二つ持って続いた。たまたま拾った車にこんなものが揃っているとは思えないから、秋庭が揃えたのだろう。

「周到ですねえ。給油道具、全部用意してあったんですか」

「こう見えても後先考えるほうなんでな。真奈やあんたとは違う」

しれっとこき下ろす秋庭に、遼一は大声で笑った。人気のない街路に笑い声は開けっぴろげに響いた。

「真奈ちゃんが言ったとおりの人だなあ」

「……何だ？」

怪訝《けげん》な声になった秋庭に、遼一は答えを明かした。

「優しくするとき怒る人なんですって言ってた。実は照れ屋ですね、秋庭さん」

「なっ……！」

秋庭は目を怒らせて遼一を振り向いた。

「気色の悪いこと言ってんじゃねえ！　かゆいだろうが！」

「僕は秋庭さんをちょっとの間しか見てないけどそれでもよく分かりましたよ。さっきだって

――」

役に立たないから車で待ってろ。秋庭は真奈にそう言ったが、

「休憩させてあげたかったんでしょ？　振動ひどくていいかげんお尻《しり》が痛かったですしね」

「へたばられたらこっちが迷惑だろうが！　車酔いでも起こされた日にゃ気ィ遣わされるのは俺だしあんたも足止めだ！」

「そうですね。真奈ちゃんは自分のことは我慢しちゃいそうだから気がかりでしょうね」

秋庭はものすごく嫌な目付きで遼一を睨み、ぷいと遼一を無視して歩き出した。遼一はその背に構わず喋《しゃべ》り続けた。

「いい子ですよね。このご時世に宝物みたいな——大事にしてる理由《わけ》分かりますよ」

先を歩く秋庭の肩がぴくりと動いた。反駁《はんばく》したいが、反駁したらまた余計な反撃が来ることを読んで押し黙っている雰囲気である。

分かりやすい人だなぁと遼一は内心で思った。確実に怒らせると分かっていることを敢えて口に出すほど迂闊《うかつ》ではない。

秋庭が振り向かないままで口を開いた。

「アレが物を拾ってくるのはあんたで三回目だ」

「部屋で伺いました」

「最初の猫は、拾ってきて三日目で衰弱死した。二回目の犬は、末期の水を取ったようなもんだ。飼い主からはぐれてもう長かったんだろう、ガリガリに痩《や》せて水しか喉《のど》を通らなかった。一晩は保《も》たなかったな」

遼一は秋庭の背中を見つめた。

「あいつは余計なものに引っかかる癖がある。見なきゃいいのに、見ても無視すりゃいいのに、わざわざそういうものに引っかかる。けど、見るなっつっても聞きゃしないんだ」

ああ、これは――

できれば来てほしくなかった。そう言っている。

それが分からないほど遼一も小僧ではない。秋庭との年の差はせいぜい二つか三つだ。

けれど今さら謝るのも間の抜けた話なので、遼一は何も言わずに秋庭の後ろについて歩いた。

それからガソリンを集めて車に戻るまで正味二十分。真奈にはちょうどの休憩時間になったようだ。

そしてドライブは再開され――。

*

海辺へたどり着いたのは、海が金色に染まる時間だった。

「すごい……」

砂浜に降り立った真奈が、立ち尽くしたまま息を飲んだ。綺麗《きれい》、と吐息のように呟く。

黄金を撒いているかのように光を反射する一面の水。

「――関係、ないんですね」

真奈がぽつりと呟いた。秋庭がちらりと見やると、真奈は答えるようにまた言った。

「誰かが見てても見てなくても、毎日こんな景色なんですね。夏じゃなくても、あたしたちがいてもいなくても——毎日、こんなに綺麗なんだ……」

誰もいなくなっても——毎日。

世界中のすべての人がいなくなっても。

海も空も太陽も、誰かに見せるために朱《あけ》に染まるのではない。綺麗な景色に意味などなく、それはただ綺麗というだけのことだ。美しいと誉めそやすのは見ている側の勝手な評価で景色は美しくあろうとして美しいわけではない。

「俺たちの生き死にが一大事なのは俺たちだけだ。それが世界の一大事と思ってるのも俺たちだけだろうよ。恐竜が死んだときだって地球は不都合なく回ってたんだ」

真奈の頭をぽんと叩《たた》いて、秋庭は遅れてついてくる遼一を振り向いた。

「兄ちゃん、荷物大丈夫か？」

背中に例の『クソ重たい』リュックを背負い、遼一が一歩一歩踏みしめるように歩いてくる。

「大丈夫です」

「きつかったら代わるぞ」

「ホントに大丈夫ですから」

またただ。秋庭はそれ以上は言わずに前を向いた。笑顔の下に隠れた頑なさ。

何も気づいていないらしい真奈をちらりと横目で眺め、秋庭は波打ち際へ歩き出した。

波打ち際で遼一はリュックを下ろした。投げ出すようにではなく、壊れやすいなにかを扱うように静かに。

その様子を見て、真奈が初めて尋ねた。

「……遼一さん、それ——何が入ってるんですか？」

「ああ、これ？」

遼一は覗《のぞ》き込む真奈の前でリュックを開けた。中身を見た真奈が固まる。

「海月《みつき》って言うんだ」

リュックの口いっぱいまで、溢《あふ》れそうなほど詰め込まれた——塩。

まだ一部は形が残っている。そこだけ形を残して詰めたのだろうとすぐ分かった。ぎっしり詰まった塩に埋もれて、年若い女性の顔立ちがはっきりと見て取れるかけら。

思わず足をふらつかせた真奈の肩を秋庭が抱き止め、そのまま自分の胸にもたれさせるように支えた。

……人でも殺せそうなほど重いリュック、トランクに積まず座席に置き手を貸そうと言っても頑なにそれを拒む。

秋庭にとっては予想のうちだった。

塩害に遭った人間なんてもう珍しくもない。街中に立ち並び風化していく塩の柱は、もはや何の変哲もないただの景色だ。

生きていた頃の姿をきれいに残した精緻《せいち》な塩の彫像、雨風がそのかつて生きていた人々の姿を削り取って撒き散らす。元の姿などとうの昔に失われ、オブジェと化して林立する白い柱。溶け流れ、削り取られて街路に散った死体のかけらの塩粒を、もはや誰も気にせず踏んで歩く。元は誰だったのかいちいち気にしていたら気が狂う。

今まで生き残っている奴なら、もう何人もの知人や愛《いと》しい者をそうして失っているはずだ。吹き散らされて踏まれる砂の一部にしたくないなら、そうするほか——

「あんたの恋人か」

訊いた秋庭に、遼一は曖昧《あいまい》に笑った。

「最後の瞬間だけそうだったかも」

最後の瞬間——考えたくない。それは、瞳《ひとみ》から壊れたように次々涙が溢れてくる。真奈は口元を両手で押さえた。そうしていないと叫び出してしまいそうで。

「ずるいよね。最後の最後に、どうして俺のところに来たんだろう。恋人だってちゃんといたのに。もう結婚式の日取りまで決まってて、ちゃんとほかの誰かと幸せになるはずだったのに。俺はただの幼なじみで、ずっと隣にいて、あいつの愚痴を聞かされるばっかりで、ずっと——小さい頃から、同い年なのに兄貴分の役回りで、泣きつかれてめんどくさいことばっかりで」

＊

——あの晩。

歩いた後に塩をこぼしながら、海月は遼一の部屋まで来た。

涙の跡が、顔にくっきりと筋を彫っていた。

泣くなと叱りつけた。泣いたら余計溶けてしまう。

抱きしめると潮の香りがした。高い熱があるように体がぶるぶる震えていた。

「怖いって言って泣くんだ。怖いんだったら恋人のところに行けばよかったじゃないか。何で、わざわざ——俺のところなんだ。そんでそんな段になって初めて俺を好きだったって言うんだ。めちゃくちゃだよ」

ごめんねごめんねごめんね——。

海月は何度も何度も呟いた。呟くたびに瞳から溢れる涙を遼一は懸命にハンカチで拭《ぬぐ》った。これ以上、彼女の涙が彼女を溶かしてしまわないように。頬に刻まれた涙の筋がこれ以上深くならないように。せめて、
きれいなままで塩の柱になれるように。

海月は涙をこらえようとしながら、懸命に呟いた。

こんなになるまで気づかなかったの。手から塩が吹いたの見て、やっと分かったの。

遼ちゃんのそばにいたいって思ったの、お父さんでもお母さんでも、結婚する彼でもなくて、遼ちゃんのそばで死にたいって――あたし遼ちゃんのことがずっと前から好きだったんだって――こんなになってから、

ごめんね、遅すぎるよね、あたしバカだ。

いいから！

遼一の目からもとめどなく熱い水が溢れていた。大の男がこんなに号泣してみっともない、でも仕方がないだろ悲しいんだから――

俺も好きだから！　だから泣くな！

遼一は海月に口づけた。唇の感触はもう固くて、口の中は塩辛かった。それでも舌を絡めた。

一生で一番激しいキスをした。

一生忘れないキスをした。

「こんなことにならなくちゃ気づかない気持ちって、あるんだね。こんなことにならなかったら――きっと、海月は予定どおり優しい婚約者のところにお嫁に行って、俺はちゃんと結婚式にも呼ばれて、それを見送って――ちょっと胸の中がぽっかり空いたみたいな気分になって、でも妹分が巣立った寂しさだなって自然に納得して、俺が海月を好きなんて、海月が俺を好きなんて、絶対気づかなかった。海月と結婚すればいいのにってうちのお袋や海月のおばさんが言っても、あり得ないよって笑ってたんだ、二人とも。そんなことあるわけないじゃんって、

二人で能天気に笑ってたんだ」

お前が塩になったら海へ連れてってやるよ。お前の名前の場所だぞ、いいだろう。日本海側はやめような、冬とか寒そうだから。お前、寒いの嫌いだろ？　太平洋側で、あったかくってきれいな海にしよう。夏はいっぱい人が来て賑《にぎ》やかだぞ、きっと。子供のときの俺たちみたいな奴らも来るかもしれない。俺、そこの浜辺で海の家とかやるからさ。そんで、ずっとそばにいてやるから――だから、もう泣くな。俺、ずっと……一生ずっとお前と一緒にいるから。

うん――うん、

もはや身動きもままならなくなった体で海月は懸命に頷《うなず》こうとした。腕の中でその体は刻々と固さを増していく。

遼ちゃん一緒だったら、怖くないよ。だって、ずっと一緒だったから――遼ちゃんとずっと一緒だったから、

もう舌もうまく回っていない。

最後の瞬間は、二人が同時に察していた。

あいしてる。

そう言いかけた形のままで、海月は白く凍りついた塩の柱になった。

＊

「どうだ、海月。ここならキレイだろ？」

遼一はリュックの中から恋人の顔を手に取り、波打ち際を見せるように捧《ささ》げ持った。

何を語りかけているのか、しばらくの間恋人のかけらと二人で海を見つめ、それからかけらに口づけた。打ち寄せる波の中に静かにかけらを降ろす。砕こうとはせず、波が溶かして全て持ち去るまで、ずっと水の中でかけらを支えていた。

やがて、手のひらから最後の粒子が洗われる。

それからリュックの中の塩をすくい取って口づけ、遼一は波頭にそれを撒《ま》いた。何度も何度もその仕草を繰り返す。膨大な量の塩を撒き尽くすまで。

最後に手に残った塩を丹念に波で洗い、リュック自体を沖へ力いっぱい放り投げた。

一粒残さず――そんな執念で、遼一は塩を撒き切った。

そして振り向いた遼一が、秋庭に支えられた真奈を見る。

見られた真奈は、びくりと肩を震わせた。

遼一が穏やかに微笑む。最初にリンゴを渡したときと、三人で食卓を囲んだときと、ここへ来る道中とまったく変わらない笑顔で。

最初から、彼はそんな段階は越えてきていたのだ。

「――泣かなくていいんだよ、真奈ちゃんは。俺たちこんな結末だったけど君が思ってるほど悲しくないから」

「ごめんなさい――ごめんなさい」

真奈が必死で嗚咽《おえつ》を飲み込もうとする。真奈の後ろの秋庭は、静かな表情で遼一を見ていた。その腕が真奈の肩を庇《かば》うように抱いている。

秋庭も遼一も真奈が謝る理由を知っていた。まったく、このご時世に、まるで宝物のような。関係ないのに泣いてごめんなさい。

真奈はそう謝っているのだ。

「ごめんはこっちだよ、君にきついもの見せた」

できれば来てほしくなかった。秋庭が言外にそう言った理由《わけ》。

余計なものに引っかかる。だから。

だから彼は、彼女に余計なものを見せないでくれと――

「でも、ホントに俺たちけっこう幸せだから。こんなことでもなかったら俺たち自分の気持ちに気づかなかった。こんなことになっても、気持ちが通じないままで別々の道を歩くより幸せだったって、負け惜しみじゃなくてそう思えるんだ。わがままかもしれないけど、身勝手かもしれないけど――俺たちが恋人同士になるために世界はこんな異変を起こしたんじゃないかって、そう思うんだよ」

秋庭が呆《あき》れたように苦笑した。

「そんじゃ、他の連中はあんたたちの巻き添えか。そりゃ随分と傲慢《ごうまん》なラブストーリーだな」

遼一は照れたように頭を掻いて、二人に歩み寄った。そして最初は秋庭に手を差し出す。

「ありがとうございました。正直言って、もう着けないかと思ってたんです」

秋庭は無言で遼一の手を握り、そして無言で手を離した。

次に遼一は、真奈に手を差し出した。

「真奈ちゃん、ホントにありがとう。君がいなかったらここへ来られなかったよ。海月の分も
……本当にありがとう」

「そんな……あたし、あたし何にも」

言いつつ握手した真奈の表情が、わずかに歪《ゆが》んだ。

「じゃあ、元気でな」

あっさりとした挨拶《あいさつ》で秋庭が遼一に背を向けた。真奈の肩を掴んで強引に歩き出させる。

遼一が手を振る気配は背中で感じた。

波の音が背後に遠ざかってから、真奈は自分の右手を見つめた。

「秋庭さん……」

「振り向くな。——お前はもう見るな」

じゃあ、間違いないんだ。

真奈はぎゅっと右手を握りしめた。

遼一と握手した手のひらに、ざらりと滑った感触——もう、手が塩を吹きはじめていた。

「秋庭さん」

「要らん心配だ」

真奈の言葉を遮って秋庭が答えた。真奈が後ろを向かないようにか肩を抱く手が強くなる。

「幸せに決まってんだろ、あいつは——世界中を不幸に巻き込んだ大恋愛だって自分で言ったんだ」

彼女を海に溶かして、自分も海に溶ける。二人とも同じ濃度の塩の水に——そのために彼はここへ来たのだ。彼女とひとつに溶け合うために。

誰が見ていても見ていなくても、関係なく綺麗なこの海で。人間がひとりもいなくなっても、関係なく綺麗な景色の中で。

二人は世界と溶け合ったのだ。どこまでが彼女でどこまでが彼か分からないほど分かち難くひとつに。それは永遠を手に入れたことに——なるのか。

幸せなのだと秋庭は言う。幸せだと遼一も言った。

それでも——切ないと思ってしまうのは、二人を冒瀆《ぼうとく》していることになるのだろうか。

Scene-2 それでやり直させてやるって言ったんじゃねえのかよ。

＊

多摩川《たまがわ》を再び越えてしばらくすると、もうヘッドライトが要る時刻だった。鎌倉《かまくら》から行った道を逆にたどって家に帰る間、真奈《まな》はずっと無口だった。むしろ車が壊れていたほうが良かったのかもしれない。徒歩五十㎞の強行軍なら何かを考え込む余裕など途中で吹っ飛ぶ。

何か——起きないだろうか。たとえば車を捨てるきっかけとか。真奈が自分の中に没入していくどころではなくなる何か。

とは言え、そんなことを望んだわけでは決してない。この世に神がいるとすればそれは中庸というものを知らないに違いない。願いの叶《かな》え方はいつも足りないか極端かどっちかだ。

ヘッドライトが届かない道の先——その暗闇から、鮮やかなオレンジの火線が車体の鼻先に突き刺さった。

「な!?」

本能が一瞬ブレーキを踏みかける、しかし秋庭《あきば》は敢《あ》えてアクセルを踏み込んだ。

銃撃、それは間違いない。それなら高速でこのエリアを突っ切るほうが安全だ。高速移動体の中の人間を正確に狙えるほどの狙撃手など、戦場でもない限りそうはお目にかかるものではない。

だがその目論見《もくろみ》はすぐさまご破算になった。前方に人影が立ちはだかっている。銃を持って車へ向けているが、避ける気はさらさらないらしい。とんだチキンレースだ。

撥《は》ねるか。一瞬迷った。人命尊重を選択させたのは隣の同乗者の存在だろう。

躊躇《ちゅうちょ》の間に、素直にブレーキを踏んで停まれる距離ではなくなっていた。秋庭はハンドルを左に切った。運転席側が銃弾に対して盾になるよう車体を操る。

「口閉じろ！」

ただでさえへたったサスが慣性に耐え切れず斜めに底付き《ボトミング》し、衝撃で車体が揺すぶられる。口など開いていたら確実に舌を噛《か》みちぎっている。進行方向に対して運転席側を向けたまま、車は数十mを横滑りしてようやく停まった。

とっさにドアを蹴《け》り開け低い姿勢で外に飛び出したが、そこに今度は至近距離からはっきりと銃声が響いた。音で弾の飛んだ方向は明後日《あさって》と分かったが、助手席には真奈がいる。一挙動で銃身の内側まで飛び込む自信はあったが、助手席を被弾させずに相手を取り押さえる自信はない。そこから先はオッズが分からない賭《か》けになる。

秋庭は飛び出した姿勢からゆっくりと立ち上がった。

その前に、長い銃を構えた男がゆっくりと歩み寄ってくる。

「えっれえ反射神経だな、オヤジのくせに」

秋庭をオヤジ呼ばわりしたのは髪を短く刈り込んだ若い男である。削《そ》いだように頰がこけた輪郭と血走って濁った目のせいで老けて見えるが、まだ二十歳《はたち》そこそこだろう。

灰色の作業服に白い運動靴のその男は、抱えた銃をやや持て余し気味に秋庭に向けた。精緻《せいち》な狙いではなく、使い慣れていないのが分かる。

「――六四式《ロクヨン》か」

六十四式小銃。男の抱えている銃は、最新ではないが陸上自衛隊の制式装備品である。

「そんなもんどこで手に入れた」

「バッカじゃないの、おっさん。こんなもん、持ってるヤツから取るしかないじゃん」

言いつつ男が銃口を軽く振る。

「乗せろよ。イヤだっつったら撃っちゃうぜ」

そのとき、助手席で真奈が小さく呻《うめ》いた。ダッシュボードに伏せていた――というより叩《たた》きつけられていた姿勢からのろのろ起き上がる。

男が目ざとく秋庭の後ろを窺《うかが》うように助手席を覗《のぞ》いた。そして軽く口笛を吹く。

「女じゃん。ラッキ。俺その子の後ろね」

男は油断なく銃口を車内に向けて構えつつ、車のフロントを回って助手席の後ろのドアに駆け寄った。

「秋庭さん……あれ」

「本物だ。逆らうな」

短い指示に真奈は小さく頷《うなず》いただけだった。余計なことは訊《き》かず騒ぎもしない。度胸がいいのか聞き分けがいいのか。

男は後部座席のドアを開け、銃身を車内に突っ込みながら乗り込んできた。どすんと荷物を下ろすように腰を下ろし、車体がギシッと鳴き声を上げる。

「出せ」

男に言われて秋庭は車を再発進させた。道に対して完全に真横になって停まっていたので、一度切り返して向きを直してから走り出す。

「どこ行きゃいいんだ。見てのとおりボロ車だからそう遠くへは行けんぞ」

「どこでもいンだよ。とりあえず、お前らのヤサ連れてけや」

言いつつ男は、小銃を右脇に抱えて銃口を斜め下から助手席のヘッドレストに付けた。銃口を水平保持するには後部座席の空間に対して銃身が長すぎる。

「お前、名前何てぇの」

へらへらと笑いながら、真奈のほうへ顔を乗り出す。

「小笠原《おがさわら》です」

名字しか答えないのが意図的なのは明白だった。男も癇癪《かんしゃく》を起こしたように助手席のシートを背中から蹴る。

「誰が名字聞きたいっつったよ!」

真奈がかすれた笛のような声を上げた。すくみ上がったようにシートから体がずり下がる。

「――真奈」

低い声で秋庭に呼ばれ、真奈はようやく口を開いた。

「真奈です」

男は示唆した秋庭に絡むような険悪な視線を向けた。だがそれ以上は何とも言わない。銃を抱えたのと反対の手を真奈の首に巻きつけ、真奈の頰を指先でじっとりと撫《な》でる。

「気ッ……持ちいいなあ」

頰を這《は》う指の感触に真奈がきつく目を閉じる。それ以外にこらえる手段がない。派手に首を背ければ男はまた激昂《げっこう》するだろう。

と、突然車体がガタンと大きく揺れた。ちょっとしたものに乗り上げた程度の衝撃だったが、サスがほとんど死んでいる車内には突き上げるような振動が襲う。

「てめえ！」

怒鳴った男が銃口をぐるりと秋庭のほうへ向けた。

秋庭は顔色一つ変えずに応じた。

「どうやら石にでも乗り上げたな。──隣でよけいなことをされると気が散る。逃げ切りたいならおとなしくしてろ」

言外の指摘に、男が軽く舌打ちする。

男が着ている灰色の上下は、ごくありふれた囚人服の体裁である。

「どっから逃げてきた」

「クソみてえなところからだよ」

吐き捨てた男が不機嫌に黙り込む。

秋庭はバックミラーをちらりと見て微《かす》かに眉《まゆ》をひそめた。銃口は再び真奈のヘッドレストに戻されている。銃という圧倒的な武器を持ちながらも人質は弱いほう。正しい判断ではあるが、やりにくい相手だ。手にした武器に舞い上がって驕《おご》るタイプのほうがまだ良かった。

その後男は一言も喋《しゃべ》らず、車内は奇妙な緊張感に包まれたまま新橋《しんばし》に差しかかった。

＊

男は油断なく銃を車内に構えながら先に車を降り、次に真奈を降ろさせた。

真奈の腕を摑《つか》んで自分の前に立たせ、首筋に小銃の銃口を突きつける。真奈の肩が竦《すく》んだがどうしてやることもできない。秋庭を降ろさせたのはその後だ。順番をよく考えている。

「おっさん先に歩いてもらおうか。家に案内しろ」

男は秋庭に対して必要以上の威嚇を示していた。出会い頭の反応で警戒させてしまったようだ。今さら後悔しても遅いがただの『おっさん』と侮らせておくべきだった。そうすれば多分ここで巻き返しが効いたはずだ。

「妙な動きしたらズドンといくからな。この子の頭なんか吹っ飛んじゃうぜ」

ヒッと真奈が息を飲む気配が背中で分かった。それでも悲鳴を上げず泣き出すこともしない。パニックを起こされるのは最悪だ。男が車に乗り込んでくる直前のわずかな指示だけで、真奈はよく保《も》っている。それだけ無条件に寄せられている信頼を今さらながら思い知る。

「——心配すんな。俺もそいつの頭の破片を掻《か》き集めるのはごめんだ」

「ジャクリーヌかよ」

男が揶揄《やゆ》するようにプッと笑った。秋庭は男のイメージを書き換えた。粗暴で粗野に見えるが知識レベルは高い。ケネディ暗殺は秋庭の年代でも学校で習った歴史上の一事件に過ぎない。仮に事件を知っていたとしても、大統領夫人が銃撃で飛び散った夫の脳漿《のうしょう》を掻き集めたというゴシップや、その夫人の名前などは知る気にならないと知識には加わらない。ようやく二十歳を過ぎたかどうかであろうこの男の年代ならなおさらだ。

知識欲が高く、判断力が高い。銃を持たせて敵に回すには厄介な相手だ。

化粧タイルの剝《は》げかけた古ぼけたマンションに秋庭が先に立って入った。四階建てのこのマンションにエレベーターは付いていない。秋庭は男を警戒させないように、ゆっくりと階段を昇った。


室内に入ると、男は秋庭に全室の灯りを点《つ》けさせ、秋庭を先に立たせて間取りを案内させた。ほかに住人がいないことの確認と武器になるものの所在の確認。つくづく抜け目がない。

最後に男は、台所をもう一度案内させた。

「おっさん、ちょっと離れてろ」

あくまで真奈を秋庭に対する盾にしながら、男は流し台に近づいた。

「真奈、お前がいつも使ってる包丁取れ」

呼び捨てられたことに微かに不満そうな表情を閃《ひらめ》かせつつ、真奈は流し台の下の扉を開けて文化包丁を取り出した。

「刃先を持って俺に渡せ」

言われた通り、真奈が刃先を持って包丁を後ろへ差し出す。男はそれを受け取ると刃を真奈の首筋に当ててから銃を下ろした。ベルトで斜めがけした小銃が男の脇に下がる。

「こんな重くて取り回し利かないもん、長いこと持ってらンねえからな」

六十四式は長時間保持するには向かない重量だ。疲れて銃口が下がる前に武器を替えるとはつくづくかわいげがない。

「それとメシ。何か食い物よこせ。すぐ食えるもんだ」

真奈がちらりと秋庭を見た。秋庭は男に気づかれないように目線で頷いた。何か画策しても男を刺激するだけだし、凶器を突きつけられた状態で真奈に余計な挙動をさせたくはない。

真奈は車から持って降りたリュックを軽く後ろに掲げて見せた。

「この中、お弁当があります。水筒にお茶も」

帰りが歩きになった場合を考えて作ったが、結局手はつけなかったものだ。

「何、お前らピクニックにでも行ってたのか？　のどかなこったな。まあいいや、座ろうぜ」

男は先に歩かせた秋庭を居間の壁際に行かせ、自分は秋庭が正面に見張れる位置のソファに腰をかけた。銃は左脇に挟んで秋庭に向け、右に座らせた真奈の首には包丁を押しつけたままである。

「真奈、弁当出せよ。リュックは膝《ひざ》の上に置け。弁当出したら降ろしていい」

真奈がリュックを開けている間も、男は壁にもたれた秋庭を油断なく見張っていた。真奈がテーブルに弁当箱を開けて並べると、また真奈に命令する。

「食わせろ。箸《はし》は使うな、手で運べ」

片手に銃、片手に真奈と包丁では自分で食べる空き手はない。箸を禁じたのは喉《のど》を突かれるのを懸念したからだろう。

真奈は少しためらってから、おにぎりを一つ手に取った。

「ごめんなさい、手、洗ってないですけど」

男は一瞬、不思議そうに真奈を見た。変なヤツ。小さく呟《つぶや》き、真奈が口元に添えたおにぎりにかぶりつく。視線は秋庭に据えたままだ。

「——旨《うま》いなあ」

初めて男の声が和らいだ。

「……ただのおにぎりですけど」

「旨いよ。次、おかずくれ」

真奈の運んだウィンナーを、男は食べる前にちらりと見てゲラゲラ笑った。

「何これ、タコかよ」

「え、そう見えませんか？」

場合を忘れて素で訊き返した真奈に、男は答えた。

「見えるよ。見えないからおかしいんじゃねえよ、見えるからさあ。カワイーことすんなあって思ってさあ。——俺、タコさんウィンナーなんかいつ食ったっけなあ。刑務所じゃタコさんなんか出ねえもん。こんな大事に作った弁当なんかさ」

男の声が一瞬湿っぽくなった。それを慌てて振り払うように、男は秋庭に対して煽《あお》るように顎《あご》を突き出した。

「悪《わり》ィな。あんたのために作ったんだろうけどよ」

男は二人分の弁当をぺろりと平らげ、真奈にお茶を飲ませてもらってから息をついた。

「あー旨かった。お前、料理上手《うめ》ェな」

「そんなこと……」

思わず謙遜《けんそん》した真奈に、男は正面を見たまま言った。

「上手《うま》いよ。お前、いい嫁さんになるよ」

あながちからかっているわけでもなさそうな声である。真奈は返事に困って黙り込んだ。

膠着《こうちゃく》状態のまま数十分が過ぎた。男は真奈が気に入ったらしく、いろいろ話しかけてきた。

お前いくつ？　十八？　じゃあ高校生か。真面目そうだよな、制服とかちゃんと全部ボタン留めて着るタイプ。俺が高校んときもそういう女がいてさ、ダサーっとか思っててさ、そいつがすっげーうるさく俺の服装とかいろいろ注意してくるから、うるせーブス黙れって言ったら泣いちゃって。困った困った。お前ちょっと似てるわ。

さっきの卵焼きって何味？　ちょっと変わった味だよな。甘くないけど塩じゃないし。ああ醬油《しょうゆ》。そっか。おんなじ味で卵焼くヤツ知ってんだ。そっか醬油使ってたのか。そいつのほうが味濃いんだけどさ。旨かったんだけど、何かむかついて激マズって言っちゃってさ。ホントは旨かったんだけど何でかむかついてさ。ちゃんと旨いって言ったらよかったなあって……

やがて、男は秋庭に向かって言った。

「あんたらってさあ、一体何？」

「何ってのは何だ」

「ここで一緒に暮らしてんだろ。兄弟？　親戚《しんせき》？　恋人？」

「他人だ」

素っ気なく答えた秋庭に、男は真奈をぐいっと引き寄せた。

「あんなん言ってるぜ。ホント？」

真奈は頭を抱え込まれたままで困ったように笑った。

「ホントです……塩害の後に知り合っただけなんです。あたし行くとこなくて困ってたら面倒見てくれて」

「何だよそれエンコー？　面倒見てやるからやらせろとか？　エロオヤジの罠《わな》に引っかかってやられちゃった？」

真奈は一瞬で頰が燃え上がるのを感じた。怒りで頭に血が昇るのだと初めて体で思い知った。怒鳴り返してやりたいと思ったが、

——逆らうな。

秋庭はそう言った。刺激するなと。逆らうな逆らうな逆らうな——念仏のように極小の時間で数十回繰り返す。

秋庭が言うことは、きっと正しい。

「秋庭さんはそんな人じゃないですよ」

ようやく真奈はそう答えた。すると男はニィッと笑った。

「じゃあ遠慮することないってわけだ。——真奈、お茶飲ませろよ。口移しでさ」

「は!?」

真奈は啞然《あぜん》として声を上げた。男は平然と同じ要求を繰り返す。

「恋人とかなら遠慮してやってもよかったけど他人だろ？　いいじゃん。減るもんじゃねえし。ああ、嫌なら嫌って言ってもいいけどさ」

男が秋庭に小馬鹿にしたような視線を向ける。

「嫌って言ったらあのおっさん撃っちゃうぜ」

「——あんまり調子に乗るなよ」

秋庭がじろりと男を睨《にら》み返す。と、男の感情のメーターが突然振り切れた。

「他人だろ！　たった今、てめえが自分で他人だっつったんだろが！　他人だったら黙っとけよ！　むかつくんだよ、他人のくせに俺の目の前で繫《つな》がってるとこなんか見せんじゃねえよ！　白々しいぜ、お前ら言いなりにするのなんか簡単なんだよ、見え透いてんだよ！」

部屋の中で銃声がこだました。微動だにしなかった秋庭の隣の空間で、ベージュのクロスを貼った壁に弾痕《だんこん》が穿《うが》たれた。

「やめて！」

真奈が悲鳴のように叫んだ。水筒に直接口をつけて一気に呷《あお》る。

男の両の頬に手を添えて、顔を自分に向かせる。添えた手は細かく震えている。恐いのか嫌なのか怒っているのか、それは真奈自身にも分からない。

真奈は伸び上がって男と顔の位置を合わせた。無頓着《むとんちゃく》な動きで包丁の刃に首がこすれた。線のように細い痛みが喉元に浮き上がる。

目を閉じて唇をぶつけるように押しつける。いっそ吐き出してやりたかったが男は少しずつしか吸わなかった。

最後の一しずくまで流し込み、真奈は固い動きで男から体を離した。

「——これでいいんでしょう？」

睨むような真奈の眼差《まなざ》しを受け、男はうっすら笑った。何かの境界を踏み外す直前のような危うい笑み——あるいはもう踏み外しているのか。

「頑張るねえ。他人だって突っ放した男のためにそこまで頑張れちゃうんだ？　カワイソーに、首切れちゃってんじゃゃん」

言いつつ男がいきなり真奈を抱き寄せた。真奈が声にならない悲鳴を上げる。

「よせ！」

叫んだ秋庭を嘲笑《あざわら》うように包丁が真奈の首筋を叩くように跳ねる。跳ねる刃が真奈に与えるのは痛みよりも恐怖だ。トーン、トーン、トーンと楽しげなリズムに体が凍りつく。

真奈の喉に斜めに走った傷に、男はこれ見よがしに舌を這わせた。視線は横目で秋庭を油断なく見たままだ。その目の底に勝ち誇った光がある。

「痛ッ……」

「そお。痛い。じゃあ痛くないとこにしてやる」

男は真奈の首筋をゆっくりと舐《な》め上げた。

首をすくめる真奈を許さず、閉じようとする肩と顔の隙間に顔を強引にねじ込む。

「──────！」

耳元をなぶる舌の感触に、真奈はぎゅっと目を閉じて歯を食いしばった。目尻《めじり》から涙が滑るのが自分で分かった。

「そんな嫌がんなよ。傷つくじゃん。あんまりロコツにすんなよ。カワイソーじゃん俺。夢も希望もない虫みたいな囚人だぜ。慰問だと思ってろよ」

逆手に構えた包丁を真奈の胸に突きつけながら男は銃を離し、離した手で真奈の胸を探った。

「動くなよ、おっさん。俺には勝てても真奈が先に死ぬぜ」

銃を離したのを好機に飛びかかろうとした秋庭が踏みとどまる。人を殺せそうなほどの眼光が男を射抜いた。

男は射られて顔色も変えない。自暴自棄に近いような眼差しで睨み返す。

「いいよなァあんた。背ェ高いしカッコイイし強いしさ。そんだけ条件揃《そろ》ってんなら、こんなご時世だって女に不自由しないだろ？　こんな乳くさい小娘、拾って大事に飼っとくことないじゃん？　もっといいのがいくらでも拾えるだろ？　いっこくらい俺に譲ろうぜ。どうせ他人なんだろ？　いいじゃん？　俺なんかもう一年も生の女なんか触ってねえんだぜ、カワイソウだろ？」

べらべらとまくし立てながら、男は真奈をソファに押し倒した。

のしかかられた真奈は反射的に肘《ひじ》を男の胸に突っ張った。

「嫌ッ……」

答えたのは銃声だった。男がのしかかるのをやめたかと思うと一度置いた銃を掲げて引き金を引いたのだ。

びくっと体を竦め、突っ張った肘を力尽《ちからず》くで畳む。秋庭の無事を確認してほうっと息をつく。

「――ホント簡単だよ、お前ら」

真奈は必死にソファの生地をそれぞれの手で掴んだ。そうしていないと抗《あらが》ってしまう。

男が包丁の切っ先を真奈のTシャツの襟に入れ、一気に下まで引き下ろした。引き裂かれた布が左右にはだける。白い肌が電灯の下にあらわになった。

――まただ。またこんな。

貪《むさぼ》る側と貪られる側に分けたら、真奈はいつも貪られる側だ。狩られるウサギちゃん、非力なウサギちゃん――好きでそちら側にいるわけではないのに。

その二元論に何故分ける。

それもこの男は真奈と秋庭を苦しめるためだけにその二元論を使っているのだ。敢えてそうする必要などないくせに、真奈が秋庭が痛いだろうというだけでこんな、無理矢理口づけられ、真奈はきつく目を閉じた。

唇が離れた瞬間、男を睨みつける。——こんなことで傷ついて黙ったりなんかしない。

こんなことがしたいわけじゃないのは知ってる。

「あなたは、ホントにあたしとこういうことがしたいんですか⁉　違うでしょ⁉　——あたしじゃないんでしょ、ホントにキスしたい人はっ！」

叫んだ真奈に、男の気配が明らかに怯《ひる》んだ。

秋庭にはその一瞬の躊躇で充分だった。

はっと男が我に返るが銃を拾う暇はもうなかった。とっさに投げつけた包丁がダーツのように壁に突き刺さる。秋庭にはかすりもしない。

手前のソファを飛び越えて男に躍りかかった秋庭は得物を失くした男の右腕を逆手に摑み、手加減なく背中へねじ上げた。

ボキリ。

鈍い音がして、男が真奈の胸の上に倒れ込む。秋庭の手には、
肘から砕けて取れた男の腕が残された。

男が苦痛に歪《ゆが》んだ顔で秋庭を振り返る。

「――いっこくらい、譲ってくれてもいいじゃんかよ！　どうせもう、こんなンなんだからよ！」

砕け折れた肘の断面には、もう真っ白く塩が結晶していた。

真奈は恐怖にさらされ続けてから初めて高い声で悲鳴を上げた。

「いいよなあ、悪いことしてなかったヤツは！　こんなご時世でも女と一緒に暮らせて、自分のために作ってもらった旨いメシ食って！　真奈に毎日あんなメシ作ってもらってんだろ⁉まるで好きな男に食べさせるみたいな一生懸命作ったメシとかさあ！」

男は泣きじゃくりながら喚《わめ》いた。秋庭は無言で男のそばの小銃を取り上げた。

真奈がゆっくり起き上がるが、男はもうそれを引き倒そうとはしなかった。ただ、真奈の膝に顔を乗せて泣き続ける。

真奈は男に膝を貸したまま、それ以上避けようとはしない。

「お前ら、囚人が今どうなってるかなんて知らねえだろ？　どうでもいいよなァ、清く正しく生きてるヤツらには関係ないもんな。悪いことして捕まったヤツらなんか、死んでもいいとか思ってんだろ？　刑務所入ってるヤツなんか、お前らどうせ虫以下くらいに思ってんだろ？どうせ虫だよな、俺なんか！」

真奈は困って秋庭を見上げた。答えようがなかった。そんなことはないと言っても何の意味もないだろうし、男もそれで慰められはしないだろう。

秋庭がテーブルに腰掛けた。

「僻《ひが》みが強いうえに言いがかりだな、そいつは。俺たちは確かに囚人の現状なんか知らんが、それは単にそうした分野に関わりがないから知らんだけだ。囚人が虫だから知る必要がないと思ってるわけじゃない」

言いつつ秋庭は男を睨んだ。

「誰かを虫以下だと思うことがあるとすれば、そいつにはらわたが煮え繰り返ったときだろうな。さっきは確かにお前を虫以下だと思ったぜ」

言われて男が、涙でぐしゃぐしゃになった顔で笑った。

「――やっぱ嘘じゃねえか。他人なんてよ」

秋庭はそれにはもう答えなかった。身内ではなく、友人でもなく恋人でもない。拾われた娘と拾った男。その関係を正確に表現する言葉を秋庭は知らない。

「悪かったよ。許せよ。――他人とか言うから腹立ったんだよ。お互い相手を盾にされたら何もできねえくらい大事なくせにさあ。あんま、見せつけんなよってさあ。俺たちなんか虫以下だと思われて、どんどん殺されてんのにさあ。お幸せな関係見せつけんなよってさあ」

真奈がそっと男の頭を撫《な》でた。

「――あのね。優しくしてほしかったら、優しくしてって言わなきゃだめですよ」

男が首を呷って真奈を見上げる。

「怒ってねえのかよ」

「怒ってましたけど……すごく嫌でしたけど」

真奈は困ったように笑って見せた。

変なヤツ、と男は呟いた。それから残った腕で真奈の膝にすがりつく。

「優しくしてくれよ。頼むよ。虫だと思われたままで虫みたいに死にたくねえんだよ。だから逃げてきたんだよォ」

男の声が嗚咽《おえつ》を引いた。真奈は男の頭を静かに撫で続けた。ひどいことはたくさんされたし、傷つけられた。それでも今、突き放すことはできなかった。

囚人なんか生かしとく余裕ないんだってよ。死刑囚からどんどん先に殺されてんだって。次はお前らの番だって。次々どっかに連れてかれるんだ。連れていかれたヤツは戻ってこない。自衛隊が連れにくるんだって噂があってさ。ある日、所長の部屋に呼び出されたら、自衛隊のヤツがいてさ。ああ、今度は俺かって。分かっちゃってさ。

あいつら怖《こ》ぇんだ。ロボットみたいに無表情でさ。何訊いても答えなくてさ。どこに連れてくんだってしつこく訊いたら、一人が氷みたいな冷たい目でさ。無駄飯食いの虫ケラが死ぬ前に少しは役に立てって。

何か、どっか別の場所に連れてかれてさ。すっげ広くてきれいな房でさ。壁がぜんぶ真っ白にキラキラ光っててさ。何かラブホの部屋みてーって。そんで課業もなくて毎日メシだけ三度出てさ。気ィ狂うぐらい怖かったよ。

殺す前にいい思いさせてんだろなって。死刑囚って死ぬ前にごちそう出るって言うじゃん。あー俺、今ああいう状態なんだって。

そんでさ、そのうち塩吹いてきたんだよ。何かの角っこに足の小指打ったらさ、痛くねえんだよ。ぽろっと取れてさ、取れた先、塩になっててさ。

塩害のニュースは囚人にも知らされてたから、どうなったかすぐ分かったよ。そんで見張りに言ったんだ。

俺、塩害になっちまったよって。どうせもう助からないんだろ、どうせ死ぬだけなんだろ、だから外に出してくれよって。どうせ死ぬなら外に出てえよって。どうせ死ぬんだったらもうおんなじだろって。家族とか、会いたいヤツとかいたからさ。

けどあいつら、俺が見えてないみたいに無視するだけで聞いてくんねぇんだ。おんなじ人間なんて思ってねえんだろなって、目付きで分かった。最初に虫ケラって言ったヤツとおんなじように、虫ケラだって思ってんだろなって。

塩になってくの、皮膚の下で何となく分かるんだ。体の端っこからどんどん皮膚の下が固くなってくんだよ。一回気づいてから後は、ちょっとずつ速くなってく感じで。小指が取れた次の日にはもう足の甲まできてて、その次の日はもう膝って……どんどん加速。すげえ怖くて、すげえ焦って。泣き叫んでも、誰もなンも聞いてくんなくて。すげえみじめで、みっともなくて。泣きすぎて鼻水とかよだれとかダラダラ流れてさ。こっちはそんなんなのに、あいつら、キレーな面のまんまでしらーっと無視してさ。俺だけ道化だよ、道化。

すっげ悔しくってさ。悔しくって、目に物見せてやるって思って。運動時間で房出されたときに、見張りの自衛官、ベンチでどついてやったんだ。けどあいつら頑丈だよな。ベンチで殴られて立つなっつーの。もう無我夢中でさ。そいつの銃奪って、撃って。多分死んだだろうな。脳みそ吹っ飛んでたからさ。でも、ざまあみろって。

そんで逃げたんだ。何とか外に出たらもう夜だった。何でか知らねえけど撃ってこなかったからさ、そのまま塀、乗り越えてさ。

でも外出たらジープでそっこらじゅう走り回りやがんの。全然諦《あきら》める気配なくて。あーもう見つかるの時間の問題だなって思ってたら、お前らの車が走ってきてさ。お前ら、正直言って運悪かったよ。

ホントは、ここで休んでから別んとこ連れてってもらうつもりだったんだけど。塩になるの、めちゃくちゃ加速しちゃったな。何でだろな、お前と喋って安心したからかな。瀕死《ひんし》のジジイが気ぃ抜けてフッと逝っちゃうみたいな？　って俺ジジイかよ。なあ。

俺さあ、確かに悪かったけどさあ。仲間とつるんで悪さばっかしたけどさあ。でもそんなに俺、悪かったかなあ？　人殺さなかったしさ、女だって犯してないんだぜ。ぶち込まれたのは確かだけどさあ。懲役、たった一年ちょいだぜ。それで許してやるってことじゃねえのかよ。国が、それでやり直させてやるって言ったんじゃねえのかよ。

あんな目ェしたヤツらに虫けら呼ばわりされて、殺されなくちゃいけないほど、俺悪かったかなあ？

塩害になっても許してもらえないほど悪かったかなあ？

最後に会いたいヤツにも会わせてもらえないくらい、俺って悪いヤツだったんかなあ？

真奈も秋庭も答える言葉は持たなかった。男の罪状を知らないし、どうすれば真の意味で罪が償えるかも知らない。そんなことは恐らく誰も知りはしない。

真奈はしばらく男の頭を撫でてから囁《ささや》いた。

「あたしみたいにダサくって、あたしとおんなじ卵焼き作る人に、会いたかったんですか？」

制服のボタンとか、全部留めて着そうなタイプ。うるせえブスって言ったら泣いちゃって。

卵焼き旨かったんだけど。何でかむかついて激マズって——旨いって言っときゃよかった。

『お前、料理上手いよ。いい嫁さんになるよ』——あの言葉は、たぶん真奈じゃない他の誰かに言いたかったのだ。

「笑うなよ。すっげえ陳腐だけどさ。高校んときのクラス委員で、真面目で堅苦しくってさ。服装違反で毎日ギャーギャー突っかかってくんの、うるさくってさ。だけどホントはそいつが突っかかってくんの、嬉《うれ》しかったんだ。弁当作ってきたら服装守ってやるって言ったらホントに作ってきてさ。すっげぇ嬉しかったんだけど、何かさァ。嬉しいの認めるのがむかつくっていうかさ。——なあ、分かるだろ、あんた」

話しかけられた秋庭は苦笑した。終始おっさん呼ばわりだったが、まだそんな青くさい感情に共感できる世代だと認めてもらえたらしい。それでも確かにそんな気持ちは秋庭にも覚えがある。たとえ彼ほど瑞々《みずみず》しい思い出ではないとしても。

秋庭は頷きながら答えた。

「分からんでもない」

「俺さあ、すっげ後悔してさあ。俺、もっと大人だったらスマートに旨いよって言えたのかなって、今でもすっげ後悔しててさ。卒業してから一度も会ってないけど、後悔しててさ」

「安心しろ。十歳年食ったってそう変わりゃしねえよ。やっぱり照れて上手くは言えてない。そういうもんだ」

「そっかあ……」

男は安心したような、少し不満なような表情で頷いた。

「今でもときどき思うんだ……あのときちゃんと旨いよって言えてたらさ。そしたらもっと別のとこにいたのかなって。ちょっと仲良くなってさ、そのうち告白とかしちゃって、彼氏彼女になって、あいつとおんなじ側に行けてたのかなって。俺ちょっと真面目になってさ、ちゃんと就職とか進学して、今頃——あいつと二人で、最後の時間を、励まし合ったりしてたのかなって。こんな……塀の中と外じゃなくてさ。でも、おっさんになっても上手く言えないんじゃ仕方ないよな……」

男は諦めがついたように笑った。

それから真奈の顔を見上げ、怯《おび》えたように顔を歪ませた。

「真奈ァ……目が、濁ってきたよォ……」

「──その人の名前で呼んでいいですよ」

真奈が低く囁きかけると、男の目にまた涙が溢《あふ》れた。

「横山《よこやま》……怖いよ、俺……もう死ぬのかなあ、俺、こんなとこで、もう、俺、」

「怖いかもしれないけど、寂しがらなくていいよ。あたし、ここにいるから」

真奈はそっと男の頭を撫で続けた。もう髪の中に塩がたくさん混じっている。指で梳《す》かれた髪からとめどなく塩がはがれて落ちる。

「なあ……名前で呼んでくれよ、俺、お前に名前で呼ばれたかったんだ。名字じゃなくて彼氏彼女みたいにさ、二人だけの呼び方でさ」

「いいよ。何て呼んでほしい？」

「トモヤ」

「トモヤ。あたしのことも名前で呼んでいいよ」

話しかけながら、真奈はトモヤの手を握った。

秋庭は黙って二人の様子を見守った。この先は真奈に任すしかない。真奈が始めた。真奈が最も安らかに送れる。

「……ユウコ」

トモヤは照れて何度も躊躇しながらそう呼んだ。

「卵焼き……旨かったんだ、ホントは……」

「大丈夫。知ってたよ、トモヤ照れてるだけだって」

「よかった……怒ってるかと思ってたんだ……だから、謝りに行こうって……」

「うん。許してあげる。もう言わないでね」

トモヤは強《こわ》ばりはじめた顔で微《かす》かに笑った。もう顔も、頭全体も白っぽい。

「——喉、渇いた……口ん中、塩辛くてさ……水、飲ませて……」

真奈は顔を上げて秋庭を見た。勢いに飲まれて秋庭は水筒を渡した。受け取った真奈が少し含んでトモヤに覆いかぶさる。

——喉は一回動いた。それを最後に二度と動かず、真奈が飲ませたお茶は軽く開いたトモヤの唇からこぼれ、白くなった硬い肌に吸い込まれた。

突然、ドアが激しくノックされた。秋庭は大声で玄関に向かって怒鳴った。

「開いてるよ！」

ドアが開いて、入ってきたのは迷彩服の自衛官たちである。

「重役出勤並みのごゆっくりだな。いいご身分で」

秋庭の皮肉には答えず、数人の自衛官が土足のまま室内に踏み込んできた。今たどり着いたのか、表で様子を窺っていたのかは分からない。

内の一人が、秋庭の顔を見てはっと息を飲んだ。敬礼しかけて秋庭に睨まれる。

「要らねェよ」

真奈の膝の上のトモヤを、一人の自衛官が乱暴に引き起こした。

「やめて！」

真奈が反駁《はんばく》する。

「静かに——連れてってあげてください。この人、もう暴れたりしませんから」

自棄《やけ》になって抗うことも、やり直すことも、二度とできなくなってしまったのだから。

「もう塩になってんだよ。乱暴に扱ったら砕けるぜ。お前ら掃除してってくれんのか」

わざとのようにぞんざいな表現で口を添えた秋庭に、自衛官たちが押し黙る。やがて責任者らしい男が腕の時計を見た。

「二三〇一《フタサンマルヒト》、塩化確認。対象確保」

その声を受け、別の一人が脇に抱えていたクリップボードにペンを走らせながら復唱した。

そして数人がかりでトモヤの体を抱え上げる。破損を懸念したのか、真奈の言い分を入れたのか、今度の動かし方は丁寧と言っていい範疇《はんちゅう》だった。

責任者は抱える側には入らず、秋庭の前で敬礼した。

「ご協力感謝します。この件につきましては治安維持法塩害特例により口外を禁止しますが、よろしいですね」

「言い触らされちゃ困るネタだってことは了解した」

皮肉で返しながら、秋庭がトモヤの砕けた腕を渡す。

「妙なオモチャは残していくなよ」

トモヤに付けられていたであろう発信機を暗に指摘した言葉に、相手は気まずそうに眼差しを伏せた。そしてトモヤの腕を受け取り、俯《うつむ》きがちに再度敬礼をして踵《きびす》を返した。

＊

自衛官たちが撤収した後、秋庭は玄関の鍵《かぎ》をかけに立ち上がった。

戻ると、真奈は立ち上がって床を眺めながら溜息《ためいき》をついていた。絨毯《じゅうたん》の上には塩混じりの砂が一面に散っている。

「思いっきり土足で上がり込みましたね、あの人たち」

「掃除は明日でいいだろ」

言いつつ秋庭は真奈に歩み寄った。

「──大丈夫か」

喉に走った朱線の下を軽く撫でる。

「平気です。ちょっとヒリヒリするけど」

「そんだけじゃなくて──後いろいろ」

含ませた秋庭の問いに、真奈が笑った。破れた服の前は手で押さえている。

「大丈夫ですよ、いろいろ。あたしこう見えてもファーストキスとかけっこう早かったんですから。あれくらい気にしません」

　敢えて軽いほうへ話を持っていこうとしている真奈に秋庭も乗った。

「何歳だ」

「五歳」

　答えた真奈に、秋庭は小さく吹き出した。

「相手は親父のクチか」

「へへ」

　照れ笑いした真奈を秋庭はいきなり強く抱きしめた。真奈が息を飲む。すくんだように体が固くなっていたが、やがておずおずと体の力を抜いた。

「……秋庭さん？」

「約束する」

　秋庭は真奈を抱きしめたまま、誰もいない虚空を睨んだ。

「もう二度と他人とは言わない。二度とだ」

　他人と答えたことがあんな窮地を招いたのなら――もう二度と他人などと言いはしない。たとえ互いの間柄を適切に表現する言葉がなくても、少なくとも他人ではあり得ない。相手が理不尽に嬲《なぶ》られることに、これほどの苦しさと怒りを感じるのなら。

　真奈は秋庭の腕の中で小さく頷いた。そして、こんな近くでも聞き取りにくいような小さな声が呟く。

「どうして——こんなことになっちゃったんでしょうね」

ひっそりと泣いているような声。激しく波打とうとするのをそっと律しているような。

「どうして、こんな世界になっちゃったんでしょうね。あたしは遼一《りょういち》さんみたいに思えない」

世界がこんなふうになってよかった。そう言って日暮れの海に残った。理不尽な運命さえも穏やかに受け入れて——でも彼のように穏やかにはなれない。

「いろいろ間違ってて、いろいろ澱《よど》んでて、いろいろよくなくて、あのままでよかった訳じゃないけど、こんなになっちゃう前の世界のほうがよかった。ちゃんと守れるルールが見える、元の世界のほうがよかった」

壊れてしまった世界で既存のルールは何の役にも立たない。ルールは人を守るものだ。制約と罰則がある代わりに、守れば概《おおむ》ね自分を守ってくれる。

犯すな盗むな殺すな——その戒律を守れば救ってくれる神を持つ教えのように。

守っても死ぬのだと分かってしまった世界で、一体誰がそんなきれいな約束を守るだろう？ルールを守ることが命を繋ぐ役に立たないと分かってしまった世界では。

「守って得するわけじゃないルールなんか、トモヤさんじゃなくても守りませんよね。正しくてもきれいでも、誰も誉《ほ》めてくれないならきれいでいる意味なんかないですよね。勝手にしたほうが得なの、もう分かっちゃってるんだから」

懲役一年ちょい、それで許してくれるって国が言ったんじゃないのか。旧《ふる》い世界のルールに則《のっと》ってその約束をくれた社会はそれを翻した。状況が変わったから。世界が変わってしまったから——約束が覆されたのなら、こちらだけ約束を守ることなんかない。

そうしてトモヤは身勝手に放たれたのだ。

邪魔をする見張りを殺し、出てはならない檻《おり》を破り、自分の都合のためだけに秋庭と真奈に銃を突きつけ、気に食わないからと真奈を嬲る。

どうせ死ぬんだ。それを旗印に。

そもそも世界が裏切ったのだから、人々が善くあることを守る必要などあるものか。善き人を定めていたのもどうせ旧い世界のルールなのに。

けれど、ルールが覆されて初めて、人は自分が何から守られていたか知る。

「ちゃんと世界が回ってたら——トモヤさんはちゃんと懲役を守って普通に社会に戻ってきたんだと思います。だってたった一年ちょいって自分で言ったんだもの」

「——たった一年ちょいだから、懲りずにまた悪さしたかもしれないぜ」

秋庭が敢えて差した水に、真奈は激しくかぶりを振った。

「——それでも、あたしがあんなトモヤさんに会うことなんかなかった！　あんな卑怯《ひきょう》で汚い部分をあたしが見せつけられて、あたしが恐い思いをすることなんかなかった！」

叫んでから、真奈は力なく呟いた。

分かってるんです、自分が何を言ってるか——

「あたしの前じゃなければよかった。あたしさえ見ずに済めばそれでよかった。他の誰が見ることになったって、あたしさえ見ないで済めばそれで——おんなじなんです、あたしも」

こんな世界になってもきれいで優しいものしか見たくない。汚くてずるくて身勝手なことがよそでどんなに横行しても、自分が見る部分にさえそれが入ってこなければそれでいい。

それはトモヤの身勝手な欲望と一体どこが違うだろうか。望むものの向きが違うだけでその身勝手さは同じだ。

こんな自分に気づきたくなかった。世界に備えられていたルールは自分自身の汚さを覆ってくれていたのだ。それさえ守れば自分は正しく善良だと思っていられるから。

「――怖いんです。いつか自分が塩害になったとき、あたしはトモヤさんにならずにいられるだろうかって」

汚いものを見たくない。今そこでとどまっている欲望は、理不尽な死が訪れたとき一体どこまで暴走するのだろう。

そしてまた、自分のときには誰かがそばにいてくれるのだろうか。もし誰もいなかったとき、秋庭はいつまで自分と一緒にいてくれるのか。もし秋庭が最後まで一緒にいてくれなかったとき、自分は秋庭を逆恨みせずにいられるだろうか――いや、言葉は飾るまい。

そうならないという自信は持てない。すでに自分の中に身勝手の萌芽《ほうが》は生まれているのだ。

秋庭が真奈を抱きしめた腕を緩めた。真奈の頭に軽く顎《あご》を乗せる。

「きれいなだけの人間なんかいやしねェよ。どっちもあるんだ。お前の中にもあいつの中にも。俺の中にもな」

秋庭の声は、真奈を落ち着かせるように静かで低い。

「たまたまそのときどっち側が出ちまったかってだけの話だ。きれいじゃないと誰かに許してもらえないなんてお前の年頃だとまだ信じてるんだろうけどな。ずっときれいでいられるほど俺たちは強くない。どっかで汚い部分は出るんだ、必ず。それでもな」

あいつを最後に穏やかにしてやったのはお前だよ。

そう言って、秋庭は真奈からぱっと腕をほどいた。

「とまあ、きれいごとを述べてみたりしてな」

おどけた声に、真奈が微かに微笑む。秋庭の口調がさっきまでとはがらりと変わった。

「こんなこと言っといて、俺は俺に当り散らす奴は大目になんか見てやらないしな。自分の気が済むようにやり返す。キレイな奴なら許すんだろうけどな。つまり、人格者みたいなことは言うだけなら誰でも言えるってことだ。何しろ俺が言えるんだからな。元々世界なんかお前が思ってるより適当でいい加減なもんだぞ」

言いつつ、真奈の肩をぽんと叩く。

「着替えて薬持ってこい。深遠なテーマで悩むより手当てが先だ」

頷いた真奈が、シャツの前を合わせながら着替えを置いてある寝室へ入った。

真奈は着替えに手間取っているらしい。待ちながら秋庭はソファに腰を下ろした。先程までトモヤが横たわっていた位置である。生地を撫でると、わずかに塩粒の感触が残っていた。

まるで逢魔刻《おうまどき》の魔物のようだ。突如現れ、混乱に陥れ、こちらの受ける衝撃など知ったことかと一方的に去る。

秋庭は声に出さずに呟いた。

最後が――真奈でよかったな、魔物少年。

Scene-3　この世に生きる喜び　そして悲しみのことを

海に行った日から後、真奈《まな》の落ち込み方はひどかった。

あれからただの一度もあの日知り合った二人の話をしない。そのくせ笑いながら話している途中ではらはらと泣き出すことがある。本人は泣いていることに気づいていないらしく、涙が流れてしばらくしてから頬が濡《ぬ》れていることに気づいたりする。そういうときのうろたえぶりと言ったらない。

——これはあれかな……

秋庭《あきば》はまたぞろ真奈がうろたえながら逃げ込んだ寝室を眺めやった。随分と出てこないから、ひょっとしたら泣き疲れて眠ってしまったのかもしれない。

——何かトラウマでも引っかけたか。

いくら何でももう二週間である。すれ違った他人の末路を悼むとしても、限度というものがあるだろう。いくら何でも、不安定な状態が長引きすぎる。真奈は明らかに深入りしすぎだ。深入り——むしろ引きずり込まれたと言うべきか。

何のきっかけもなく涙腺《るいせん》が壊れたように涙が溢《あふ》れる姿は、見るだに危うさを感じさせる。

いくら余計なものに引っかかるとは言え、わずか半日関わっただけの他人たちの悲劇にここまで感情移入するのは異常だ。

＊

余計なものに引っかかる癖は癖としてあるが、真奈は至って理性的な性格をしている。秋庭はそう踏んでいた。関わる物事に対して自分が非力であることを分かった上で関わっている、秋庭にはそのように見えた。弱った猫にしても犬にしても。

過ぎ去るものを見送るしかできないことを分かったうえで関わって、過ぎ去ったものを静かに悼む。そうした娘だと思っていた。猫を送ったときも犬を送ったときも泣きじゃくることはしなかった。こらえるように静かに泣いて、その後はきちんと越えていた。

秋庭は自分が見立てを誤ったとは思っていない。遼一《りょういち》を送った最後に真奈はごめんなさいと謝ったのだから。傍観者にしかなれない立場で当事者のように泣くことを恥じるメンタリティは、秋庭の見立てた真奈の性格から逸脱していない。

相手が人でも、真奈は自分の分際をわきまえたうえで関わろうとしたはずだ。トモヤのことにしてもそうだろう。

だとすればこの引きずっている状態のほうがイレギュラーなのだ。真奈自身はスタンダードに戻ろうとしてあがいている。だから泣いている自分に気づいてうろたえるのだ。

秋庭はあの一日を記憶の中で丹念になぞった。どこかに真奈が異常を来したきっかけがある。あの、おっとりしているくせに妙に理性的な娘が、傍観者と当事者との一線を見失った理由が。

多分、どこかで何かが真奈自身の記憶に障ったのだ。

遼一か。トモヤか。それとも二人ともか。

どれも皆ありそうで却《かえ》って見当など付きはしない。何が障ったのか、どこに障ったのか。

推し量ることもできないほどに他人なのだ、と今さらのように自覚する——他人とは二度と言わない、そう誓った事実とは裏腹に。

「——カウンセラーなんてデリケートな商売が未《いま》だに看板揚げてるとは思えんしなあ」

秋庭は溜息《ためいき》をついて、ソファにだらしなく寝そべった。

＊

……塩害の始まった瞬間を、真奈は覚えていない。

その日、真奈は具合が悪くて学校を休んだ。共働きの両親はいつもどおりに出勤し、真奈は自宅のマンションで一人で寝ていた。

珍しく熱が高かったせいもあって昏々《こんこん》と眠り、目を覚ましたらもう夜だった。冬の初めの頃だったから日の入りも早く、半遮光のカーテンを閉めた室内は真っ暗だった。電気を点《つ》け時計を確かめると、もう七時を過ぎていた。もう母親が帰っている時刻である。それにしては人気《ひとけ》がないことを訝《いぶか》りながら起き、部屋から出ると果たして家の中は真っ暗だった。廊下や玄関の電気を点けながら居間へ行き、留守電を確かめる。母親が残業なら伝言が入っているはずだ。

しかし、メッセージの預かりランプは点滅していなかった。

たまにはそんなこともあるだろうと特に疑問に思わなかった。おなかが減っていたので何かつまもうとキッチンへ行き、ついでにテレビをつける。すると何かの緊急特番をやっていた。

何か事件でも起きたのかな。そんなことを思いつつ戸棚をあさり、菓子パンを見つけて齧《かじ》る。見るともなしにテレビを眺めた。

何かすごいニュースだったら、明日学校で話についていけなくなっちゃう。

それくらいの、ごく軽い気持ちで。

本日午前八時半、

東京湾、羽田空港沖に建設中の埋め立て用地基礎に巨大な白い隕石《いんせき》らしき物体が落下、

画面が東京湾の映像に切り替わる。唖然《あぜん》とした。巨大と言ってもほどがある。録画なのか、昼光溢れる景色のど真ん中に、巨大な——天突くように巨大な、白い塔のような固まりが生えていた。結晶質なのか、きらきらと陽光に反射している。

全高約五〇〇mにも及ぶこの白い隕石は、世界的規模の流星雨によってもたらされたもので、

東京湾よりは小規模ながら、日本全土に同様の隕石が落下しており、

国際天文学連合《IAU》にもこの隕石群の飛来予測は報告されておらず、

また画面が切り替わる。今度は街路だ。朝のニュースでお馴染《なじ》みの霞ヶ関《かすみがせき》。カメラがロングになり、遠景で撮った歩道に往来する人の大群が映っている。だが、何かおかしい。

動いていない。――歩いている途中でストップモーションをかけられたように、ぴくりとも動かない。そして、

頭が白い。肌色に黒っぽい髪が乗っているはずが、

髪も顔も石膏《せっこう》のように真っ白だった。

また、この白い隕石との関連性は不明ですが、

隕石落下とほぼ同時刻に、

各地のラッシュアワーを襲った怪現象が、

身動きしない人の群れにカメラが寄っていく。後ろにちらっと映った車道では、車が数十台も玉突きしている。だがカメラが狙うのはそこではない。

群衆の一人に焦点を定めて、その顔をズームする。遠目だとただ白いとしか見えなかった顔の細部がはっきり見えてくる。

これは――これは、彫像？　人の？

あまりにも細密な、顔の皺《しわ》の一本一本、産毛の一本一本まで精緻《せいち》に刻まれた――それでいて生きた勢いはまったくない、無機質そのものの――

ご覧ください、何ということでしょう！

人が、人間が、塩の彫像になっています！

塩です！　塩の彫像になっています！　確かに食塩の味がします！

ちょっと失礼——間違いありません、塩です！


そのレポーターの行動をおぞましく思い返したのは、その塩の柱の全てがかつて生きていた者の亡骸《なきがら》であるという実感が湧いてからのことだ。

その実感が湧いたのはつい最近のことである。

被害に遭ったのは昼間の東京だけで五百万とも六百万とも、
全国では延べ被害者数がどれほどに上るか見当も、

その日、真奈の両親は帰ってこなかった。次の日も次の日も次の日も——ずっと。

二人とも携帯電話を持っていたが、真奈は電話をかけなかった。いや、かけられなかった。

誰も出なかったらそれを認めざるを得ないようで。

結局真奈は今に至るまで両親に電話をかけていない。途中で電話は不通になったから、今となってはかけようもない。

電話は自分がかけなかっただけで繋《つな》がらなかったわけじゃない。電話の先に出る人がいなくなったと決まったわけじゃない。

随分長い間、そうして自分を騙《だま》していた。

点けっ放しのテレビは、延々と情報を垂れ流していた。

飛来した隕石の主成分が塩化ナトリウムであること。

怪現象が便宜上塩害と名づけられたこと。

関東圏の人口が三分の一に減ったこと。

臨時国会の召集中だったため被害者には多数の政府要人が含まれ、内閣および各省庁が事実上の壊滅状態に陥っていること。

塩害が今なお進行中で、塩になる人は日を追って増え続けていること。

真っ先に疑われた隕石と塩害の因果関係は立証されず、塩害を防ぐ方法は今なお全く不明であること。

治療方法も発見されておらず、一度塩化が始まったら手の施しようがないこと。

海外でも日本の流星雨からほぼ前後二十四時間以内に同様の流星雨が観測され、やはり日本と同じくその後に塩害が発生、進行中であること。

真奈が聞いたのはごく一部だ。きっともっとたくさんの情報が流れたのだろうが、異常事態に麻痺《まひ》した頭は垂れ流される情報のすべてを覚えきることはできなかった。受験勉強だったら飲み込みは悪いほうではなかったのに。

このころはまだ報道合戦が華やかで、各局が争うように衝撃的な画面を提供することに奔走していた。スポンサーが消滅した局から閉鎖していき、最終的にはＮＨＫしか残らなかったのだが。

二週間ほど引きこもっていると、さすがに食料が尽きてきた。共働きなので母親はまとめ買いを常としており、自宅には三人家族としては多すぎるほどの買い置きがあったが、食いつなぐにも限度がある。

学校へ行ってみよう――と思い立った。担任に相談してみよう、塩害の最初の日から両親が帰ってこないんです。相談できる役所の窓口くらい教えてもらえるかもしれない。

ついでに何か買ってこようと財布を持って出たが、無駄に終わった。

街では店という店が破壊され荒らされており、正常に営業しているところは一軒もなかった。たった二週間かそこらで、街並みは荒れ果て、殺伐としていた。

なまじ電気や水道が止まっていないだけに家にこもっていると実感しにくかったが、やはり世界は激変したらしい。

真奈は制服を着て出かけたことを後悔した。性別が分かるような服装で出歩くべきではない。もうこれからはそういう世界なのだ。

周囲からの浮き方にいたたまれなくなり、家を出ていくらも行かないうちに着替えに戻った。地味なトレーナーとパンツ、真奈よりサイズが大きい母親の服を借りて体の線も出ないようにした。

街中にはテレビで見たのと同じ塩の柱が林立していたが、体の途中で折られたり砕かれたりしているものが多く、原形を完全にとどめているものは少なかった。すでに何度か降った雨で輪郭が多少流れて、精緻な像ではなくなっている。

服や持ち物はほとんど剝《は》ぎ取られていたが、これは放火防止のために各地域の町内会などが撤去して回ったらしい。もちろん略奪されたものも多いのだろうが。裸像となった柱には見るに堪えない下品な落書きをされているものも多かった。それも雨に打たれてかなり薄れていたが。あと何度か降ったら元の姿も下品なマーカーの色も流れ落ちるのだろう。

いつも使っている駅へ向かったが、電車はもちろん止まっていた。学校までを歩くと一時間以上もかかった。歩いていく道順をよく知らなかったせいもある。使い慣れた便利なシステムが止まったら、通い慣れたはずの学校へ行くのもおぼつかないのだ。

たどり着いた学校は配給所に変わっていた。教師たちはその係として忙しく立ち働いていた。担任の女性教師を見つけて事情を話すと、担任は困ったような顔をした。明らかに彼女の分を越えた相談だったらしい。

担任は配給のうどんを真奈に食べさせて、配給の食材と生活用品――トイレットペーパーや生理用品――などをまとめて持たせてくれた。それから、真奈の近所の配給所と被災者相談所を教えてくれ、できれば民生員にでも様子を見るように頼んでおく、と請け合った。

礼を言い、見送られながら、もう二度とここへ来ることも担任に会うこともないのだろうなと思った。

民生員が来たことは、その後一度もなかった。

しばらくの間は一人でそのまま暮らし続けた。定期的に配給をもらいに出かけるだけで基本的には出歩かない。世情は悪くなる一方だったのでどうせ引きこもるしかなかった。安心していられるのは固く戸締まりをして昼間からカーテンを閉めっぱなしの家の中だけだ。

外へ出るときには体の線が分かりにくい服装にし、必ず明るいうちに出かけ、明るいうちに帰ってくる。表で余計なことは喋《しゃべ》らない。特に両親が帰らないなどということは。

配給は身分証さえあれば年齢や性別などの基準によって等しく同じ物品が与えられたので、真奈が余計なことを喋る必要はなかった。

身分証は最初は学生証を持って行ったが、次からは保険証にした。保険証なら家族分の物資を受け取れることが分かったからである。

保険証を見せると係員は疑わず三人分の物資をくれるので、真奈はそれを一人で三倍の時間をかけてゆっくり消費する。出かける回数は極力減らしたいので都合は良かった。

昔から母親を手伝って家事をしていたお陰で、一度に大量の食材を受け取っても腐らすことはなかった。自治体が光熱や水道の供給維持に力を入れたお陰で冷蔵庫なども問題なく使えたし、真奈は母親のフリージングの手際も見て覚えていた。

ただしフリージング用のパックはさすがに配給品に入っていないので、大事に使い回さなくてはならないが。

相談所にも一度行ったが、何をしてくれるわけでもなかったのでそれ以降は行っていない。中年女性の相談員がやたらと同情してくれただけだった。

そうして一人の暮らしは二ヶ月ほど続いた。

ある日の昼下がり、玄関のドアがガチャガチャと鳴った。

ぎょっとして様子を窺《うかが》いにいく。チャイムも鳴らさずいきなりドアを開けようとする人間が客であるはずもなかった。案の定、表からドアが蹴《け》ったり殴ったりされている。数人の人間が外にいるようだ。

やがて、ドカンと重いものを叩《たた》きつけるような物音がした。一度では止まらず、二度三度と繰り返される。ノブを狙って叩いているらしく、鍵《かぎ》が嫌な音を立てて軋《きし》む。

破ろうとしている。足元から一気に恐怖が上り、背筋を寒気が駆け上がった。だが怖くても誰かが代わって前に出てくれるわけではない。しっかりしろ――

真奈は思い切ってもっと玄関に近づき、廊下のインターフォンを上げた。息を殺して聞き耳を立てると、話し声が聞こえてきた。

間違いないんだろうな　親がいないってのは　間違いないって　ニュースソースは確かだぜ　相談所に勤めてる近所のババアが言ってたんだからさ　うちのおかんがそこのババアと井戸端仲間なんだよ　親は両方塩害でくたばったらしい　ここに住んでるのは食べ頃の女子高生ただ

一人ってわけだ　たまんねえなぁ　やりたい放題かよ　そうさ　誰も文句なんか言いやしねえ誰もな　うわあもう出そうオレ　いま中で怯《おび》えてんだろなたまんねえ　鍵けっこう頑丈だな時間かかってるし逃げられないか？　ここは三階だぜ　逃げられっこない　袋のウサギちゃんさ

何――何、勝手なこと、

不思議なことに、覚えたのは恐怖ではなく怒りだった。

勝手なことを言っている外の奴ら、両親がいないことを分別なく喋り歩いた相談員、そしてそんな人間に迂闊《うかつ》に親が帰らないことを話した自分。

真奈は足音を殺して玄関に歩み寄り、スニーカーを取った。素早く履いて奥へ走る。

三階だぜ、逃げられっこない――思う壺に嵌《は》まってたまるか。考えろ考えろ考えろ――自分を守るために今どうしたらいいか考えろ。

居間で保険証だけズボンのポケットにねじ込む。これさえあればどこへ行っても配給は受けられる。

それから真奈はベランダに飛び出した。隅にある赤く塗られた鉄の箱の前にしゃがみ込む。上面に白いペンキで緊急救命具と書いてある。

端部屋だからこんなもの置かれちゃって損よね、うちは。邪魔ったらないわ――そんなことないよ、お母さん。そんなことなかった。

『緊急時は破って隣に避難してください』の仕切りを破って進んでいてはきっと間に合わない。真奈は救命具の蓋《ふた》を開けた。中は縄梯子《なわばしご》である。説明も読まずに、端を摑《つか》んで下へ放り投げる。バラバラッと梯子が地上まで伸びて垂れ下がった。

迷う暇はない。真奈はベランダの手摺《てす》りを乗り越えて、縄梯子に足をかけた。激しく揺れて足が竦《すく》む。だが、玄関から聞こえてくる派手な騒音はますます激しくなるばかりだ。

降りるか、このまま表の奴らのいいようになるか。選択の余地など初めからない。

まっすぐ正面だけを見て、真奈は梯子の段を次々探っては下へ降りた。

ドアは真奈が地上へ降りるまで持ちこたえてくれたらしい。最後の一段を降りるとベランダから怒号が降ってきた。声が入り乱れて何を言っているか分からない。どうせ汚い言葉で汚いことを言っているだけだ。分かりたくもない。

真奈は決してベランダは見上げず、必死で走って逃げた。

人通りのあるところまで一気に走り、息が続かなくなったところで曲がり角に飛び込み後ろを窺う。さすがに男たちが追ってくる気配はなかった。民家の壁にもたれて激しい息を整える。こんなに必死で走ったことなんか今までない。

深呼吸を何度もしながら、ようやく涙が流れた。泣きながら必死に息を落ち着けようとする真奈を、通り過ぎていく人が怪訝《けげん》そうに見ていく。

家を知られたからもう戻れない。かと言って行く当てもない。親類は歩いて訪ねていくなど考えられないほど遠方だし、友人も頼れない。誰も彼も自分と家族だけで手が一杯だ。子供の学校の友達まで受け入れる余力なんてあるはずがない。

社会の中で貪《むさぼ》られる弱者の側に入ったのだという自覚が、病のように胸の中を黒く侵食した。

それでも一週間ほどは持ちこたえた。配給所は簡易宿泊の施設も備えているから一晩くらいなら泊まっても不審に思われない。わざと遅い時間に行って、帰り道が恐いから泊まりたいと言えば、誰も疑わなかった。

相談所はもう二度と信用する気はなかった。交番や警察署は見かけるたびに寄ってみたが、詰めている警官はおらず、置いてある電話は不通の音を空しく流すだけだった。

人がいる警察署を探してみようかと思ったが、各区数ヶ所しかない配給所を探して渡り歩くだけで精一杯だった。目先の食事と寝床を棒に振ってまで手がかりの全くない有人の警察署を探す気力もない。

誰かに訊《き》くという選択肢も失われた。家への襲撃は真奈を人間不信に陥らせ、他人に事情を話すことを忌避させた。

そうしていくつかの配給所を点々と渡って歩いたが、貪る側に捕まるのは時間の問題だったようだ。

配給所を探して歩くうち、人口が減って空洞化した地域に入り込んでしまったらしい。

そこで行き合ったのは、家を襲った連中の同類だった。

互いの姿を認めるなり、相手は追いかけ真奈は逃げた。言葉は要らない。お互い相手が狩る者であり狩られる者であることを本能で察していた。

いくらも走らず追いつかれ、わけの分からないうちに寄ってたかって引き倒された。何人がどう自分の上に乗っているかも分からない状態で、何本もの手が一斉に服の中へ入り込んだ。

肌の上を直接歩き回る手指。味わうように体の各部を捏《こ》ね回す。

いや！　やめて！　離して！

陳腐だが、それ以外に言葉など出てこないことを思い知る。

そんな嫌うなよ　どうせみんな死んじまうんだ　仲良くしようぜ　傷舐《な》め合おうぜ　どうせなら気持ちよくなったほうが得じゃん　暴れたばたすんなよ
おんなじだ、こんな奴らは。

こんな奴らは首がすげ替わっても同じようなことしか言わないのだ。

野卑な手が、自分の欲望しか考えていない力加減で胸を鷲摑《わしづか》みにする。

すぐ気持ちよくしてやるよ
——何を勝手なことを、
家を襲った奴らに思ったことを、また思った。その瞬間に箍《たが》が外れた。目が眩《くら》むほどの怒りが、恐怖も絶望も押し流した。

勝手なこと言わないで誰があなたとそんなことで気持ちよくなりたいなんて言ったのあたしはそんなこと望んでない気持ちよくなんかなりたくない、

「あなたなんかに触られたら気持ち悪くて吐き気がするわ！」
言い終わるなり、したたか頬を殴られた。
「死ぬ前に少しでも気持ちいい目に遭ったほうが得ってもんだろ」
真奈は殴った男を睨《にら》みつけた。
まるで恐ろしくて泣いているみたいに涙がぼろぼろこぼれてくるのが悔しくて悔しくて仕方がなかった。
どうして――
どうしてあたしが気持ちいいかどうかあなたが決めるの、
何が気持ちよくて何が気持ち悪くて、
何が得で何が損かなんて、
あたしに決めさせて――

＊

突然、強く肩を揺すられた。

呼ばれた声で意識が覚める。目を開けると、秋庭が至近距離で真奈の顔を覗《のぞ》き込んでいた。

そうだ、あのときも――

こんなふうに悪い夢から起こすように、
助けてくれたのは秋庭だった。

「大丈夫か」

「はい……」

真奈はのろのろとベッドの上に起き上がった。涙が止まるまで休むだけのつもりだったのに、いつの間にか眠り込んでしまったらしい。図らずも盛大な昼寝になってしまった。目は寝入る前より腫《は》れぼったい。眠りながらかなり泣いたようだ。

秋庭がベッドの端に腰をかける。

「えらいこと夢見が悪そうだったんでな」

「――昔のこと、思い出してました」

真奈は腫れた目をこすりながらへへへと笑った。

「また助けてもらっちゃった」

「何のことだ」

「今、秋庭さんに会う直前のとこだったんです」

「ああ……」

秋庭もそれだけで察したらしい。

「ま、頑張って忘れちまえ。わざわざ夢でなぞってトラウマにするこたァない」

秋庭の言うことは正しい。あんな連中のことはさっさと忘れてしまうに限る。けれど——

さっさと忘れたいほどの記憶だからこそ、そのおぞましさに囚《とら》われる。

真奈はぽつりと呟《つぶや》いた。

「秋庭さんに助けてもらってなかったら、どうなってたのかな……」

「やめとけ。あんまり趣味のいい想像じゃないぞ」

秋庭の止める声は素っ気ない。真奈は小さく吹き出した。そんなところまで。

「秋庭さん、最初会ったときと変わんない」

「何が」

「わざと素っ気なくするとこ」

真奈は秋庭に助けられたときのことを思い返した。

通りがかった秋庭は終始不機嫌そうな顔のまま、一人でその連中を蹴散《けち》らして——

「覚えてますか？　寝覚め悪くて見過ごせないから俺の通らないとこでやれって」

「言ったか、そんなこと」

「言いました言いました。そんなこと言っといてあたしのこと連れて帰ってくれたんですよね。

どういう人なんだろうってすごく不思議だった」

「送って終《しま》いのつもりが帰るとこないとか言われちゃあな」

家どこだ。そう訊かれて、帰れるところがないと答えた。付け込まれる原因にしかならないと押し隠していたことを、どうして秋庭には素直に話せたのだろう。

真奈はしばらく黙り込み、それから視線をふと遠くへ放《ほう》った。

「あのとき、秋庭さん何も訊きませんでしたよね」

秋庭は何も訊かず、真奈はあれからずっとここにいる。

「訊かれなくてほっとしたんです。誰かに話したら全部現実になっちゃうような気がして――ほんとはもうとっくに現実になってたのに。ずっとその部分だけ蓋《ふた》して考えないようにしてたんです」

真奈はそこで言葉を切り、しばらくためらってから、その名を口にした。

「遼一さんや……トモヤさんと会って、蓋が開いたみたいです」

秋庭の返事があるまで、一瞬の間があった。

「……痛いなら、別に無理して話すことないぞ」

「別に、無理してません」

聞いてほしいと思った。でもそれは言えない。秋庭はそれ以上何も言わなかったから、真奈も勝手に話した。

「あたしね、自分に少しでも関わりのある人が塩になったの、初めて見たんです」

リュックサックいっぱいに詰まった塩。その一番上に、きれいに残した顔のかけら。遼一が海月《みつき》といとおしそうに呼んだ大量の――人一人分の塩。

真奈の膝《ひざ》で、濁る視界に怯《おび》えながら塩に変わったトモヤ。

「一度も会ったことないけど、遼一さんがあんなに大事に思ってた人なら全然関係ない人じゃないですよね。知り合った人の恋人なんだから、まったく知らない他人よりは身近に感じますよね。トモヤさんだって、あんな巡り合わせだったけど、あたしたち看取《みと》ったんだから他人事《ひとごと》なんて思えませんよね」

きらめく白い結晶になった、

かつて生身だった人。

これから生身でなくなる人。

正《まさ》に目の前で生身でなくなった人。

「あんなにきれいに形が残るものなんだって、すごくショックだった。塩害ってどういうことか分かってるつもりだったけど、あたしは全然分かってなかったんです。生身の人がああなるものだってことを、本当には理解してなかったんです」

塩化した人間を見たことがないわけじゃない。けれど風化した像は景色として見過ごして、精緻なままで残っていても、それはまるで元からそうだったように、初めから塩で作った彫像だったように――思おうとしていた。

海月の顔のかけらを見て、トモヤのオモチャみたいに砕けて取れた腕を見た。

そうして初めて――

「あたしの両親もこうなったんだって、思った……」

電話はこちらからかけなかっただけで、繋がらなかったわけじゃない。電話の向こうに出る人がいなくなったわけじゃない。

それは嘘だ。


それが嘘であることをあたしは知ってる。

最初からそれは嘘だと知っていたのだ。

「塩害の初日、両親は帰ってこなかったんです。二日目も三日目も四日目も、一週間経っても十日経っても、一月経っても帰ってこなかった。でもそんなこと認めたくなかった」

だからずっと——担任に話したときも相談員に話したときも。両親が塩害の始まった日から帰ってこないと言った。

「帰ってこないってことの先、考えるのをやめたんです。帰ってこない困ったね、どうしようって——それしか。なんで帰ってこないのかって部分は蓋をしてたんです。今までずっと——秋庭さんのところに来てからも。いつか塩害が解決して普通の生活に戻ったら、そうして家に帰ったら、二人とも帰ってきてるかもしれないって……そんなこと、あるわけないのに」

真奈は情けなく笑って、自分の頭を軽く叩いた。

「馬鹿ですよね。取り返しのつかないことしちゃった。最初から認めて、お父さんとお母さんの会社まで探しに行ってたら、見つけられたのに。全部は無理でも、お骨代わりの塩くらいは持って帰れたかもしれないのに。遼一さんみたいにどこかに連れてってあげたりできたのに」

自分自身に言い募る言葉は止まらなかった。まるで好んでする自虐のように。

「あたし、迎えにも行ってあげなかった。きっと家に帰りたかったのに。もう誰かと混ざって見分けもつかない……」

真奈は震える唇を強く噛《か》みしめた。こらえてもこらえても肩が震えてくる。ずっと蓋をしていたことで行き場をなくしていた体中の潮が、初めて自覚を伴って溢れようとしていた。

秋庭の片手が伸び、真奈の頭を抱き寄せる。そのまま自分の胸に真奈の頭を押しつけた。

両親を亡くしてから初めて、真奈は声を張り上げて泣いた。

泣きはじめると心がすうっと楽になっていくのが分かった。

変わってしまった世界で真奈に最も近しい人は、黙ったままずっと真奈の涙の受け手でいてくれた。

＊

その日以降、真奈が壊れたように泣き出すことはなくなった。

たまに少し涙ぐんでいるときがあるが、それは秋庭に見せないようにしていた。だから秋庭も気づかない振りをしている。

両親を亡くした娘が泣くのは普通のことだし、涙を隠すのも普通のことだ。

「一度、家へ帰ってみたいんです」

真奈が遠慮がちにそう頼んできたのは、秋庭の前で泣いた日から十日ばかり経った日のことだった。

「そんなに遠くないんです、南千住《みなみせんじゅ》のほうだから」

秋庭は寝っ転がっていたソファから身を起こして──口に出しかけた言葉を飲み込んだ。

──大丈夫か、なんて
言っても仕方のないことだった。いつまで経っても、どれだけ時間を空けても、そこは真奈にとって痛い場所であり続けるのだから。

だとすれば、自分からその場所に行きたいと言い出した気持ちを汲《く》むべきだ。

「あのボロ車出すにはいい日和《ひよ》りだな」

日差しはもう夏に近い。窓の外に覗《のぞ》く空には、積乱雲が元気に伸び上がっている。

いい日和りだ。

能天気なくらい開けっ広げに輝く太陽が湿っぽさを力尽《ちからず》くで干し上げる。そんな日和りだ。

遼一を海へ送ったときの車は、乗って帰って近所の空きガレージへ突っ込んである。

「南千住くらいなら燃料もまだ保《も》つだろ。バッテリー起こしてくるから弁当でも作っとけ」

秋庭は弾みをつけてソファから起き上がった。

工具を抱えて出ていくときには、真奈はもう台所で忙しく働きはじめていた。

＊

相変わらず不調のエンジンを騙しながらのドライブだ。それでも今回は行き先が近いだけに気が楽だ。最悪、歩いて帰っても知れている。

前回散々はしゃいだ真奈は、今日は人が違ったようにおとなしく助手席にかしこまっている。

「今日は『きゃーっ風が気持ちいいー』とか言わんのか？」

秋庭の裏声に、真奈がぷっと吹き出した。

「何の真似のつもりですか、それ！　あたし、そんな変な喋り方しません！」

「こんなんだろが、舌っ足らずでよ」

「そんなことありません！」

真奈が両手をじたばたさせる。秋庭はひとしきり笑ってから言った。

「お前、ちょっと歌でも歌ってみ」

「えっ？」

「景気づけだよ、ステレオ代わりだ」

「い、いやですよぉ！　それに道の説明だってあるし」

「どうせ道は俺のが詳しい。駅前までナビは要らん。――ほら」

「いやですよ！　そうじゃなくても歌苦手なのに。歌わせて笑うつもりでしょ」

真奈が唇を尖《とが》らせる。秋庭は左手をハンドルから離し、真奈の頭を軽く叩いた。

「笑やしねェよ。この際、童謡でも学校唱歌でもいいから歌ってみろって」

「もう～～～～～……」

笑っちゃいやですよ。

すねたように前置きして、真奈は大きく深呼吸した。

ある日　パパと二人で語り合ったさ

恥ずかしいのか出だしの声は少し震えた。それでも懸命に音程をたどっている。拙《つたな》いなりに、素直にまっすぐ伸びる声だった。

この世に生きる喜び　そして悲しみのことを
グリーングリーン　青空には小鳥が歌い
グリーングリーン　丘の上にはララ
緑が燃える……

一番だけでやめてしまった真奈に、秋庭は咎《とが》め声を上げた。

「おいおい、そんだけかい」

「やー、もう無理ですってばー。恥ずかしいよー」

顔を真っ赤にした真奈は引きつり笑いで表情が固まってしまっている。

「聴ける聴ける。続き行ってみろ」

「じゃあ一緒に歌ってくださいよ」

切り返した真奈に秋庭は尋ねた。

「何番まで行ける」

「三番まででしょ？　この歌」

「じゃあ二番までだ。せえの」

そのときパパが言ったさ　僕を胸に抱き
つらく悲しいときにも　ララ泣くんじゃないと
グリーングリーン　青空にはそよ風吹いて
グリーングリーン　丘の上にはララ
緑が揺れる……

歌い終わって真奈が声を上げる。

「秋庭さん一人で歌ったほうがいいじゃないですかぁ。すごい素敵、あたし聴いてますよ」

「却下。ほれ、次。何歌える？」

童謡ばかり十何曲か歌い続けた頃、南千住駅へ差しかかった。

ナビをしはじめてから、真奈は初めて秋庭が歌を歌わせた理由に気づいた。秋庭は素知らぬ顔でハンドルを握っている。

ああ――かなわないなあ。

真奈は少しはがゆいような、切ないような気持ちになって胸をそっと押さえた。

＊

ベランダには、もう真奈の使った縄梯子は下がっていなかった。

車で待っててくれていいですよ。

そう言ったが、秋庭は真奈と一緒に車を降りた。秋庭に家を出ることになった原因は話していないが、秋庭のことだから察しはついているのかもしれない。だとすれば付き添うのも秋庭らしいことである。昼間だし多分大丈夫、なんて甘い判断は秋庭はしない。実際襲った奴らは真っ昼間に襲ってきたのだ。

エントランスをくぐり、階段を上る。エレベーターもあるが自宅は三階だから階段を使っても大して変わらない。

三階の端、自宅の玄関のドアは鍵を強引に壊され、ノブが外れかけていた。住人のいない家をわざわざ直す者がいるわけもない。ドア全面と近くに転がっている各階備え付けの消火器がでこぼこになっているのは、鍵を壊すのを待ちきれずに消火器でドアも殴ったのだろう。壁には衝撃で噴出したらしい消火剤の跡も残っている。

辛うじて原形を保っているそのドアを開ける勇気はなかなか湧いてこなかった。ドアの前で俯《うつむ》いて立ち尽くしていると、ふと肩が温かくなった。秋庭が右肩に手を乗せたのだ。

その何気ない温《ぬく》みが心を励ました。

真奈はひとつ深呼吸をしてドアを開けた。――ひどい惨状は予想していた。それよりも一枚上手だっただけだ。

襲った連中の腹いせだろう。靴箱、姿見、ドア、ガラス――割れるもの、叩き壊せるもののすべてが破壊されていた。まるで室内に重機を入れたかのような惨状だ。

いろんなものの残骸《ざんがい》を乗り越え、踏み越えるように室内に入る。室内は室内で少し方向性が違う惨状だった。こちらはありとあらゆる引出しや扉がすべて開けっ放しにされ、中身が物色された跡があった。

一応、通帳や貴重品をしまってあったサイドボードの引出しを覗いてみるが、金目のものはきれいさっぱりなくなっている。

冷蔵庫の製氷皿まで引っ張り出されているのを見て、真奈は思わず笑い声を上げた。

真奈を襲った連中だけでこんなところまで引っ繰り返す知恵が出てくるわけがない。連中の後に、やってきて漁《あさ》った人間がいるのだ。

それも大勢。

「ばかみたい」

真奈はぽつりと呟いた。

お金なんかあってももう仕方がないのに。通帳持ってってカード持ってって。それが使えるところなんてもうどこにもないのに。

母親が持っていたたった一つだけ本物の真珠のネックレス——どころか。見るからに安物のイミテーションと分かるアクセサリー類まで影も形もない。もともと飾り気のない母は大して数を持っていたわけではなかった。

「ばかみたいだと思いません？ あたしのアクセサリーまで全部ないの。お父さんにもらった貝殻のイヤリングとネックレス。熱海《あたみ》のお土産ですよ。イヤリングなんか三百円くらいですよ、あれ。持ってってどうするんだろ。何か満足だったのかなあ、あんな安物。——安上がりですよね。うらやましい。あんな……子供のおもちゃで喜べるなんて」

子供のおもちゃのような土産物のアクセサリー。——父が買ってきた。それを喜べるのは、価値を見出《みいだ》せるのは、世界中で真奈だけだったはずなのに。

「——何か探せるか」

秋庭は真奈には答えずそう言った。何か——形見をと。

真奈は、本棚にいくらか残っていた本の中から『吾輩は猫である』と『嵐が丘』を取った。本好きだった両親がそれぞれ好きだったものだ。

写真がほしかったが、アルバムはこの惨状からもう探せない。

「……本でお墓作るの、変かな」

「変じゃないさ。いつか作ってやれ」

秋庭がぽんと真奈の背中を叩く。

真奈のタンスの中に下着が少し残っていた。秋庭には相談しにくいが、サイズの合ったものを手に入れるのが難しい昨今なので、それも持ち帰る荷物にそっとしまう。

最後に荒れ果てた部屋の中を見回し、帰ろうとしたとき――

「小笠原《おがさわら》さん？」

玄関から呼ぶ声がした。


玄関にいたのはころっとした体型の中年女性である。二軒隣の家の夫人だ。真奈も何度か声を交わしたことはある。

夫人は、真奈の姿を認めるなりまくし立てた。

「ずいぶん大変だったみたいね、話は聞いてるわ。ご近所さんもみんな心配してたのよ。お家もねえ、まあまあ――こんなことになってしまって」

親切ごかした声が耳にキンキン痛い。真奈は曖昧《あいまい》に笑った。喋りたくない、と思ってしまうのは真奈が悪いのだろうか。

「ほんと、みんな心配してたね。あんな悪そうな連中に襲われるなんてね」

――語るに落ちた。この人は見ていた。この家が襲われる様を。きっとこの人だけではない。鍵が壊され玄関が破られている間、真奈が縄梯子で逃げている間。何人もが見ていたはずだ。あのときは誰も出てこなかった。ただ一人として。

出てこなかったことを責めることはできない。こんなご時世だ、よけいな揉《も》め事《ごと》は皆避ける。しかし、彼らに好意的になれと言うのは到底無理な話だった。

「家もねえ――こんなに荒らされてしまって。きっとあの連中の仕業よ」

頭にカッと血が昇った。――よくもそんな見てきたような嘘を。

そして今度は真奈を見物に来たのか。両親を塩害で亡くした娘がゴロツキに追われて無残に貪られた悲劇でも期待しているのか。夫人の血色の良い丸々とした顔には同情を装って好奇心があるだけだ。

「よく無事でねえ。一体今までどうしてたの？　――そちらの方は？」

「真奈の保護者です」

真奈が答えるより先に秋庭がそう答えた。

「ご存じのとおり、両親が亡くなりましたので。今は遠縁のうちのほうで」

夫人の顔に一瞬つまらなさそうな表情がよぎった。一瞬で取り繕うが、そんな薄汚い表情は一瞬で充分だ。充分気づく。

不良少年たちに追われて消息を絶った娘が男を咥《くわ》え込んで戻ってきた――という面白い醜聞が一つ消えた。

期待を外してごめんなさい、とでも言えばいいだろうか？

「随分危ない目にも遭ったようですが、途中で警察に保護されまして。幸い、何事もなくうちのほうへ……ご近所様には挨拶《あいさつ》もしそびれたままで申し訳ありません」

こちらもやはり見てきたような嘘をついた秋庭が、真奈の背中を夫人からは分からないようにトンと押した。真奈は水飲み鳥のように機械的に頭を下げた。

「ようやくこの子の荷物を取りにきたんですが、ひどい有り様ですね、こちらは」

「ええ——そうそう、ひどいでしょ、そりゃもう悪そうな奴らでしたから」

夫人が媚《こ》びるように声を甘くした。それが甘いつもりとすればだが。秋庭の見てくれは夫人の女心を充分に刺激したらしい。

「本当にひどい連中でしたわよ。あたくしももう怖くって」

その台詞《せりふ》に秋庭が微笑み返す。夫人が有頂天になりそうな笑顔だ。

「そいつらの中には、主婦や女性も大勢混ざっていたようですね」

「は？」

きょとんとした夫人に、秋庭は完璧《かんぺき》な『営業用』の笑顔のままでさらりと言った。

「冷蔵庫に炊飯器の中に流しの下……真奈が追われたという少年たちではとても思いつけないような場所まで余さず荒らされてますからね。そんなきめ細かい仕事は生活感のないガキどもだけじゃ無理でしょう」

夫人の顔が、青くなった後に赤くなった。

「急ぎますので、ご近所にはそちら様からよろしくお伝えください。治安が回復したらこの件について警察の捜査が回ってくるかと思いますが、そのときもよろしくご協力願います。——失礼」

会釈した秋庭が真奈の肩を押した。真奈は押されるままに足を踏み出し、結局夫人には挨拶しそびれた。

歌と同じだ。どうして秋庭が付き添ってきたのか、真奈はようやく理解した。

車に乗るまでしゃんとしてろ。

秋庭に言われるまま背筋を伸ばして歩き続けた。車に乗り込み走り出してから真奈はやっと息をついた。

「——秋庭さん、あんな喋り方できるんだ。まるで普通の大人のひとみたい」

「失敬な奴だな、俺は分別のある大人だぞ」

「その割には、とっさによくあそこまでペラペラ嘘が出てきますよねえ」

「嘘はついてねえだろ、保護者は保護者だろうが。——まあ、最後のは軽いお灸《きゅう》だな。反省の色なしにつきってところか」

「あはは」

笑いながら——真奈は下を向いた。持ち出してきた二冊の本を抱きしめる。

涙が転がり落ちるように膝にぱたぱたと落ちた。

真奈はこらえるようにきつく目を閉じた。

大丈夫。どんな汚いところへ行って、どんな汚い物を見て、どんな汚いことを聞いても――何もあたしを傷つけたりなんかできない。

「あたし、大丈夫ですから」

こんなつまらないことで傷ついたりなんかしない。秋庭が盾になってくれたのだからそんなつまらないことが真奈を傷つけたりできるわけがないのだ。

「せっかくだから外で弁当広げて帰ろうぜ」

まるで、自分がそうしたがっているかのような口ぶりで、秋庭はそう言った。

＊

「涼しいけど、もうちょっと日陰が欲しかったですね」

通りかかった公園でかろうじて木陰の芝生を見つけたものの、根元に吹《ふ》き溜《だ》まった塩のせいで枯れ落ちたのか、重なり合う葉は薄い。

それでも風がよく抜けるので肌は心地よく涼しい。

「お前の弁当、絶対これが入ってるのな。タコさんウィンナーってのもこの年になると照れるもんがあるが」

「え、だってお弁当はタコさんでしょう？　カニさんでもいいけど」

おにぎりとウィンナーと卵焼きの弁当を片づけて、少しくつろいだ後、真奈は弁当箱を荷物にしまった。

「行きましょうか」

真奈が立ち上がると、秋庭が座ったままで真奈の腕を摑んだ。

「もうちっとくつろげ」

「でも、車熱くなっちゃいますよ。ここ涼しいから、長居するとギャップが辛いですよ」

「今から戻っても熱いもんは熱い。いいから」

言いながら秋庭が真奈の腕を引いた。片膝を立てて座った足の間に、尻餅《しりもち》を突かせるように座らせる。

心臓が跳ね上がりそうになるのを飲み下した直後、真奈はぎくりと体を強《こわ》ばらせた。秋庭の腕が後ろから真奈の両肩に乗り、真奈の目の前で交差する。

背中に秋庭の体温が触れる。

気の利いた切り返しなど何もできない、こんなのまるで――……みたい。

まるで、の後に思い浮かべた言葉を慌てて打ち消す。

固まったままの真奈の顔のすぐ右脇に、秋庭が顔を寄せた。わずかに右を振り向いたら表情が覗《のぞ》けるくらいの近くに。真奈は身動き一つできずにますます固まった。

秋庭の声が、すぐ耳元で言った。

「あの歌、七番まであるんだ。学校で三番までしか教えてねえのは情操教育上片手落ちだから、ラストを教えてやる」

　どの歌のことか分かった。秋庭は理由を言わなかったし真奈も敢《あ》えて訊かなかったが、何故二番までしか歌わせなかったのかも知っている。

ある朝僕は目覚めて　そして知ったさ
この世につらい悲しいことがあるってことを

つらい悲しいこと――パパがこの世にいない朝。その目覚め。

真奈にも分かる。両親がいない目覚め、戻ってこない日々。戻ってこない事実の向こう側。

ずっと目を逸《そ》らし続けて、ようやく向き合った悲しいこと。

秋庭が低い声で囁《ささや》くように歌いはじめた。

やがて月日が過ぎゆき　僕は知るだろう
パパの言ってた言葉の　ラララほんとの意味を
グリーングリーン　青空には太陽笑い
グリーングリーン　丘の上にはララ
緑があざやか

いつか僕も子供と　語り合うだろう
この世に生きる喜び　そして悲しみのことを
グリーングリーン　青空には霞《かすみ》たなびき
グリーングリーン　丘の上にはララ
緑が広がる
緑が広がる

歌い終わると同時に秋庭が立ち上がった。真奈のほうを振り向きもせず、帰るぞと一言だけ投げて歩き出す。

真奈もゆっくり立ち上がって後を追った。

「知りませんでした。ただ切なく終わる歌じゃないんですね」

わざとゆっくりそう言ってみた。秋庭はやはり振り返らない。

——いつかそんな日が来るなんて、
そんな言葉を添えるような人じゃないけど。
囁くように歌ったその声で、真奈には充分だった。

インターミッション
——幕間——

＊

一体自分たちに後どれだけの時間が残っているのか。

それまで考えずにいたこと、考えないようにしていたこと——

順当に行くならあと数十年は残っているはずの時間が、ある日、突然塩と化して断たれる。そのある日はいつ来るのか分からない。万人に等しく訪れるかどうかも。

塩害はつい半年前に始まったばかりなのだ。その全容は誰にも分からない。最後の一人が塩になるまで終わらないのか、あるいは誰かが生き残るのか。

だが、日に日に街に塩が増えていくこの状況で自分にだけ都合のいい幸運を期待する気にはなれない。

——俺が先かあいつが先か。

二人しかいないこの極小のコミュニティで、それは恐ろしい命題だった。どちらが先になるか、どちらが先になるのが望ましいのか。

感情の立ち入らない全き理性は、関わらなければ良かったのだと訴える。

関わるべきではなかった。あの日あの道を通らなければ。他人のままですれ違っていれば。

こんな脆弱《ぜいじゃく》な部分を育てずに済んだのだ。——欠けたら痛い一部など。

利己を追求する冷たい本能としての理性は、秋庭《あきば》を容赦なく弾劾している。否応なく無意識がそれに気づきはじめてからずっと。

そんな痛みが煩わしくて一人になることを選んだのではないのか。

家族も仲間も弱点になる何もかもを捨てたのは、繋《つな》がるものなど何もなく一人きり塩になる安楽さを望んだからではなかったのか。——捨てた端からまた拾っていれば世話はない。

だがもう——遅い。

認めざるを得ない。真奈《まな》が欠けたら痛い。そして恐らく真奈も——秋庭が欠けたら痛いのだ。

——別に無理してません。

ささやかな主張のように、真奈は自分の話をした。敢えて痛みを秋庭に晒《さら》した。自分の過去と一緒に。

今まで互いの過去の話をしたことはない。それは恐らく、互いが深入りするのを避けていたのだ。二人で暮らしているのは状況に即した緊急避難だと割り切って、不用意にお互いを深く知り合わないように——欠けたら痛い部分にしないように。

その防衛ラインを真奈から割った。

自分の話をするのは自分を知ってほしいという合図だ。自分を知ってほしい、延《ひ》いては相手のことを知りたいという——

遠からず、真奈が踏み込んでくる予感がした。

——それが訪れたのは、そんな予感を孕《はら》みはじめた日々のことである。

Scene-4　その機会に無心でいられる時期はもう過ぎた。

その来客が、二人と世界の運命を変えた。

＊

玄関のチャイムが鳴ったのは、夕飯もとっくに終わった時刻のことだった。

秋庭《あきば》は寝転がっていたソファから体を起こし、怪訝《けげん》な顔で玄関を眺めた。真奈《まな》もソファから半ば腰を浮かせ、不安そうに玄関を見る。

訪問には遅い時間だし、そもそもこの部屋で秋庭と真奈が揃っているときに玄関チャイムが鳴ったことはない。集金や訪販は絶えて久しいし、宅配便や郵便は大きく配達範囲を縮小してせいぜい同一区内くらいしか届かなくなっている。その範囲内から荷物が届く心当たりは秋庭にはないし、真奈にもないだろう。

真奈が来て以来、互いの帰宅のサインとしてしか使われたことのないチャイムが焦《じ》れたように二度三度と鳴る。

「俺が出る。様子分かるまでそこ動くなよ」

言いつつ秋庭はソファから起き上がり玄関に向かった。真奈がソファから伸び上がって玄関に向かう秋庭を案じるように見送るが、言いつけどおり席は立たない。

一頃の混乱期に横行していたストリートギャングまがいの馬鹿はかなり減ったが、それでも平時ほどの治安が期待できるわけではない。

「どちらさん？」

声をかけるが、表から返事はない。ただただノックの音が繰り返される。ますますきな臭くなってきた。

秋庭はドアの裏に体を隠した立ち位置で鍵《かぎ》を外した。チェーンはかけたままで細く開く。

すると隙間にいきなり靴先がねじ込まれた。

とっさに尻《しり》ポケットに手を突っ込んだ瞬間、ドアの隙間にひょいと顔が覗《のぞ》く。

「あーきば」

隙間から相手の顔を認め、秋庭は尻ポケットに手を突っ込んだまま静止した。

顔色は不健康だが顔立ちそのものは出来のいい日本人形のように整った男が、ドアの向こうで笑っている。

「僕、僕。そっから物騒なもん投げないでよ」

「……てめえか」

投げるはずだった得物から指を離し、尻ポケットから空手で手を抜くとドアの向こうで男がにやにやと笑った。

「相変わらず手が早いことだね、怖い怖い」

「てめえが不穏な挙動するからだろが！　もう少しで投げちまうとこだぞ」

不機嫌に秋庭が吐き捨てると、男はまったく悪びれない様子でまた笑う。

「だって秋庭、機嫌悪いと入れてくんないじゃない？　あ、女連れ込んでるときもか。やっと探し当てて来たってのに門前払い食らっちゃたまらないからね。で、入れてくれンでしょ？」

秋庭はのらりくらりとしているくせに強引なこの知人の昔を思い返した。追い返したところで素直に帰った例《ためし》などないのだ。それも念を入れて行方をくらましたのをわざわざ探し当ててきたのだから、帰れと言って聞くわけがない。

秋庭は観念して溜息《ためいき》をついた。

「……チェーン外すから足を抜け」

「真奈、もういいぞ。俺の客だった」

玄関からの声に真奈はほぅっと息をついて立ち上がった。座ったまま客を出迎えるわけにはいかない。

秋庭は来客と何やら言い合いをしながら居間へ戻ってきた。そのぞんざいな口の利き方からして、かなり気安い相手らしい。

秋庭に続いて居間に入ってきたのは、こざっぱりした風体の男だった。秋庭と同年代か少し若いか。顔立ちは驚くほど整っているが顔色は青白く、見るからにインドアな雰囲気である。

――男の人か……

何となくほっとして、そのほっとしたことに少し慌てながら真奈は客にぺこりと頭を下げた。

「あ、あの、こんにちは……」

挨拶《あいさつ》した真奈を客がちょっと驚いたように見つめた。が、すぐににこやかな笑顔を浮かべて真奈に右手を差し出す。

「こんにちは、入江慎吾《いりえしんご》です。秋庭くんのお友達だよ、よろしくね」

強調された『お友達』の発音、秋庭が露骨に顔をしかめ、一人さっさとソファに座り込んだ。

「小笠原《おがさわら》真奈です、よろしくお願いします」

何がよろしくか分からないなりに、真奈も自己紹介を返して握手を受けた。

手を解《ほど》いてから、入江と名乗った男はにやにや笑いで秋庭のほうを見た。

「秋庭、ずいぶん女の趣味変わったね。昔とえらく傾向違うじゃないの」

秋庭が目を怒らせるより先に、真奈が大きく両手を振った。

「いえ、あの、違うんです。あたし、そんなんじゃ……」

「あ、そうなの？」

「行くとこなくて、ここでお世話になってるだけで」

真奈と入江の会話に、秋庭の声が割り込んだ。

「入江、ガキからかっとらんで座れ！」

「はいはい。――っとにねえ、怒りっぽいよねえ。昔っからこうなんだよ、この人は。一緒にいると大変でしょ？」

入江のおどけた声に真奈はくすくす笑った。確かに秋庭は怒りっぽい。それがポーズのときもままあるが。

「お茶、淹《い》れてきますね」

そう言って台所に向かった真奈を、不機嫌な秋庭の声が追いかける。

「出がらしでいいからな、こんな奴!」

真奈と入れ替わりに入江がソファへ滑り込んだ。秋庭の右手のソファに陣取り、深々と腰を掛ける。

「秋庭、あの子どうしたの?」

興味津々に入江が問うと、秋庭は素っ気なく答えた。

「行きがかり上拾っちまっただけだ。帰るとこがないって言うからそのまま置いてる」

「ふーん?」

勘ぐった入江の声は黙殺された。

入江はちらと台所を窺《うかが》った。のれんが邪魔で足元しか見えないが、真奈はぱたぱたと忙しく立ち働いていた。

「馴染《なじ》んでるよね。もうけっこう長く居るの?」

「三、四ヶ月ってとこだ」

「あんな子供が帰るところがないって穏やかじゃないよね。まだ高校生くらいじゃない。何かあったのかな」

「知らん」

「知らんって……三ヶ月も一緒にいて何も?」

「知ってたとしてもお前に言わなきゃならん理由があるのか」

一言で片づけた秋庭が入江をじろりと睨《にら》みつける。

「余計な詮索《せんさく》しに来ただけなら叩《たた》き出すぞ」

声の調子で本気であることはよく分かった。同時に知らないというのが嘘であることも。

入江は降参の印《しるし》に軽く両手を挙げた。秋庭が本気で口にして実行されなかったことは一つもないし、わざわざ逆鱗《げきりん》に触れるために来たわけでもない。

ややあって、真奈が台所から戻ってきた。トレイの上に湯呑《ゆの》みが二つ載っているのを目敏《めざと》く見つけた入江が声をかける。

「あれ、二つ？　自分のは？」

真奈が答えるより先に、秋庭が口を開《ひら》いた。

「こんな奴に気ィ遣わんでいい、こっちで飲め」

「いいんですか？」

言いつつ真奈がとりあえず二人の前に湯呑みを置き、また台所へ立つ。

その間に一口すすった秋庭が顔をしかめた。出がらしでいいと言ったのに濃く出した一番茶だ。入江もくすりと笑う。

「歓迎してくれちゃったんだ。いい子だね」

「言っとくが、俺は断じて歓迎してないぞ」

「家主は心が狭いことだねえ」

言葉の危険球を投げ合っていると、真奈がプラスチックのカップを持って戻ってきた。台所に近いテーブルの端の席に腰かける。

「そんで秋庭、最近の暮らしぶりはどう」

井戸端調に話しかけられ、秋庭は肩をすくめた。

「どうもこうも、こういう情勢だからな。何かにつけて辛気くさいのは仕方がない。でもまあ基本的には配給が生きてるし、不足分の賄いに適当に日銭仕事入れてぼつぼつやってるさ」

「仕事ある？」

「技術を持ってりゃ食うに困らん程度には稼げる。塩害のあおりで通勤困難も含めて光熱関係《ライフライン》の保守管理ができる人材が不足してるから、今ならその辺に潜り込めると実入りが多いかな。もっと手っ取り早くいきたきゃ、配給や何かの警備もあるし」

「あー、あんた引出し多いからねえ」

半ば揶揄《やゆ》する口調の入江に秋庭は腐って横を向いた。言葉を選んで器用貧乏と言われたようなものである。

「その引出しをね、もちょっと大きく生かしてみないかなあ」

この男がこういう言い方をするときは何かろくでもないことを考えていると相場が決まっている。秋庭は過去の経験を思い返して、警戒するように目を眇《すが》めた。

「何企《たくら》んでやがる。まどろっこしい言い方してないですぱっと言え」

「あ、すぱっと言っちゃっていい？　じゃあ、そうしよう」

言いつつ入江はお茶を一気に呷《あお》った。そして湯呑みを音高くテーブルに置く。

「大規模テロなんてしてみたくない？」

「え、えと……」

真奈が男二人の顔を忙しく見回す。入江も秋庭も顔色一つ変えないままで、まるでたった今の不穏な単語は存在しなかったかのようだ。

「あはは……やだな、あたしったら変な聞き間違い……」

照れて頭を掻《か》こうとした真奈に、入江がにっこり笑った。

「聞き違ってないない。大規模テロへお誘いしたんだよー、秋庭くんを」

にこにこ笑いながら肯定する入江に、ますます混乱する真奈。

秋庭が面白くもなさそうに口を開いた。

「どこのセクトに首突っ込んでんだか知らんが、示威対象としての政府が未だ日本に残ってたとは初耳だな。首都壊滅後に立ち上がった臨時政府も、残った地域行政統括してライフラインを保持するだけが手一杯のはずだが」

「別に政治に興味はないよ。こんな時世で右だ左だ言っても意味ないし、そもそも僕そういう泥くさいのキライだもん。知ってるっしょ。まぁ、テロとは言ったけど大雑把に破壊活動って意味合いで捉《とら》えてよ。どう？　嫌いじゃないでしょ？」

「黙って聞いてりゃ人を危険思想犯か社会不適格者みてェに……」

「じゃあ言い方を変えよう」

言いつつ入江が両手を叩いた。そして芝居がかった仕草で両手を横に広げる。

「世界とか、救ってみたくない？」

「どっかのはき違えた環境保護団体じゃあるまいし、テロで世界を救おうなんて正気で謳《うた》ってるならお前の脳味噌《のうみそ》もいよいよ末期だな」

にべもない秋庭に、入江もやはりしれっとしたままだ。

二人の様子を等分に眺めやりながら、真奈はソファの隅に小さくなった。

何だか――怖い。

二人とも声を荒げているわけではないが、激しく何かを戦わせている空気があった。

「秋庭はこのまま塩害で滅びるつもり？」

「俺のつもりでどうにかなることっちゃないからな。ここで人間の命数が尽きるなら尽きるんだろうよ」

「命数とはまた渋い言い回しで来たね」

苦笑した入江がすうっと真顔になる。来てから初めての表情だ。

「あがくつもりはまったくない？」

「――少なくとも俺にあがく機会は来なかった。神様だか何だか知らないが、それが摂理なら逆らってもロクなこたぁないって言ってんだろうよ」

「摂理じゃないかもしれないよ」

「お前があがくのはお前の自由だ」

「つれないなあ。せめて話くらいは聞こうよっ……と」

何気ない調子で入江が懐に手を入れ、抜いた。秋庭が顔色を変えて腰を浮かす。

真奈が気づいたときには既に目の前に黒光りする銃口が据えられていた。銃把を握っているのは入江、秋庭がリボルバー式のその拳銃《けんじゅう》のシリンダーを上から握って押さえつけている。色がなくなっている指先で渾身《こんしん》の力で押さえていることが分かった。

「入江、てめえ……悪ふざけが過ぎるぞ」

「僕の性格、もう忘れたの？ 手段は選ばないよ、何事につけ。こんなカワイイ弱点、身近に置いとくほうが迂闊《うかつ》だね」

「こんなオモチャどこで拾った、何たらに刃物地でいきやがって」

「蛇の道は蛇って言うでしょ。こんなご時世なんだから携行許可なんかいくらでも工作できるさ」

真奈は凍りついたように固まって、目の前の二人のやり取りを見守った。

秋庭の押さえているシリンダーが回れば弾が出るということは何となく分かる。

撃つ——気かな。

真奈は入江の顔色を窺った。秋庭を軽口で翻弄《ほんろう》している入江は真奈のほうには注意を払っていない。まったく興味がないかのように。

あるいは——銃を前に何もできるわけがないと見くびられている？

真奈はひょいと腰を浮かせて銃口を避け、入江の脇に指をくすぐらせた。

「うひゃは⁉」

予期せぬ攻撃に入江が身をくねらせ、銃把を握る手が緩んだ。即座に秋庭が銃をむしり取り、今度は逆に入江にポイントする。

「あーびっくりした」

入江は自分に向けられた銃には頓着《とんちゃく》せず、真奈を見返して大きく息をついた。

「いがーいと無鉄砲だね？　撃っちゃってたらどうする気だったの」

「一応銃口よけましたし。それに秋庭さんが何とかしてくれると思って……」

「腕ぶれちゃったら当たるかもしれないから、今度からよしなよ」

真奈が素直に頷《うなず》く。数秒前に銃を突きつけ、突きつけられたとは思えないのどかさに、秋庭がこめかみに血管を浮かせた。

「入江、こいつはどういう茶番だ！」

「うんそれはね」

入江が恐れ気もなく秋庭の向けた銃口に笑う。

「君が僕に弱点を知られたと自覚してくれたらとりあえずいいわけ。僕が君の弱点を突かないと確信できるほど、君は僕を信用しきれないだろう？」

秋庭は苦虫を百匹ほどまとめて噛《か》み潰《つぶ》した。入江の言うことはいちいちもっともである。つまるところ、信用していない相手に弱点を知られたら相手の要求を飲むしかないのだ。

「話、聞いてくれるよね？」

秋庭はリボルバーをベルトの尻に差した。

「聞くだけだ。とっとと話せ」

言いつつドカッとソファに腰を下ろす。すると入江がまた人の悪い笑みを浮かべた。

「悪いけどここじゃ話せない」

「何だと？」

「ここに長居したくないんだ。車を用意してあるから場所変えよう。申し訳ないけど二人とも、泊まりの準備してくれる？　そうだな、とりあえず二、三日の見当でいいや」

＊

入江はやたらと支度を急《せ》き立てて、自分の乗ってきたというジープに二人を押し込んだ。

ジープと言ってもメーカー名やカースタイルとしてのそれではなく、国防色の幌《ほろ》がかかった軍用車両の通称としてのそれである。無骨だが手入れは行き届いているのが一見して分かった。

一般人には燃料の入手も困難な時世、それは周囲の街並みからは異質に浮き立って見える。

「秋庭は慣れてるだろうけど真奈ちゃんにはちょっときついかな？　乗り心地は捨ててる車両だから我慢してね」

言いつつ入江は車を発進させた。助手席は秋庭、後部座席は真奈と荷物である。

秋庭が仏頂面のまま尋ねる。

「市ヶ谷《いちがや》、目黒《めぐろ》、どっちだ」

「ご冗談。そんな近場じゃわざわざ新橋から場所《ここ》変える意味ないでしょ」

「習志野《ならしの》か」

「うーん、習志野、よかったんだけどねえ。あそこも海が近いからよろしくない、と」

言いつつ入江が大通りで左折した。車の向きは大雑把に西に向かっている。

「府中《ふちゅう》……いや、立川《たちかわ》か」

「ご明察。さすがに僕も府中を牛耳ろうってほど図々《ずうずう》しくはないよ」

秋庭の挙げている地名の意味は真奈にも薄々分かってきた。市ヶ谷と言えば防衛省、習志野と言えば自衛隊駐屯地。

「総監部や司令部を置いてない駐屯地くらいなら僕でもどさくさまぎれに掌握できそうだったんでね。何しろ指揮系統なんかほとんど壊滅状態で陸幕に至っちゃ二佐が繰り上がりで幕僚長になっちゃってるような状態だ。ハッタリさえ効きゃ天下るフリは簡単。もう存在しない上層部に人事発令の確認なんかできるわけがない。もう少してこずるかと思ってたけど、拍子抜けなくらい簡単だったね」

ひゃひゃひゃひゃと軽薄に笑う入江に、秋庭が面白くもなさそうに問いかける。

「拍子抜けするくらい簡単に手に入れた肩書きは何様だ？」

「おかげさまで立川駐屯地司令様さ」

「警視庁のヒラがぬけぬけとまあ……科研より詐欺師が向いてるぜ、てめえは」

「ご挨拶だね、命の恩人に向かって」

「お前にそんな大層な借りを作った覚えは断じてない！」

一喝した秋庭に、入江は悪びれもせずに人の悪い笑みを返した。

「一刻も早く塩害に遭いたいってんじゃなきゃ、感謝してくれてもいいと思うなあ」

「……どういうことだ」

塩害のメカニズムは未《いま》だ解明されていないはずだ。入江ごときが二人の塩害を未然に防いだかのような大言壮語を吐けるはずが――

「続きは駐屯地に着いてからにしよう。僕、話に熱中したら身ぶり付くの知ってるでしょ」

そうでなくとも、入江の運転技術は秋庭の信頼するところではない。

秋庭は不機嫌に黙り込んで了承し、ジープは一路西に向かった。

＊

陸上自衛隊立川駐屯地に到着したのは、そろそろ日付が変わる時刻だった。

「ようこそ立川駐屯地へ。プレハブだらけでちょっと雑然としてるけどごめんね」

言いつつ入江は駐屯地の敷地内にジープを乗り入れた。そのまままっすぐ伸びている車道をしばらく走る。車道の周囲には急造らしいプレハブが立ち並んでいた。

突き当たりで右折し、本棟らしき建物の玄関で入江は車を停めた。サイドブレーキをかけて車を降り、周囲からパラパラと駆け寄ってきた迷彩服の自衛官の一人に声をかける。

「悪いけど車戻しといて。僕はお客と作戦会議があるから」

「誰もまだ協力するとは言ってねえぞ！　何だその作戦会議ってのは！」

言いつつ秋庭が車を降りると、集まった自衛官たちがあっと声を上げた。

「――秋庭二尉！」

百里《ひやくり》の？　本当に？　行方不明って……

さわさわと囁《ささや》き声が周囲を飛び交う。秋庭は居心地悪そうに肩をすくめた。

その様子を窓から窺いながら、真奈は荷物を引っ張り寄せた。二尉という耳慣れない単語は自衛隊の階級だろうと見当がつく。

だとすれば秋庭さんも――？

真奈は外に立った秋庭の不機嫌そうな横顔を見た。そうは見えない――と思うのは、真奈が直接見た自衛官が以前トモヤを連れて行った一団だけだからだろうか。そんなことを考えつつ車を降りると、周囲がどよっとざわめいた。

「うわあ、女の子だ！」「司令どうしたんですか、この子。WAC《ワック》？」「まさか。全然鍛えてないじゃん」「入隊希望ですか!?」「ねえ君いくつ？」「名前は？」

矢継ぎ早に発せられる質問のうち、自分に向けられたらしいものにだけ辛うじて真奈は反応した。

「お……小笠原真奈です、十八です、あの」「荷物持ってあげる！」「いえあの自分で……」

真奈の荷物の争奪戦になったとき、入江がおーいと声をかけた。

「言っとくけどその子、秋庭の逆鱗《げきりん》だからね。からかい過ぎるんじゃないよ」

うえっと首をすくめて、自衛官たちが静まり返る。見ると皆若く、真奈より少し年上なだけに見えた。若く――ごく無邪気な。トモヤの話で抱いていた『自衛官』への印象が狂う。同じ職種で括《くく》られていてもいろんな人がいる。そんなことは充分分かっているつもりだったが。

秋庭がひょいと真奈の荷物を取り上げた。そして入江に向かって声をかける。

「とりあえずどこ行きゃいいんだ」

「司令室にでも来てもらおうかな。こっちだよ」

言いつつ歩き出した二人に自衛官たちがザッと道を開ける。真奈もあちこち頭を下げながら後に続いた。

人気《ひとけ》のない屋内を先に立って歩いていきながら、入江が秋庭を振り向いた。

「いやーしかし、やっぱり秋庭は顔が広いね。お陰で士気が上がるよ」

「立川は陸自が主体だろうが。元空自が一人来たところで何が変わるとも思えんな」

「空自の分屯だっているよ。補給と音楽隊だけどね。まぁ、航空戦競会三連覇の覇者はどこの基地でも駐屯地でもそれなり有名でしょ」

持ち上げられて薄気味悪そうに身じろぎした秋庭が、逆に問いかけた。

「表に随分プレハブ建ててたみたいだが、あれは何だ？」

「ああ、あれは主に居住用だよ。練馬《ねりま》の部隊が塩害でかなり人員減らしちゃったんで、こっちに残存部隊を装備ごと統合したんだ。立川は滑走路がある分、練馬より利便性が高いからね。お陰で立川は塩害前より人員が増えた拠点になってるよ。全国でも稀《まれ》じゃないかな」

やがて、入江が司令室とプレートのかかった一室に入った。応接を兼ね備えたオフィスだが、何台ものPCや周辺機器が溢《あふ》れ返り、電算室のような有り様になってしまっている。

「どこも同じだけど、もう経験の少ない若い子しか残ってないんだよね。統合した練馬の部隊もおんなじだけど」

言いつつ入江が革張りのソファに腰を下ろす。秋庭と真奈もそれに倣った。

「塩害の災害出動ね、やっぱり直接出動が多いのは陸自でしょ。結晶への接触も多いし塩にも塗《まみ》れるから塩化が早く進むみたいでさ。塩化には肉体的な抵抗力も多少関係するみたいだから、体力のピーク越えちゃってる年配者からどんどんね……」

まただ。入江はまるで自分が塩害の実体を知っているかのような話し方を——

「しっかし知らないからとは言え、二人ともよくあんなとこに住めるよね。かつての昼間《ちゅうかん》人口密集地区だから塩は多いし、東京湾の結晶だって余裕で見えちゃう」

習志野は海が近いからよろしくない。秋庭は入江の車中での台詞《せりふ》を反芻《はんすう》した。

「僕なんか怖がりだからさ、山手線《やまのてせん》の内側なんて視界の利かない夜でもないと立ち入れないね。今や海際の人口密集地に住むのは、緩やかな自殺と一緒だよ」

「そりゃまたえらく範囲の広い海際だな。山手線丸ごと海際って呼ぶなぁ初耳だ」

「秋庭くん、人の揚げ足取らないの。分かってんでしょ。僕が言いたいのは、すなわち――」

東京湾の結晶が視認できる範囲。塩害の塩が多量に残る地域。

「途中で研究施設も潰れちゃったからね。完璧《かんぺき》な臨床データを取ったわけじゃないけどこの際僕の心証で充分ってことにしようよ。だって僕、天才だからさ」

「……お前はそういうとこまったく変わってないな。バベルの塔は神の怒りを買って崩されたっつう故事を知らんのか」

「あれって故事なの？　まあいいや。この場合はむしろバベルよりソドムとゴモラがお似合いでね。――あ、言っとくけど怪獣とかの名前じゃないからね―」

台詞の最後は真奈を見ながら投げられた。正《まさ》に図星を突かれたらしく、真奈が顔を赤くする。

「旧約聖書は知ってるかな？　その中に出てくる退廃と堕落の町だよ。神は憂えて町を滅ぼすため御使いを遣わし、その御使いを住民の暴虐から庇《かば》ったロトという男だけ救われた。御使いはロトに滅びを告げ、家族を連れて逃げるように命じた」

入江が低い声で暗記しているらしいその文章を読み上げる。

命懸けで逃れよ。

後ろを振り向いてはならない。

低地にはどこにも立ち止まってはならない……

ロトがゾアルの町に逃げ延びたとき、太陽が昇った。

主は天より硫黄《いおう》と火とをソドムとゴモラの上に降らせ、これらの町と、全ての低地と、その町々の全ての住人と、その地に生えている物をことごとく滅ぼされた。

しかしロトの妻は後ろを顧みたので塩の柱となった。

「宗旨でも変えたか、無神論が」

揶揄《やゆ》する秋庭に、入江がまさかと肩をすくめる。

「聖書の文学的価値は認めるけどね。単に符号として重宝だから引いただけさ。まるで誂《あつら》えたようにぴったりじゃないか、顧みて塩の柱になるなんて」

入江は正面の秋庭に向かって一見にこやかに笑って見せた。これほど笑顔の要件を満たしているのに空々しい表情も珍しい。

「古典の世界では硫黄と火が降り、現代では塩の結晶が隕石《いんせき》群となって降った。共通項はそれ、を見た者が塩の柱と化したことだ」

しばらく室内は無言になった。入江は反応を待つように口を閉ざし、秋庭は答えない。無論真奈も。空調の低い振動だけがやけに耳に響く。

やがて秋庭が口を開く。

「かなり荒唐無稽《こうとうむけい》な話だってことは自覚してるのか？　一歩間違ったら山師のホラだぞ」

「頭の固い警察庁のお偉方と同じことを言って僕を失望させないでくれよ、秋庭」

「煽動《せんどう》されて山師に飛び乗る阿呆《あほう》になれってか。結晶と塩害の因果関係は現段階で認められていない。未知のウィルス、病原体、電磁波、どれもシロだったはずだ」

「ところが、別の因果関係を唱えていた若き天才科学者がいたのさ。周囲からよってたかって握り潰されたけどね」

入江の顔には、笑顔に似た表情が刻みつけられたままだ。

「現実問題として結晶の飛来時刻と塩害の一次被害発生時刻は、分単位の誤差もなくぴったり符合している。これで因果関係がないと思うほうがどうかしてるよ。結晶は僕らが未だかつて知らなかった伝染経路を持って宇宙から飛来したのさ」

「――見たら伝染《うつ》ると？」

秋庭が静かに問いかける。

入江は我が意を得たりとばかりに声のトーンを張り上げた。

「そうさ！　見るということそれ自体が感染源になる、そう考えれば何もかも説明がつくんだ。塩害は結晶が視認できる地域と視認できない地域で広がる速度が違う。その理由もこれで説明がつくし、怪しい物が一切検出されないのに人が塩になる奇病が一向に収まらないわけも納得いくだろう？」

「納得いかないこともないがその理屈を思いついた根拠は何だ？　お前の思考回路が常人よりアクロバティックなのは知ってるが、フラットな状態でそんなキテレツな仮説を思いつくなら、まず最初にお前の正気自体を疑わなきゃならん」

あくまで冷静な秋庭の反問に、入江はむしろ嬉《うれ》しそうに笑った。

「君ならまずそれを訊《き》いてくれると思ったよ。凡庸な人たちは『そんなバカな』で耳を塞《ふさ》ぐ。この仮説の出発点は、初日の塩害被害者の中に視覚障害者が一人も含まれていなかったということだ。もっとも、役所が機能停止するまでに出された塩害による死亡届はせいぜい三百万人分――それ以降のデータはないから非常に大雑把な傍証にしかならないけど、数百万の人間の中に視覚障害者が一人も含まれないのは確率として無視できない話だろう？　既にウィルス説も電磁波説も行き詰まってたしね、仮説を立てるきっかけとしては充分だったよ」

入江がリズムを取るように踵《かかと》で床を叩きはじめた。まるで異常な興奮状態にあるかのように。

「暗示性形質伝播《でんぱ》物質とでも呼ぶべきかな？　かれらは――あの結晶たちは、自己保存本能に従ってこの地球上を舞台に増殖を始めているのさ。このまま手を束《つか》ねていたら五年と保《も》たずに地球の覇者は彼らに変わるぜ」

「……ちょっと待て」

さすがに秋庭が入江の声を遮った。

「あれが生き物だってのか」

「驚くほどの話じゃないさ。一九三八年のシーラカンスにしても然《しか》り、つい何十年か前だって信じられないような場所で未知の生命体は発見されてるんだ。たまたま今回はそれが宇宙から来た。それだけさ」

「それだけさ、で総括できるお前の無神経さが羨《うらや》ましい」

秋庭の厭味《いやみ》にも入江はまったく動じない。さらりと無視して話を続ける。

「そもそも、あれが生物じゃないという根拠のほうが僕には見当たらないね。何を検証したって彼らが生きているという結論しか出てこないじゃないか。あんな世界規模の大流星群だったにも拘《かかわ》らず、ケック、ジェミニ他、世界の主な観測所でもその飛来を予測できなかった。あれだけの巨大質量物質が大量飛来したってのに、北米航空宇宙防衛司令部《NORAD》ですら大気圏突入するまでそれを検知していない。おまけに飛来したのは全世界一昼夜以内、結晶が視認できる光量のある地域から順番に落ちてる。しかも落下地点はたった一つの例外もなく、ある程度以上の人口密集地区のそばだ。これに作為を感じなかったら嘘だよ」

真奈が慄《おのの》いたように秋庭の様子を窺ってくるが、入江がこの状態に入ったら一頻《ひとしき》り語るまで止まらない。秋庭はソファに背中を預けてむしろ休息の体勢に入った。

「そのうえ、あんな巨大隕石が人口密集地区のそばに墜落したってのにその衝撃による災害はほとんど発生していない。東京湾然り、首都が壊滅する程の衝撃と津波が発生してもおかしくないのに、軽度の地震と波浪しか記録していない。詳しいデータを検証すると明らかに奴らは突入の角度と速度を制御して、接地の間際には逆噴射による減速までかましてるんだ。しかも東京湾のヤツは、狙ったように湾上の埋め立て地に落下だよ」

当時、何度も報道された情報だ。結晶の落下地点は、湾上に建設中の埋め立て用地基礎。

もし直接海中に落ちていたら――東京湾の地形であんな巨大体積物の投入があれば、水位の急激な上昇による津波で首都圏一体は壊滅し、二次災害による犠牲者数もうなぎ登りだっただろうと言われている。

「水害で陸上生物が減るのを嫌ったとしか思われない。彼らにとって自分の形質をコピーする先がなくなってしまうのは重大な不利益だ」

まるで悪夢のあらすじを聞いているような酩酊《めいてい》感だ。語る入江だけが生き生きとしている。

「そうそう、NORAD《ノーラッド》は大気圏突入時に一応の迎撃を試みたけど、奴らには通用しなかったそうだよ」

「効かなかったってことか、命中しなかったってことか」

問い返す秋庭の声もさすがに食傷気味だ。

「後者だね。あいつら、宇宙空間では表面に耐熱性の保護膜を作るらしい。ほら、カバが陸上でアルカリ性の分泌液出して体表を保護するじゃない？　あれと似た理屈だと思ってくれたらいい。大気圏突入の衝撃でほとんど剥《は》がれ落ちてたけどわずかに被膜が残ってた。この成分にステルス機等で使用される電波吸収材《RAM》に酷似したフェライト系酸化鉄が混じってる。辛うじて突入は検知したらしいけど……」

そこで入江は言葉を止め、秋庭も頷いた。ステルス機能を持つ巨大高速飛翔《ひしょう》体を撃墜できる対弾道ミサイルシステムは、秋庭が知る限り存在しない。

墜落後は塩害の発生もあって、各国結晶の破壊を禁じ手とせざるを得なくなったのだろう。塩害と結晶の因果関係は真っ先に疑われたことで、未だその立証を目指した研究は進められているはずだ。となると、塩害研究の手がかりとなる結晶を迂闊に破壊するわけにはいかない。

「ともかく一連の現象の相当な側面で連中の作為が感じられるわけでね。これを自己保存本能の延長と考えていいかどうかは分からないけど、かなり高度な条件判断を下す能力があるのは間違いない。かれらは明らかに有利な条件を選んでいる。それを意識と呼べるかどうかは不明だけどね。しかしまあ、意識の有無は生物の条件として大した問題じゃない。むしろ増殖することをこそ彼らの生物の条件と取るべきだろう」

「あの……」

しばらくの沈黙の後、真奈が口を開《ひら》いた。

「見て伝染るって仰《おっしゃ》いましたけど、あたしたち、いっぱい見ちゃってるんですけど」

二人が住んでいたのは新橋だ。条件さえ良ければ結晶は望みやすい環境である。実際、真奈は買い物などの行き帰りに何度も結晶を見ている。特に、地理に慣れていなかった頃は結晶がどちらに見えるかで位置を確認しているようなところもあった。

「見て伝染るんなら、あたしたち伝染ってないのおかしいですよね」

精一杯の反論の口調に、秋庭も口を添えた。

「それに、初日とそれ以後で塩害の発生比率が違うことにも説明つけてもらわんとな」

結晶が原因だとすれば、たとえ最初の塩害でコピー先が減ったにしろ、減った人口内で初日と同じ比率の被害が発生し続けるはずだ。

初日の都内だけで塩害被害者は延べ五百万とも六百万とも言われており、その比率のままで被害が継続しているとすれば、とっくに都内の人口は消滅しているはずだ。

「塩害の原因を結晶に求め、しかも結晶の『攻撃』が未だ継続中とすれば、被害比率が初日と二日目以降で極端に変わるのは解せない。初日以降は手加減してるってわけじゃあるまいし」

秋庭の援護に、真奈がほっとしたような顔をする。

入江はしばらく秋庭と真奈を等分に眺め、ニッと笑った。

「よろしい、まとめてお答えしましょ」

言いつつパチンと手を鳴らす。

「話は実に簡単でね。初日、奴らは虚を衝《つ》いたんだ。暗示は虚を衝いたほうがかかりやすい。予告なしで空にいきなり空前絶後の巨大隕石を見るなんて、これほど虚を衝かれることはまたとないよ。初日に直に見た奴は、見た瞬間に結晶の暗示形質に肉体形質を乗っ取られただろうね。しかも通勤時間帯じゃ被害はますます甚大だ。ラッシュの電車の中なんか、塩化するより悲惨だったってよ。運転士が塩化して事故とか、窓際の乗客の異変で車内がパニックになって圧死とか、塩化するより苦しんで死んだろうってさ。地下鉄や駅構内で被害を免れた人はあるだろうけど、結晶の滞空時間はけっこう長かったし、墜落後も相当の範囲から視認できたからね。飛来中じゃなくても初見のインパクトは相当だ」

今でこそ見慣れたが、湾を望めば白い結晶が屹立《きつりつ》している光景は確かに当初は度肝を抜いた。

「被害者数は初日で五、六百万と言われてるけど、僕はもっと多かったんじゃないかと思うよ。これでテレビなんかの映像でも暗示効果があったら、今こんなに人間残ってないだろうね」

真奈がごくりと唾《つば》を飲んだ。塩害の当初、テレビと言えば塩害特集のオンパレードだった。

どこの局も五分に一度は結晶の映像が出る状態で、もしテレビ映像にも暗示効果があれば真奈もとっくの昔に塩の柱の仲間入りだ。

「ところが塩害が発生した後はみんな疑心暗鬼になってる。一体何が原因なのか色んなものを疑いながら生活しているわけだ。特に未だ因果関係が立証されてないとは言え、みんなが一番疑ってるのは結晶だろう」

それは確かにそうだ。塩化ナトリウムの巨大結晶が飛来したことと塩害が全く無関係など、理性ではともかく感覚として納得できることではない。その証拠に塩害の疎開先とされているのは結晶が近郊にない地域である。

上手《うま》くしたもので、人口の少ない地域には結晶は落ちておらず、それが結果的に農産や畜産を維持する結果にもなっている。疎開で押しかけた人間がなし崩しに移住し、農村地区の過疎が一挙解決したというのは余禄《よろく》だが。

「こちらがやみくもな警戒心理状態に移行しちゃったら、後はじりじり暗示を推し進めるしかないよね。暗示にかかりやすい者や精神的に衰弱した者から先に伝染していく。肉体的な抵抗力も影響するらしいけどね。そうして塩害被害者となった者の塩も母体の結晶から暗示形質を受け継いでいる。もちろん効果は弱まってるけど、量が集まれば脅威だ。現在の東京で沿岸の人口密集地跡に住むということは、母体の結晶とかつての同胞の欠片《かけら》から二重に侵食を受けて塩化を促進することにほかならないよ。君たちが無事だったのは僥倖《ぎょうこう》と言うほかないね。まあ、秋庭なら図太いから、暗示にかかった振りをして逆に相手を乗っ取りかねないけど」

そして入江は真奈に向かって笑った。

「真奈ちゃんもおとなしく見えるけど実は意志が強いほうかな？」

話を振られた真奈が、慌てて首を振る。

「そんなことないです、流されやすいほうだと思います……単純だし影響受けやすいし」

「そうでもねえぞ。意外と頑固だしな」

秋庭に突っ込まれて、真奈は小さく肩を縮めた。

「まあ、人より特別暗示にかかりにくい性質ってわけじゃないんなら、暗示を受けにくい状態にいたってことかな？」

入江は意味ありげに秋庭に片目を瞑《つぶ》ってみせたが、秋庭は取り合わない。

「飛来してたったの半年で日本は推定八千万の人口を失った。ま、そのうち三分の二は初日の被害者だけどね。それにしたって大した侵略ペースじゃない？　僕としてはこのまま敵の思う壺に嵌《は》まりたくないわけ。せめて国連でも生き残ってりゃ何か救援してもらえたかもしれないけど、世界中が一斉に相当な機能不全に追い込まれちゃったからね。自助努力しなくっちゃ。今のところ日本の努力は消極的な生存維持ばっかりだけど、端《はな》っから無政府状態じゃ対策にも限度があるし。ここは多少反則でもゲリラ的対策が必要だと思うわけ」

入江が秋庭に向かって半ば身を乗り出す。

「どう、秋庭。謎の宇宙生物の侵略なら自然の摂理とはちょっと違うんじゃない？」

秋庭は無視して答えない。しかし入江も挫《くじ》けない。

「秋庭もホントは当時から結晶が怪しいと思ってたんでしょ。聞いたよ」

にやにや笑いで窺われ、秋庭が不機嫌な顔で入江から顔を逸《そ》らした。

「結晶への各地同時総攻撃を具申して、却下されて大暴れしたんだって？　それが原因で除隊したそうじゃないか。除隊届けは受理されてないみたいだけど」

「うるせえな」

真奈がびっくりまなこで見つめてくるのを避けるように、秋庭は更に横を向いた。

「詰めが甘いんだよ、秋庭は。そんな正攻法で総攻撃なんか実現するわけがないじゃないか。上が逆らうなら、逆らえないように取って代わってやればよかったんだ」

「人にクーデターでも起こせってのか」

「そういうとこ、秋庭の弱点だよね。こんな非常時にシビリアンコントロールなんか杓子《しゃくし》定規に守ることたァないよ。初めに行動ありきさ、やっちゃえば後で英雄になれるのに。どうせ内閣なんか初日で消滅しちゃってるじゃない、折よく国会会期中だったお陰で。国会に出張る途中の政府要人、ほとんど一掃されてくれたってね。これこそ正《まさ》に天の配剤じゃないか」

危険思想を語りながら、入江の表情は薄笑いのままだ。

「結晶片づけた後の世界を軍閥化する気か、てめえは」

「それが嫌な秋庭くんのために、僕がわざわざお膳立《ぜんだ》てを整えてあげたんじゃない。司令の指示で動くなら一軍人の独断専行じゃないでしょ。司令が詐欺師だったことなんか知らなかったことにしとけばいいんだ。君以外に知ってる奴なんかいないんだから」

協力してくれるよね？

柔らかな物腰で迫る入江に、秋庭は頷かずに立ち上がった。

「しばらく考えさせろ。話を聞く条件にノーリターンは入ってなかったはずだ。——それよりそろそろ休ませろ、子供が起きてるには遅い時間だ」

「はいはい。部屋は用意してあるよ」

入江も立ち上がりながら、にやりと笑った。

「——でも君は、多分引き受けると思うけどね」

＊

秋庭と真奈に宿舎として提供されたのは駐屯地内の女子隊舎である。

本当は男子隊舎に秋庭の部屋が用意されていたらしいが、女子同伴だったので急遽《きゆうきよ》女子隊舎を開放したらしい。

「俺が使って問題ないのか」

尋ねた秋庭に、二人を案内してきた入江が答える。

「隊舎に残ってる女子はもういないんだ。こういうときの女性の決断力は男らしいね、辞めた子と隊内の彼氏と結婚して家族用官舎に移った隊員にきっぱり分かれたそうだよ。あとは元々結婚してる隊員ね。昼間なら彼女たちも勤務に来てるよ」

それに、と入江がからかうように付け加える。

「どうせ秋庭は真奈ちゃんから目を離したくないんでしょ」

「保護者だからな」

秋庭の答える声は素っ気ない。その素っ気ない声に、入江ではなく真奈がわずかに俯《うつむ》いた。

もちろんそうだ。秋庭は現在、真奈の保護者に違いない。真奈は自分に言い聞かせるように小さく顎《あご》を引いた。

隊舎の玄関には布団だけが二組運び込まれていた。

「部屋、一応並びで二つ開放しといたけど……一つのほうがいい？」

部屋番号のプレートが付いた鍵を二本振った入江から、秋庭は無言で両方引ったくった。

秋庭は真奈の使う部屋から先に布団を運び込んでくれた。二つある二段ベッドの片方の下側に広げられた敷布団に、真奈はシーツを掛けながら尋ねた。

「入江さんて、どういう人なんですか？」

「詐欺師だ」

一言で片づけた秋庭に、真奈はくすくす笑った。

「秋庭さんがそう思ってることはよーく分かりましたけど」

秋庭もさすがに説明になっていないことは分かっているらしい。ものすごく不本意そうな顔で続けた。

「俺の高校ン頃の同級生だ。当時から頭だけは鬼のように良かったな。難関国立にストレートでしれっと合格して卒業後は警視庁科学捜査研究所を志望してあっさり配属。非の打ちどころのないエリートって奴だな」

事実は事実として公平に話しておく。そんな口調だ。

「ただしタチは悪いぞ。やりたいことに穏便な手段を選んだ例《ためし》なんかねェしな」

それは確かにそうだ。秋庭に言うことを聞かせるために銃を持ち出すなど常軌を逸している。

「頭はいいが紙一重だ。もしかしたら紙一重の向こう側かもしれん。てめえで天才とか吹いてやがったが、実際のところは奇人変人扱いだろうよ。学生のころから触らぬ神に何とやらって扱いだったしな」

「でも、あんな仮説思いついたり、ホントに天才なのかも……」

「確かにキテレツな仮説だが、可能性を一から順に潰していけばほかの人間でも思いつかざるを得ないさ。札付きの変人が言い出した説だから検証が後回しにされたってだけの話じゃねえのか。だとしたら日本を窮地に追い込んだのもある意味入江《やつ》だ。科研の連中も脳なしだ、最初に抹殺しとけ、あんな奴」

秋庭にかかると、自称天才科学者も形なしである。かなり冤罪《えんざい》混じりな気配の弾劾だが。

「昔っから突飛な伝説にはこと欠かない男だが、いくら世情が混乱してるとは言え一駐屯地の司令になりますなんざ何を考えてんだか……」

秋庭が難しい顔で頭を掻く。真奈は質問を重ねた。

「あたし、ちょっと大胆すぎてついていけてないんですけど……秋庭さんは入江さんの仮説、どう思ってるんですか？」

「さあて……」

秋庭はますます難しい顔になった。難しい——むしろ不機嫌そうな顔と言うべきか。

「腹の立つことに、頭だけはただごとじゃなく切れる奴だからな」

性格はもっとキレてるが、と落とすことを忘れない。それから心底認めたくなさそうな顔で口を開く。

「奴が言うならそれなりの根拠はあると思わざるを得ないな」

「——秋庭さんも」

踏み込んでいいのかどうか。逡巡《しゅんじゅん》が一瞬声をためらわせた。

「結晶が怪しいと思ってたんですよね」

秋庭も結晶が怪しいと思ってたんでしょ。

結晶への各地同時総攻撃を具申して——

入江の台詞は大体の事情の察しをつかせた。

「俺は単に情況証拠による直感だな。実際、結晶の飛来と同時に塩害が始まったってのは因果関係として無視しにくい。壊しゃ何とかなるだろうって程度だ」

答えた秋庭が、真奈がシーツを掛け終わった敷布団の上に掛け布団を乗せる。

「とりあえず今日はもう寝ろ。奴の話に付き合ったら大抵悪酔いするんだ」

てきぱきと荷物の中から自分の泊まり道具を出し、秋庭は入江から受け取った鍵を二本とも真奈に放った。

「両方持っとけ、お守りだ。何かあったら夜中でもこっち来いよ」

「え、あの」

待って。まだ――

言葉を探して迷った隙に秋庭は部屋を出てしまった。

取り残された真奈は閉まったドアを見つめて立ち尽くした。ややあって隣のドアが開く気配がする。布団を中に入れはじめたようだ。

手伝いに行こうかどうかとしばらく迷い、真奈は結局そのまま部屋にいた。隣の部屋からは秋庭が動いている気配がかすかに伝わってくる。

真奈はベッドに寝転がった。

何か――何だか。

「……ちょっと、遠くなっちゃった感じだな」

手伝いましょうか。

その一言が言いに行けないのは、それが口実だと自分でも分かっているからだ。

――秋庭二尉。

真奈は声を出さずに呟《つぶや》いた。

知らない階級で呼ばれていた秋庭。秋庭がそういう立場だったことを前提に交わされる入江との会話。二尉という階級が一体どれほどの地位なのかは分からないが、ここへ着いたときの隊員の態度からすると、相当『えらい』人なのだろう。

航空自衛隊。百里基地。『こうくうせんきょうかい』は多分航空戦競会。同じクラスの航空ファンの男の子が話していたことがある。戦闘機の空戦技術を競い合う競技会、のようなもの。

それで三連覇ということは、多分パイロットで、多分すごく強い。

秋庭が自衛官だったとしたら、納得できることはいろいろある。何しろサバイバビリティが高い。初めて助けてくれたとき、一人で数人を相手にして息さえ上がっていなかった。遼一《りょういち》のときだって、ちょろっと出ていって廃車を直して戻ってきたり。

あ、でもこれは、『引き出しが多い』ってほうかな。

今日一日で、知らなかった秋庭のことをいろいろ知った。――でも。

こんなふうに知りたかったわけじゃない。

知った分だけ遠くなったような気がした。

真奈はちらりとドアを見た。つい数時間前――あの古いマンションの部屋に二人でいたときは、こんなに遠くは感じなかった。いつでも声をかけに行けて、いつでも秋庭の声が聞けた。

今日、もう少し一緒にいたかった。そんなことは言えないけれど。

感じた距離が思い過ごしだと分からせてほしいと思うのは、行き過ぎたわがままのような気がした。

それが許されると思うほど近くに感じた瞬間もあるのに。

気づくと、隣の気配はもう静まっていた。

真奈はベッドの枕元のモルタルの壁を小さく叩いてみた。返事を期待したわけではなかった。相手へのサインのつもりならもっと強く叩くし、そもそも秋庭が隣の部屋でこの位置のベッドを使っているかどうかも分からない。

しかし――

一拍置いて、向こうから一回叩く音がした。

何だか胸が痛い。

真奈なら選んでその場所にする。壁を隔てて隣り合わせるベッドに。

けれど、秋庭はどうだろうか。

ばか。真奈は小さく呟いた。――そんなわけない。何、期待してるの。

あの人が、自分と同じ理由でその位置を選んだなんて――そんなことあるわけないのに。

真奈はぎゅっと目を閉じて布団にくるまった。

＊

壁を一度叩き返すと、それ以降返事はなかった。直接来るかとも思ったが、それもなかった。

もう少し一緒にいてやるべきだったのだろうか。そうも思うが――

秋庭はベッドで寝返りを打った。

――でも君は、多分引き受けると思うけどね。

こちらを見透かしたつもりのような入江の薄笑い。つもりなだけだと切って捨てたいところだが、そうでないことは真奈の何も言わない懇願に応《こた》えてやれなかったことが証明している。

欠けたら痛い一部。防衛線《ライン》はもう割られている。そのうえ、入江が秋庭を巻き込もうとしていることを思えば、踏み込まれた分ラインを下げるしかない。

話を聞く条件にノーリターンは入っていない。そうは言ったが、それが虚勢でしかないことは自分が一番よく分かっている。

かつて秋庭に与えられなかった、抗《あらが》う機会を目の前にちらつかされて――

その機会に無心でいられる時期はもう過ぎたことを、秋庭は自覚していた。

Scene-5

変わらない明日が来るなんて、
もう世界は約束してくれないのを知っていたのに。

＊

翌日から、秋庭《あきば》は入江《いりえ》のいる司令室に行きっきりだった。

あたしも一緒に行っていいですか？

その質問は、口に出した瞬間に後悔に変わった。秋庭が少し困ったような顔をしたからだ。

ごめんなさい、やっぱりいいです。

慌てて取り消した真奈《まな》に、秋庭は取り繕うように言った。

どうせ面白くもない話ばっかりだ。

来てもいい、とは言わなかった。

それに、入江はお前にはちょっと毒気が強すぎる。

あながち冗談でもなさそうな口調で、秋庭はそうも付け加えた。

ともかく真奈は同席させたくないのだ。その意図だけははっきり分かった。

ごめんなさい、忘れてください。一人で待ってるのつまんないなーとか思っただけですから。

あたしはうまく笑えているだろうか。物欲しそうな顔にはなっていないだろうか。

お願い。ちゃんと笑って。

秋庭は真奈に笑い返した。真奈の笑顔のつもりの笑顔は何とか通用したらしい。真奈は懸命にその表情を保った。少しでも崩すとすぐにさもしい顔になるような気がした。

メシくらいはちゃんと一緒に食ってやる。メシどきはちゃんと部屋にいろ。

その約束どおり、日に三度の食事時には帰ってきて真奈を食堂へ連れて行ってくれる。顔を合わすのはその三回。風呂《ふろ》は隊舎内にあって自由に使えるから、案内してもらう必要はない。秋庭は夕食の後も遅くまで隊舎に帰ってこず、帰ってきても風呂場でシャワーを浴びて部屋に直帰だ。日付が変わる前に戻ることは滅多にない。

毎日ずっとそうだった。秋庭はきっと、『世界を救う』話にもう乗っている。

今まで食事は真奈が作っていたが、もうここでは作る必要はない。風呂の順番待ちもないし、洗濯はもともと別々だ。食事以外は全然別々の生活。

部屋にはいつでも入っていい。そう言われたことにすがるように毎日掃除だけはしに行ったが、散らかし魔の秋庭が寝起きしているはずのその部屋は、一向に汚くなる気配はない。

毎日の掃除なんて本当は必要ないのだ。秋庭はここに寝に帰るだけなのだから。

いじましい。

掃除なんてただの口実だ。そんな不必要なことをして、ここへ来てから俄《にわか》に薄れてしまった、もしかしたら最初から幻想でしかなかったかもしれない秋庭との接点を保とうとしているだけだ。

一向に散らからないきれいな部屋を掃除するたびに――

無言のうちに何かを思い知らされているような気がした。

本来ならこれが妥当な形なのだ。今までが特別で、特別は本来あり得べき姿ではないのだ。

平凡な一高校生に片や自衛隊の戦闘機乗り。平常に回っている世界ならもともと交わるはずのなかった二本の線。

それを思うと秋庭がいるときに部屋を訪ねていくことはできなかった。ただ、日に三回秋庭が訪れてくれることを待つしか――

最初の日は持ってきた形見の本を読んだ。真奈は本を読むのが早いほうではないがそれでも数日で二冊とも読み終わってしまった。潰《つぶ》す時間は嫌気が差すほど長いことを思い知らされるばかりだった。

その時間を持て余して、真奈は駐屯地内を散策するようになった。

駐屯地内の散策とは言っても建物の中には立ち入っていいのかどうか分からないから、屋外の散歩だけだ。

町一つ分はありそうな広大な敷地は、芝生やちょっとした草花が生えている空き地もあって、散歩コースにはこと欠かない。フェンスで仕切られているが、隣接した公園の木立も望める。

できるだけ人気《ひとけ》の少なそうな場所を選んで歩いていたつもりだったが、格納庫らしき建物の裏を通りがかったとき、一人の隊員に見つかってしまった。

「真奈ちゃん！　ね、真奈ちゃんでしょ？」

いきなりちゃん付けで呼ばれてぎょっとしている間に、腕を摑《つか》まれて歩き出されてしまった。

「お茶でも出すから寄ってってよ、ウチ。武器隊なんだけど」

「え、でも、あの」

「まーまー遠慮しないで！　ロケットランチャーとか見せてあげるよ。見たくない？」

「いえ別に……」

「やー、一回見たかったんだあ、フツーの女の子来たって言うからさあ」

真奈の話はまったく聞かずに、隊員は格納庫の中に真奈を引っ張り込んでしまった。

「おーい！　女の子のお客だぞー！　お茶ー！」

その声一発で、真奈はあっという間に周囲を何人もの隊員に囲まれた。

「うわー、細ー、ちっちゃー」「背ぇ何センチ？」「158？　じゃあ、それほどちっちゃくないんだ。でも華奢《きゃしゃ》だなあ」「ちゃんとごはんいっぱい食べてる？　出るとこ出ないぞお」「うわっ、お前サイテー、それセクハラ！」

まるで人寄せパンダ並みの扱いに、真奈は隊員たちの輪の中で小さくなった。

「と、そこに彼らとまったく違うトーンの声が降ってきた。

「ちょっとあんたら何やってんの！」

女の人だ。

真奈はすがるように声のほうを見た。男たちの人垣を押しのけるように分け入ってきたのは、ショートカットの若い女性だった。服装は男性隊員と同じ戦闘服である。少々きつい感じだが、なかなかの美人だ。

「飢えたケダモノが群がってんじゃないわよ、怯《おび》えてんでしょ、ホラ！」

「何だよ、えばんなよ野坂《のさか》ァ」

「悔しかったら三曹試験に受かっときゃよかったのよ。今じゃ階級あたしが一番上なんだからね、えばるのはあたしの当然の権利よ」

「うっわむかつく！」

野坂と呼ばれた女性隊員はブーイングの嵐にも平然としている。役者が一枚違うのが部外者である真奈にも分かった。

「日ごろお前みたいなかわいくないのしか見てねーんだからさあ。たまには癒させろっつの」

「つーて相手を怯えさせてどうすんのよ。お世辞にもお上品と言い難い顔を自覚しろっつーの。そんなん五匹も六匹も囲まれて平気な女子高生がいるわけないでしょうが」

野坂の毒舌はいっそ心地がよいくらい容赦がない。男性隊員も文句は言いつつ本気で怒ってはいないようだ。

「まさか秋庭二尉の逆鱗《げきりん》だって話、忘れた訳じゃないでしょうね。泣かせでもしたら殺されるわよ、あんたら」

初日に駐屯地に着いたときのやり取りは、細部まで余さず広まっているらしい。

と、それをきっかけに隊員たちがまた別の盛り上がりを見せた。

「そーそーそー、それそれ！　真奈ちゃん二尉と同棲《どうせい》してたってホント？」「えっ、マジ？」

「うっそ、それだきゃーデマかと思ってたのに！」「じゃあもう二尉のお手付きってことかよ、ちっくしょー！」「早まるなよ、まだ決まったわけじゃないしさ」「そーそー、大体あの秋庭二尉が高校生《こども》なんか相手にすると思う？」

といういうことで、と隊員の一人が丸めた書類をマイクのように真奈に向けた。

「真相のとこはいかがでしょうか⁉」

「あんたらもーいい加減に……」

しなさいよ。

野坂が言い終わる前に周囲がどよっとざわめいた。一斉に引いた気配に、真奈ははっとして目元を押さえた。指先が涙の感触を捉《とら》える。

どうしよう。どうしようどうしようどうしよう、こんな――

もし、秋庭の耳に入ったら。

困ったような表情がリアルに思い浮かんだ。

と、人の頭をはたく派手な音が連発で聞こえた。そして野坂が隊員たちをどやしつける。

「二尉に殺される前にあたしがくびるわよ！　あたしはやると言ったらやるわよ！　全員作業に戻りなさい！　ただでさえ立川《たちかわ》に間借りして肩身狭いのに問題起こすんじゃないッ！」

自分よりも頭一つ高いような男たちを追い散らして、野坂は真奈の手を取った。

「こっちおいで。休憩室行こう、インスタントだけどコーヒー淹《い》れてあげる」

プレハブで仕切った部屋に通され、野坂がドアを閉じた瞬間、真奈は呻《うめ》くように呟《つぶや》いた。

「秋庭さんには黙ってて……！」

「あなたが言わなきゃどこにもバレないわよ、あいつらも自分で地雷踏みゃしないから」

野坂は真奈をパイプ椅子に座らせ、ポットのお湯で手早くコーヒーを二つ淹れた。

好みを訊《き》かれて真奈はミルクだけリクエストした。本当は砂糖も入れたほうが好きだが両方入れてもらうのがひどく屈辱的な感じで言えなかった。

ミルクも砂糖も。それは子供の証拠のような気がして。

しばらく二人で向かい合って、白い無地のマグカップに入った熱いコーヒーをすする。

ややあってから、落ち着いた？　と野坂が訊いた。真奈が黙って頷《うなず》くと野坂は慰めるような口調で言った。

「勘弁してやって。馬鹿だけど悪い奴らじゃないのよ。こんな職場だし、女性なんか縁のない奴らだし。ちょっと舞い上がっちゃったのよ、あなたかわいいから」

「そんなこと……」

「かわいいわよ。女の子ーって感じ。あいつら、そういう感じに飢えてるからね」

「──そういう感じ、いやなんです」

真奈は笑った。情けない笑顔になっていることは自分で分かった。

「女の子はいやなんです。かわいいとか、要らないんです」

お世辞でも真顔でかわいいなんて初めて言われたのにまったく嬉《うれ》しくなかった。今かわいいなんて言われるくらいなら、その他大勢の目立たない女子のままでよかった。塩害が始まる前の学校でそうだったように。

女の子ーって感じ。かわいい。両方、示すイメージは『頼りない』だ。現実としてあるのは貧弱な手足と体だけ。この世の中で一人で生きるよすがもない。秋庭に守られてやっと生きていられる程度。かわいい女の子なんてこの世で一番頼りない、頼れない生き物なのだ。

何かあっても足手まといにしかなれない。相手の背中を守るどころか、自分自身も守れない。秋庭の負担を増やすばかりだ。寝覚めが悪くて捨てられない荷物。どこかに置けば、秋庭はどれほど楽に、自由に動けるのだろう。

ミルクだけのコーヒーを舐《な》めながらこぼれ落ちるように呟いていた。

「あたし、今大人だったらよかった。お姉さんみたいにきれいでしっかりしてて強い大人の女の人だったらよかった」

「やっだ、あんた、照れるじゃないの」

言いつつ野坂がばしっと真奈の肩を叩《たた》いた。

「そんなかっこよく見てくれるの、光栄だけどね。でもそれは多分、あたしが自衛隊って組織の中にいるからよ」

首を傾げた真奈に、野坂がにっこりと笑いかけた。

「あたし、今結婚して駐屯地の近くの家族官舎から通ってるんだけど。行き帰りはこの制服のまんまなの」

野坂が着ているのは他の隊員と同じオリーブドラブ色の戦闘服だ。

「これ着てると一見して自衛隊の関係者だって分かるでしょ。女だって前に自衛隊って思ってもらえるからね。これ着てないと怖くて街なんか歩けないわよ。最近物騒だし。あたしも私服だったらあなたと同じよ。外を歩くだけでびくびくしなきゃならない、ただの無力な一人の女よ」

自分が今の自分じゃなけりゃよかったなんて、考えたって無意味なことよ。そう付け加えて野坂はコーヒーをすすった。

——耳が痛い。

本当に痛むような気がして、真奈はそっと左の耳たぶに触れた。

また野坂が口を開く。

「真奈ちゃんだっけ？　あなた、まっすぐ秋庭二尉なのね」

まっすぐ——それしか見ていない。真奈は黙ったままでいた。否定はできないが、積極的に肯定する勇気もない。肯定したら、何を馬鹿なと笑われそうで——

あの秋庭二尉が高校生《こども》なんか相手にすると思う？　それが自然な意見。

ずいぶん女の趣味変わったたね。昔とえらく傾向違うじゃないの——入江も初めて会ったときそう言った。入江の知っている傾向が正しいのだ、真奈はイレギュラーで拾った単なる荷物でしか、

「あたしは、いいと思うわよ」

野坂はゆっくりそう言った。意外な言葉に真奈が思わず顔を上げると、野坂は微笑ましそう

に笑っていた。

「あたし、結婚したって言ったじゃない？　相手、同じ駐屯地の男でね。ずっと付き合ってたんだけど、何か踏ん切りつかなくて、結婚話は出てなかったの。でもほら、塩害なんてあったじゃない？　原因も予防も治療法も分からない、いつ相手が死ぬか自分が死ぬかも分からない。そういう極限状態に追い込まれるとね、何だか無性に寂しくなったのよ。だって死ぬとき一人きりなんて悲しいじゃない？　どうせなら誰かと一緒にいたいじゃない？　煮え切らないって言っても彼のこと嫌いじゃないしさ、今一緒に生きてく相手を選ぶとすれば、やっぱり彼しかいなかった。だから結婚したの。結婚っても役所の戸籍係なんか開いてないから届けは役所が開いたら出しますってことで官舎に移っただけなんだけどね。――でも、塩害がなかったら彼と結婚してたかどうか分かんないわ」

塩害がなかったら――世界がこんなことになっていなければ。

似たような台詞《せりふ》をいつかも聞いた。

「こんなことでね、どうにかなっちゃうことがあったっていいと思うの、あたし。こんなことでもなきゃどうにもなんなかった二人がいたって。だってあたしたちがそうだから。あなたもまっすぐでいいんじゃない？　こんなご時世でさ、人目なんか気にしたって仕方ないんだからさ。気にするほど人間残ってないんだもの、もう。入江司令が言ってたんだけどね、このままの減少比率でいけば、一年後には配給が過供給になるくらい人が減るんですってよ」

野坂はそう言ってから、天井の辺りに視線を投げ上げた。

「正直なとこ言うと、秋庭二尉なんてあたしたちには雲の上の人だし隊も違うし、そういう人を好きになっちゃう気持ちはよく分かんないんだけどね。階級とか経歴を知らないほうが恋はしやすいのかもしれないわね」

さらりと言われた二つの言葉に、真奈は今度は素直に頷いた。

恋は恋だ。たとえ届かなくても。

「デリカシーのない男どもがからかってごめんね。気を悪くしてなかったらまたお茶でも飲みにきてやってくれるとうれしいわ。あたしも女同士で話するの、久しぶりで楽しいし」

コーヒーを飲み終わった間合いで、野坂がそう結んだ。

真奈は反射的に口を開《ひら》いた。

「あの、あたしにできることって何かありませんか？」

「え？」

「何かしてたいんです。ここにいる間ちゃんと何か。だって、あたしここのごはん食べさせてもらって、ここで寝床もらってるから」

秋庭の荷物にはなりたくない。それが叶《かな》わないならせめて。

できる限り軽い荷物になりたい。秋庭のおまけで食べさせてもらうだけでは一番重くて無駄な荷物だ。

自分が今の自分じゃなければよかったなんて考えても仕方がない。仕方がないから、――今の自分でできることをするしかないのだ。

それがどんな些細《ささい》なことでも。

「何でもいいんです。お掃除とか炊事とか」

野坂は一笑には付さなかった。考え込む表情になって俯《うつむ》いた。

「そうね……掃除ってのはいい考えかもね。うちは残念ながら重火器扱ってるからしてもらうわけにはいかないけど。どこの隊も人手不足で掃除は行き届いてないから、みんな喜ぶと思うわよ。特に共通の設備はどこもほったらかしだし」

「はい！」

「道具はそれぞれの場所に備えつけのがあるはずよ。用具入れには鍵《かぎ》かかってないから、勝手に使っても問題ないわ。もし、誰かに何か言われたら、武器の野坂に許可もらったって言えばいいから」

「ありがとうございます！」

この部屋に入ったときとは打って変わった元気な声で言い、真奈は大きく頭を下げた。

＊

その日から営内をあちこち掃除して回るようになった。野坂の言ったとおり、隊員たちには喜んでもらえているようだった。それがたとえ表向きのものに過ぎないとしても。

頑張ってるな。

本棟の玄関を掃除しているとき通りがかった秋庭はそう言って真奈の頭をぐしゃっと撫《な》でた。真奈が手櫛《てぐし》で髪を直さなければならないほどの荒っぽさで。それは秋庭が真奈をほめてくれるときのお決まりの仕草だった。

あちこち回っているうちに、隊員たちはごく普通の人々の集団に思えてきた。

トモヤのことがあったので冷酷な集団というイメージがあったのだが、真奈より少し年が上なだけの普通の人々に見えるようになった。優しげな人、無愛想な人、大人っぽい人、子供っぽい人。親しみが湧くのは隊内が若年化しているせいもあるのだろうが。

秋庭がこの中の一員だったということにもそれほど違和感を感じなくなってきた。要するにいろんな人の集まりなのだから、その中に秋庭がいてもおかしくはない。学校にいろんな人がいるのと同じだ。

たまたまそのとき自分が見たのがどっち側か。

秋庭の言うことに準じれば、真奈はとても運がいいことになる。

同じ集団に接しながら、真奈は嫌な目にはあまり遭わない。むしろ親切にしてもらえることがほとんどだ。

その運がいい自分を、死者に対して負い目に思うのは仕方のない心の動きなのだろう。

＊

男子隊舎の娯楽室を掃除しに行くと、備えつけの箒《ほうき》は擦り切れていた。外に出て通りがかりの隊員を摑まえて訊くと、掃除用具のストックが置いてあるという倉庫を口頭で教えてもらえた。

いつもありがとね、と何気なく添えられた言葉が嬉しい。倉庫を探す足は弾んだ。

あっちの方向に歩いて少し。少しというのは人によってかなり幅のある単位だ。真奈の少しではそれらしい建物が見つからず、少し、また少し距離を追加する。何しろ自衛隊の人の少しだから、真奈の少しよりは多くても不思議はない。

しかし、さすがに少し来すぎたかと不安になりはじめた頃、無愛想な灰色の箱のような建物が見つかった。武器隊の格納庫に近いような大きさだったが、倉庫と言えないこともない。

ほっとして駆け寄る。重い鉄の扉に鍵はかかっていない。

横に滑らせて開けるタイプだ。真奈は体重をかけて重い扉を押し開けた。

中は薄暗い。全部の窓にブラインドが下りているのだ。明かりが欲しかったが、どこに電気のスイッチがあるか分からないので、扉を一杯に開けてそこから入る光に頼る。光が入ると、窓のブラインドの上には更に暗幕が重ねてあるのが分かった。暗いわけである。

倉庫にしては整然としていた。物が剝《む》き出しで雑多に突っ込まれた様子を想像していたが、様々な大きさの国防色のコンテナがサイズ別にきちんと積み重ねられている。

「……ラベル貼ってくれてたらいいのに」

真奈はうんざりと大小のコンテナの山を眺めた。これをいちいち開けて中身を確かめるのは気が重い。

仕方なく一番手前の小さな薄いコンテナの列に歩み寄り、一番上のコンテナを手探りする。どうやら蝶番《ちょうつがい》式で開《あ》くタイプのようだ。上下の合わせ目を指で探り当て、蓋《ふた》を持ち上げる。蓋は思ったよりも軽い手応《てごた》えで持ち上がった。

「あ、よかった」

鍵がかかっていたら今度は鍵を取りに戻らねばならないところである。

真奈はコンテナの中をひょいと覗《のぞ》き込んだ。

――え、これ、

中身を一瞬認識できず、真奈が小さく頭を振ったとき、背後から激しい打撃が後頭部を襲った。

痛い、などと感じる暇もなく、真奈の意識は力尽《ちからず》くで閉ざされた。

意識は鈍い痛みで引き戻された。後頭部がずきずきする。

「いった……」

痛む部分を両手で抱えて胎児のように小さく丸まる。そんなことをしても痛みが薄れるわけではなかったが。

「あ、起きた？」

降ってきた声に不意を衝《つ》かれ、真奈ははっと目を開けた。まだ倉庫の中だった。今度は電気が点《つ》いている。

真奈はキャンバス地のマットの上に寝かされていた。慌てて飛び起き、見上げると——

「おはよ」

入江が真奈の前にしゃがみ込んでいた。知った顔に緊張が少し緩む。

「あたし、一体……？」

まだ襲う鈍痛に、真奈は再び頭を抱え込んだ。髪の中で痛みに触れた指を引き戻して見ると、わずかだが血がついていた。

「大丈夫？　無理しないほうがいいよ、手ひどく殴られてるから」

ああそうだ、後ろから殴られて——

入江が憤懣《ふんまん》やる方ないという表情で言う。

「酷《ひど》いねまったく。君みたいな華奢な女の子をこんな殴りつけるなんて。酷いコブになってるから、今日は頭洗うのよしたほうがいいな」

真奈は頷きながら問い返した。

「一体、何がどうなって……」

「ごめんね、やった奴はよぉーく叱っておくからね」

その台詞に微妙な違和感を感じ、真奈は入江に向かって乗り出していた体をわずかに引いた。

入江はにこりと笑った。

「僕の直属の部下の不始末なんだ。君にこれを見られたと思って動揺しちゃったみたいでね」

言いつつ入江が背中側に手を伸ばし、白い固まりを摑み出す。石膏《せっこう》像の首のようにも見えるが、それは舐めるとしょっぱいはずだ。

「あ、それ……」

真奈はようやく国防色のコンテナの中身を思い出した。ケースの中には塩化した人間の遺体が収められていたのだ。

「もしかして、ここにあるコンテナ全部——ですか？　自衛隊って遺体の回収とかもしてるんですね」

言いながら真奈は途中で首を傾げた。でも、だからと言ってどうして自分が殴られなければならなかったのだろう？

「そうだよねえ、ふつう、そういうふうに思うよねえ。ふつうに見逃しゃ何にも問題なかったのに、疚《やま》しさが先走ったおばかな隊員が、うっかり君に粗相をね」

ぞくりと背筋を寒気が上《のぼ》る。初めて入江を怖いと思った。

「安置されてる遺体を見ていきなり被験体だなんて思う人間、そうそういないってのにね」

ヒケンタイ。ひけんたい。被験体——字の変換をようやく終えて、真奈はもう一度頭をガンと殴られたような気分になった。

「——人体実験？」

呟いた声の小ささは、間違いであってほしいという願望の表れだ。しかし入江は真奈の願望に沿う気はまったくないようだった。ただにこやかに真奈を見る。その怖いような微笑が既に真奈に答えている。

「……嘘だって、言ってください」

「言うだけなら言ってもいいけど、それで引き下がるの？」

真奈は言葉に詰まって唇を噛《か》んだ。入江は真奈のために取り繕う気はさらさらないのだ。

塩害の解明のために人体実験をしていたことなど、入江にとっては罪悪でも何でもないのだ。

はっと思いつく。思いついてしまった自分を心の隅で恨んだ。

「まさか、トモヤさんも」

「トモヤって言うんだ？　あの被験体」

入江はこともなげに答えた。

「あれは迷惑したね。実験終了直前に逃げ出しちゃって隊員にも犠牲者が出て大損害。たかが症例いっこ取るために部下が一人死ぬんじゃ割に合わない。でもまあ、偶然だけど彼のおかげで秋庭の所在が拾えたからよしとするけどね」

身勝手このうえない理屈を吹いて、入江は再び笑った。

「彼のもここのどこかにあるよ。ここを実験終了した被験体の保管庫にしてるからね」

真奈ちゃんはどこと間違ってここに入っちゃったのかな？

まるで迷子の行き先を尋ねるようにのどかな入江の声だった。真奈の感情はマイナスの方向に力いっぱい振り切れた。

「どうしてそんなこと――平気で話せるんですか！」

「僕の仮説は話したよねえ？」

なじる真奈の声に、入江は小揺るぎもしない。

「僕の心証とは話したけどさ、仮にも科学者が持論に何ら裏付け取ってないってみっともないと思わない？　やっぱり臨床データくらいきっちり取るべきでしょ。それも暗示なんて代物を武器にしてる奴の検証だ、動物実験で済む話じゃない。人間は万物の霊長だ、動物とは意識の持ち方に差がありすぎる。いくら何でも猿じゃ臨床は出せないよ」

やっぱり人間を使わなくちゃね。入江は当たり前のようにそう言った。

「僕らが滅ぶか滅ばないかの瀬戸際なのに、どいつもこいつも悠長でね。人道的見地がどうの人権がどうの。誰もいなくなったらそんなお題目は誰が語るの。きれいごとや理想なんてね、生きてなくちゃ語れないんだよ。そもそも死刑囚から順番に囚人を口減らしする計画はかなり早い段階で出てたんだ。ぶっちゃけ犯罪者に食わす飯はないってことでさ。どうせそうやってこっちの都合で殺すなら、理由をも一つ上乗せしたって構わないでしょう」

無駄飯食いの虫ケラが、死ぬ前に少しは役に立て。

トモヤに浴びせられた冷酷な言葉。トモヤを身勝手に解き放った原因の――

「――虫ケラだからどんなふうに使っても構わないって、そういうことですか」

真奈が睨《にら》みつけると、入江はとんでもないと首を振った。

「虫じゃ物の役に立たないでしょ。彼らは立派に役に立つ、貴重な――」

道具だよ。

入江の笑顔は笑っていない。笑顔を擬した残酷な表情。入江は目の前にいるのに真奈の前にいない。遠い高処《たかみ》から、真奈も含めたすべての人をチェスの駒のように見下ろしている。

駒の一つとして既に使われたトモヤ。怖いと泣きながら真奈の膝《ひざ》にすがって逝った。

「――ひどい……」

耐え切れず顔を覆った真奈に、入江は柔らかな口調で言い放った。

「それはとても優しくて自分勝手な感情だね。君たちとその被験体の経緯《いきさつ》なら立ち会った部下から報告を受けたけど、君は偶然彼と関わったから彼をかわいそうだと思ってるだけだろう？　彼を知らなければ発生しなかった感情だよね。例えば君は、彼の前に死んだ被験者を彼と同じように悼んで涙を流せるの？　流せないでしょう。彼と知り合っていなければ、そんなふうに泣けたかどうか僕には疑問だけど。それに哀れむなら、彼に撃ち殺された僕の部下も哀れんでくれなきゃ不公平じゃない？　僕の部下は知らないから平気なのかな？」

容赦のない言葉が真奈の身勝手を突きにくる。

「新薬開発で何百匹もの動物が実験に使われて無残に死んでも、それを現実として知っていても、君は具合が悪ければ薬を飲むよね。新しく出たのが効くと聞けばそれを買うよね。だって自分のペットが実験に使われたわけじゃないもんね？　知らないところで知らない動物たちが何百匹死んだとしてもそれは自分には関係ないもんね？　それとおんなじことじゃないのかな。違う？」

自分の関わった人さえ不幸にならなければそれでいい。自分の見る部分さえ綺麗《きれい》ならそれで。知らないところにどれほど汚く、醜く、残酷な部分があったとしても、それを直視することがなければ知らなかったことにして穏やかでいられる。

世界が美しいなんて嘘を信じたままで。

現実を覆う美しいヴェールが剝《は》がされても、こんなことにならなければ知らずに済んだと、こんなことになってもどこかで何かを呪っている。

「君のお友達のトモヤ君にしたところで、口減らしで殺されるのと実験で殺されるのじゃどこが違うの。彼にとっては、理不尽に誰かに殺されるって事実が変わるわけじゃないでしょう」

お願い。もうやめて。もう聞きたくないの——しかしそれを懇願する気力も耳を塞《ふさ》ぐ気力もない。助けてくれる人はここにはいない。真奈の耳を塞いでくれるあの人は。

「僕はね、とってもわがままで身勝手で傲慢《ごうまん》な人間なんだ。自分の望まない状況が天から降ってきたら、どんな手段を使ってでも天に投げ返す。塩害は僕にとってそういうものなんだ。塩害前の世界がいい世界だったなんて口が腐るような嘘を言う気はないけど、僕はそれなりに気に入ってたし、そもそも僕はこんなところで死ぬ気は毛頭ない。それをあんな塩の固まりごときが僕らを丸ごと滅ぼそうと言うのなら、どんな手を使ってでも排除する。人体実験もその手段の一つに過ぎないよ」

見たら伝染《うつ》る。そのことを証明するためには、結晶を見せ続けたのだろう。

すっげ、広くてきれいな房でさ。壁とか全部真っ白でキラキラ光って。

殺す前にいい思いさせてんだろなって。

　ちがう。

　その広くてきれいな房そのものが、彼に結晶を見せ続けるための部屋だったのだ。白い壁は結晶から切り出された一部分だったのだ。彼はずっと目を閉じていたら塩にならずに済んだ。

　口減らしのためすぐさま首を吊《つ》られるのと、知らぬ間に塩害の犠牲者にされるのと。どちらがマシかなど比べても無意味だと理性では分かっている。だが、トモヤを――偶然知り合ってしまった他人を悼む身勝手な涙は止まろうとはしない。

　入江はおまえには毒気が強すぎる。

　あながち冗談でもなさそうに言った秋庭の声を思い出した。

「――秋庭さんは」

　頭で考えるより先に呟いていた。

「秋庭さんは、知ってるんですか」

「あの男が気づかないと思うの」

　反語だ。そんなわけはないという。

　気がついていないのなら、わざわざ真奈を入江から遠ざけようとなんてするわけがないのだ。お互い口に出せない気まずさを飲み込んでまで。

「――そんな顔するんじゃないよ」

　入江が少し不機嫌な顔になった。

「そんな、裏切られたみたいな顔」

そんなこと。真奈は思わず顔を伏せた。

そんなこと——少しは、思ったかもしれない。

「これだからお子様は」

入江は呆《あき》れたように肩をすくめた。

「僕と秋庭は付き合い長いからね。僕がどういうことをする奴か秋庭は最初から分かってた。悩まなかったとでも思ってんの？　奴は意外と潔癖な男だよ。結晶が怪しいと思って攻撃具申しても、却下されたらそこで引き下がるような奴さ。そこで自分が英雄になろうとはしないんだ。秋庭についていく部下なら山程いたのに。英雄崇拝と軍閥化で社会を歪《ゆが》ませるより、塩害に運命を委ねたほうがマシだなんて本気で信じてるような馬鹿さ。あいつは一回そこで世界を切り捨ててんだよ。それをさあ、もう一回拾ったって、どういうことか考えたことある？」

真奈の顎《あご》が強引に持ち上げられた。入江が顎に手をかけて上向かせたのだ。

「秋庭がどうして大っ嫌いな僕なんかと手を組んだのか、本気で分かんないの?!」

「——分かりたくありません！」

真奈は駄々を捏《こ》ねるように叫んだ。——お願い。

あたしを重たい荷物にしないで。軽くなれない荷物だなんて思い知らせないで。

「ま、いいけどね」

入江が真奈の顎を手放した。そして立ち上がる。

「軽い脳震盪《のうしんとう》だからもう動いていいよ。コブは数日痛いだろうけど大したことない。そして君は今後二度とここへ立ち入らないようにね。もちろん今の話は部外秘。一般隊員には伏せてる話だからくれぐれもよろしくね」

立ち去りかけた入江が最後にもう一度振り返る。

「ここに鍵をかけ忘れた隊員と君を殴った隊員はきつくお仕置きしておくから、秋庭には内緒ね。僕、すっごい怒られそうだからさ」

「言わないから、」

真奈は入江に言いすがった。

「処罰とか、しないでください。隊員の人」

もうたくさんだ。それがどんな奴であれ、自分のせいで割を食わす誰かを作るのは。

入江は振り向かずに真奈に向かってひらひらと手を振った。

「オッケ。訓告と腕立てで手を打ちましょ」

＊

敷地内の道路を歩いていると、目の端に不自然な色彩が引っかかった。

秋庭が足を止めて振り向くと、箱のような倉庫の鉄扉の前にタンポポを一本差した空き缶が置かれていた。

その倉庫の中身はもう知っている。しかし、その前に花を供えるような奴は思い当たらない。知っていて、こんなことをしそうな奴は――知っているとすれば、こんなことをしそうな奴は。

秋庭は空き缶に歩み寄ってタンポポを引き抜いた。まだ新しい。

思い当たるただ一人は、毎日掃除に精を出している。

できることだけでもしようと思って。

あたし、これくらいしかできることないから。

そう言って、昨日も今日もいつもと変わらず笑っていた。秋庭に何も気づかせずに。

気づかなかったのは接する時間を減らしたせいだけではない。

できることだけでも――できることは、秋庭が思っているより増えたらしい。

秋庭はその黄色い素朴な花を口元に軽く当てた。それから再び水の満たされた缶に差す。

その黄色い花は、水を吸い上げ尽くして枯れるまでそこに置かれたままだった。

＊

今日は掃除は禁止だ。

真奈を朝食に連れ出しにきた秋庭は、出てきた真奈を見るなりそう言った。

少し熱っぽいとは思っていたが、やはり具合が悪そうに見えるらしい。

秋庭は食堂から喉越《のどご》しの良さそうなものを選んで持ってきてくれ、トレイごと置いて行った。

昼メシのとき一緒に片づけるから置いとけ。それから午前中に医務室行っとけよ。

それだけ言い残して出て行きかけた秋庭は、途中で真奈を振り向いて恐い顔をした。

ちゃんと医務室行ったかどうか確かめるからな。変な遠慮とかせずに行けよ。

随分と信用がない。真奈は頷いてベッドの中から秋庭に手を振った。

朝食を食べて一眠りし、十時過ぎに医務室に行くと、女性医官が待っていたかのように真奈を出迎えた。

熱があるんですって？

真奈は逆に訊き返した。

どうしてご存じなんですか？

医官は笑って答えた。

秋庭二尉が布石打っていったからね。来なかったら強制往診に行くところよ。

診察はものの五分で終わり、解熱剤を処方された。

ここ来てちょっと頑張りすぎちゃったかもね。今日はゆっくり寝てるといいわ。

医官は笑顔で真奈を送り出してくれた。

昼には秋庭がまた昼食を運んできてくれた。

ちゃんと行ったでしょう？

ちょっと勝ち誇ってそう言うと秋庭は苦笑した。来る前にやっぱり医務室に問い合わせてきたらしい。

午後からは、薬のせいかうつらうつらと眠気が寄せた。

ああ――こんなふうに昼間に寝てるの、あのとき以来だな。

塩害の初日。やっぱり熱を出して眠っていた。

眠っている間に世界が激変した日。

熱っぽいその感じがその日を思い出させる。

その懐かしくて恐ろしい感覚をなぞっていたとき――その会話は聞こえてきた。


いよいよ明日か……何か実感湧かないな。

本気でする気かな、厚木《あつぎ》襲撃。

するでしょ。入江司令に秋庭二尉だよ。どっちもアクセルでブレーキじゃないよ、ありゃ。

しかも秋庭二尉は一度却下された作戦に許可が出たんだぜ、ここで日和《ひよ》るような人じゃないだろ。やるさ。

想定訓練も死ぬほどやらされたしな。いよいよでしょ。

ほかに方法ないのかよ。在日米軍攻撃するなんて……

お前、米軍が戦闘機フル装備で貸してくれっつって貸してくれると思う？　仕方ないだろ、塩害を食い止めるためだ。

でもシャレ効かないぜ。何人か死ぬんじゃ……

お前、情けないこと言ってんじゃねーよ！　二尉が一番危険なのに！

あの人が奪取して乗るんだからな！　東京湾の結晶に最接近するのはあの人なんだぞ！


真奈はガラッと窓を開けた。

「今の話ってどういうことですか⁉」

軒下にたむろしていた隊員たちが、びくっと窓を振り向いた。

「うわ、真奈ちゃん！」「何でいンの⁉　今日休み⁉」

真奈は窓から身を乗り出した。熱でふらつく体を窓枠を強く握って支える。

「どういうことですか⁉　教えてください！」

＊

司令室に飛び込んできた真奈を見て、入江は軽く肩をすくめた。

秋庭は不在だ。そのタイミングで来たのは偶然ではないと真奈の表情が語っている。

「熱があって寝てるって聞いたよ。出歩いていいの？」

かわそうと投げた言葉を、真奈は球筋など無視でまっすぐ打ち返した。

「秋庭さんに何をさせる気ですか⁉」

どうやらごまかしは利かないらしい。

「あーあ。どっから嗅《か》ぎつけてきちゃったのかな？」

「何させる気なんですか⁉　教えてください！」

真奈は入り口近くに立ったまま入江の座るデスクの側には来ようとしない。先日の一件以来、すっかり警戒されてしまったようだ。

「その様子じゃもうあらかた知ってそうだけどね。結晶の攻略作戦の実行隊長になってもらうだけだよ」

「だけって……厚木の米軍基地襲撃して飛行機強奪するんでしょ⁉　犯罪じゃないですか！

結晶に接近して命だって危ないって——」

「最初から言ったじゃないか、大規模テロへのお誘いだって」

入江はしれっと言ってのけた。真奈は二の句を継げずに唇を震わせた。

入江は笑顔のままで眼差《まなざ》しをすうっと凍てつかせた。

「人類存亡の危機に細かいことをピーピー喚《わめ》くんじゃないよ。米軍襲撃して塩害が止まるなら安いもんでしょうが」

「……それで止まる保証はどこにあるんですか！　爆弾で結晶を吹き飛ばしただけで塩害って止まるんですか⁉」

「僕を誰だと思ってんの。勝算がなきゃゴーサインなんか出さないよ」

不遜《ふそん》なまでの断言に真奈が一瞬言葉を失くした。だが、すぐに気を取り直して反駁《はんばく》してくる。

「でも何でわざわざ米軍の飛行機を奪わなくちゃいけないんですか!?　自衛隊の飛行機使えばいいじゃないですか！」

「秋庭の希望だよ、しょうがない」

入江はつまらなさそうに頬杖《ほおづえ》を突いた。

「僕の予定としては、秋庭が元いた百里《ひゃくり》からフル装備のF2を調達するつもりだったんだけどね。同じ自衛隊同士ならちょっとくらい強引に借りても、まあ非常時でもあることだし結果を出せば揉《も》み消せるかなと」

東京湾の結晶攻撃と同時に、各地の結晶への総攻撃命令と処理方法を防衛省の名義で全国の基地に打電する。

そうすれば、いいかげん塩害への対処法がないまま災害出動に従事してストレスの溜《た》まっている各基地は一斉に蜂起するはずだ。しかしそれに待ったをかけたのは他ならぬ秋庭である。

「こないだも言ったでしょ。秋庭、潔癖すぎるんだよ。どうしても軍閥の芽を作るのは嫌なんだってさ。事実上の無政府状態で自衛隊が独断で塩害を解決したら、政府再生のときに幹部になる連中が自衛隊の功を盾に色々と暗躍するだろうからね。本来、防衛大臣は文官選出だけど、この機会に武官を立てようとするだろう。そのうえ内閣の再編成にも口を出しかねない。下手すりゃ一気に内閣軍閥化だ。防衛大臣はけっこうなタカ派だったし、それに共鳴してる幹部も多いしね。悪いことに大臣自身は塩害で亡くなってるから、残った主張のイメージだけが肥大して一人歩きするのは目に見えてる。真面目な秋庭クンはそれを案じてるらしくてね」

入江の言い方はまるで他人事《ひとごと》である。実際、入江自身にとってはまったくどうでもいい話で、些事《さじ》以外の何物でもなかった。

「最初に蜂起した部隊が米軍襲撃なんてテロ紛いの犯罪を犯していれば、幹部連中も自衛隊の功を一方的には誇れないからね。米軍のほうには塩害の研究結果の提供で何とか溜飲《りゅういん》を下げて頂くと」

俯いて黙り込んでしまった真奈に、入江は軽く肩をすくめてみせた。

「まあ、どうせ僕は警視庁科研のヒラの分際で司令官になりすましてる身だ。身分詐称のうえ、特権行使で人体実験をやってたなんてバレたらただじゃ済まないからね。元々頃合いで雲隠れするしかないから。塩害解決が誰の功になってもいいんだけどさ。立川の隊員も司令を騙《かた》った詐欺師に騙《だま》されてたってことでお咎《とが》めはないだろうし」

「秋庭さんは……」

「奴もどっか行方くらます気でしょ。——まあ、それも生きてりゃの話だけどね。生きてりゃ結晶攻撃後に機体を海上の適当なポイントで投棄して脱出するでしょ。こっちのほうも回収の手筈《てはず》はするしね。最初の基地襲撃で死にさえしなきゃ、そこから先は秋庭の技倆《うで》なら難易度の高いミッションじゃないよ」

真奈はそれ以上は何も言い返さなかった。

かろうじて入江に頭だけ下げて司令室を出ていった。

真奈が出ていってから、入江は司令室の奥に通じる個室に向かって声をかけた。

「入ってくれば？　もう帰ったよ」

声に応じて、入ってきたのは秋庭である。

「大体のとこ、聞いてたでしょ？　彼女、随分懇願してたけど。それでもF2使う気ない？」

「ない」

即答しながら秋庭はソファに向かい、腰を下ろした。

「てめえの勝手で基地飛び出したんだ。さんざ相手の顔に泥塗っといて今さら最新鋭機貸してくれなんてみっともなくて言えるか」

「はいはい、そういうことにしときましょ」

からかうように言った入江に、秋庭がじろりと剣呑《けんのん》な視線を向ける。

「それより、お前の作戦でほんとに大丈夫なんだろうな」

「秋庭ってほんと、つくづく他人を信用しないよね。そんな生き方してたら人望なくすよ」

「人の言葉は正しく解釈しろ。他人を信用してないんじゃない、お前を信用してないんだ」

「へえへえ」

肩をすくめた入江が、デスクを立って秋庭の向かいに移動する。

「結晶の成分と塩害を受けた個体の成分が一〇〇％同じじゃないってことはデータ付きで説明したよね」

秋庭は見せられたデータを脳裏でざっと思い返した。

結晶の成分は塩化ナトリウム八〇％、珪素一九・二％、窒素〇・八％であるのに対し、塩害個体の成分は塩化ナトリウム八〇％、後はカルシウム、カリウム、グリセリン、窒素、その他諸々まとめて二〇％。

「実験はあらゆる条件を想定しつつ数万のオーダーに乗せたけど、伝染した例は皆無だ。これは即ち、結晶の本質があくまでも塩であり、結晶に含まれている珪素が本体と同じ比率の塩化ナトリウム塊に変化させる形で行われることを示している。

これを踏まえて塩害を解消するとすれば結晶本体の成分比率を変えるのが一番安全だ。それが結晶にとどめを刺すことになる」

入江が提案したのは海に溶かす方法だ。爆撃はあくまで湾上の結晶を海中に倒壊させるのが目的で、爆撃自体による破壊ではない。

海水に溶ければ結晶の塩分比率は大幅に変わる。海洋の塩分濃度は三・五％、世界中に落下した結晶をすべて海洋投棄しても誤差は小数点以下に推移するというから大洋は偉大だ。

「あの結晶に死というものがあるとすれば、それは自分の構成比率を失うことだ」

「結晶を含んだ海水に暗示形質が伝播することはないのか。海洋全体に暗示形質が広がるようなことがあったら、もう手の下しようがないぞ」

「それも実験済み」

入江が薄く笑った。

「結晶を溶かした食塩水を摂取させた被験者は全員生きてるよ。――僕も含めてね」

秋庭は目を瞠《みは》った。まさか入江が自分を被験者として使うとは思わなかった。

「誤解のないようにね。僕は天才だから確信を持った結果には躊躇《ちゅうちょ》しない、それだけさ」

「そういう奴だよお前は」

吐き捨てた秋庭は一瞬でも入江の身を案じたことに自分でふて腐れた。人間らしい心配などしても無駄だった。

「食塩水を煮詰めて個体に戻し、結晶と同じ構成比率の物質を再構成してもそれは暗示形質を持たなかった。結晶のあの構成比率がいわゆる生命を持ったことには奇跡的な偶然が重なってるんだと思うよ。その奇跡を壊されることは結晶にとっての死であり、蘇生《そせい》は不可能なんだ。僕らが一度死んだら生き返れないようにね」

珍しく殊勝なことを、と呟いた秋庭に入江は笑った。

「科学者は奇跡に盾突く者じゃない。奇跡の摂理を求める者だ。僕が天才である以上その摂理に手が届かないと君は思うのかい？」

勝手にしろ、と顔をしかめて秋庭は答えず、質問を投げ返す形で話を変えた。

「爆撃しても大丈夫なのか。熱変化で大爆発だの有毒ガスが発生だの、そういう物騒なことはないんだろうな」

「その辺は信用してよ。サンプルで考え得る限りの反応実験したけど、基本的に地球上の物質と性質は変わらなかった。保護膜のフェライト成分の組成がちょっと特殊だったくらいで」

その保護膜も大気圏突入時にもう剝離《はくり》しており、攻撃時の照準の阻害にはならない。

「まあいろんな条件を鑑《かんが》みたうえでも、東京湾の結晶については砕くのが一番手っ取り早いよ。あれだけの固まりだと台風が来てもそうそう溶けるもんじゃないけど、爆破してしまえば大方の破片は海に落ちるだろうし、残骸《ざんがい》も雨で流れるだろう。それに爆破すれば結晶を視認できる範囲は大幅に狭まる。常に結晶が見えているという状態を解消するだけでも、塩害抑止効果は相当あるしね。街路の塩は水で下水に流せば処理されていずれ海に排出されるし……内陸部の結晶は爆破してから残骸を海に運んで投棄することになるだろうけど、まあ手遅れになる前に事は済むでしょ。爆撃による倒壊方向も計算してあるから、津波の被害も最小限で済むだろうしね」

「全てめでたしとなることを祈るがな」

憎まれ口は叩いたが、秋庭としても作戦の根拠の全てが入江の検証結果にかかっていることは認めざるを得なかった。

＊

自室に戻った真奈は、崩れるように床の上に座り込んだ。

あんな無慈悲な会話をしたことなどほかにない。入江には真奈の言葉も願いも何ひとつ通用しない。届かない。

高いところからチェスの駒を見下ろすように——今度は秋庭を使うのか。

自分の無力さに涙が溢《あふ》れた。

こんなに急に、手に入れた二度目の世界も失われてしまう。

まっすぐ秋庭を見つめて見つけた世界が。

初めて会ってから――わざとらしいほど素っ気なく助けられてから、ずっと。

優しくするとき怒るその人を、気づかれないように見つめてきた。これほど見つめていると気づかれないようにそっと。

優しい目と優しい手と優しい仕草。秋庭以上に真奈は多分知っている。秋庭は自分が色んな拍子にどれほど優しい表情をして、優しく手を動かすか気づいていない。

そんなにたくさん見つめてきたのに、

――あたし、秋庭さんのこと何にも知らない。

昔、何をしていたのか。どんな思い出を持っているのか。どうしてあの部屋に一人で住んでいたのか。

真奈の昔の話は黙って聞いてくれたが、秋庭が自分の話をしたことは一度もない。

それどころか――

秋庭の下の名前さえ、真奈は知らない。

喉《のど》を渇かす焦りが急《せ》かす。

こんなのは嫌だ。

こんなに他人のままで終わるなんて。

明日はもう来なくなるかもしれないのに——

変わらない明日が来るなんて、もう世界は約束してくれないのを知っていたのに。

世界に明日を翻された人をもう何人も見ていたのに。

どうしてこんなにぐずぐずしてたんだろう。

ぐずぐずしている間に時間はあっという間に指の間を擦り抜けて、秋庭は行ってしまう。

二人でもう一度あの部屋に戻ることがあるかどうかなんて、誰も何も約束してはくれない。

こんなことで、何とかなっちゃうことがあってもいいと思うのよ。

何とかなるのかどうかは分からない。だが、少なくとも自分が手を伸ばす自由はある。手は動くのだ、自分が伸ばそうとさえ思えば。

たとえ、それが届かなくても。

——恋は恋だ。

Scene-6　君たちの恋は君たちを救う。

＊

その晩――秋庭《あきば》は真奈《まな》の訪問を予想していたようだった。

ドアを叩《たた》くと応答は省いてすぐドアが開いた。髪が濡《ぬ》れている。入浴はもう済ませたらしい。

もっとも、真奈もそのタイミングで訪ねてきている。

秋庭は真奈を招き入れ、壁の両側に造りつけられている二段ベッドに腰掛けた。真奈もその向かいに腰を下ろす。

夜にこうして二人で向き合うのは久しぶりだ。

「何か、久しぶりですね」

真奈は照れ笑いで頬を引《ひ》っ掻《か》いた。

ここへ来る前――あの部屋では毎晩のように過ごしていたこんな時間。それがどれほど貴重でいとおしい時間だったかは、あの部屋で守られているだけの頃には分からなかった。

だから、そんなくだらない躊躇《ちゅうちょ》ができたのだ。

あたしなんてどうせ子供だし。似合わないし。相手になんかしてもらえないし。

自分が今の自分じゃなかったらなんて、無意味に何かを羨《うらや》む躊躇。

「熱はもう下がったのか？」

尋ねた秋庭に真奈は頷《うなず》いた。いつでも秋庭は真奈のことを気にかけてくれる。

それはきっと単なる義務感でしかないから。――だから？

だから何だったと言うのだろう。そんな言い訳で一体何を守るつもりだったのか。

誰かを片側から思う時間は苦しくて楽しい。あの人はこちらを振り向いてくれるだろうか、笑ってくれるだろうか、自分をどう思っているだろうか、――自分があの人を好きなように、あの人も自分を好きになってくれるだろうか。

その人の仕草、言葉、表情――すべての端々に一喜一憂して、一喜一憂することが苦しくて楽しい。いつか想いが叶《かな》うといいなんて夢をあてどなく見ながら。

そんな悠長な恋は、平穏な世界でしかしていられなかったのに。

それでも、手を伸ばせる間に気づいてよかった。たとえ届かないとしても。

「どうした。何か、用があったんだろ？」

問いかけた秋庭に、真奈は自分でも驚くほどの直球を返した。

「秋庭さんのこと、知りたいです」

声が少し震えた。不自然でもいい。みっともなくても、気づかれても。

困った顔をされても。

秋庭は、困った顔の代わりに少し怪訝《けげん》な顔をした。

何を今さら、と思っているのが分かる。秋庭の素性や経歴は入江や隊内の人々の話でおよそ類推できるはずだし、実際、真奈は類推している。

でも、そういうことじゃない。

「秋庭さんから聞きたいんです」

踏み込んだ。もう後戻りは利かない。

「秋庭さんから聞かないと、意味がないんです。秋庭さんがどんな人なのか、あたし、自分で訊《き》きたかったんです」

言ってしまえ。どんどん深みに嵌《は》まってしまえ。どうあがいても引き返せないように。

「秋庭さんのこと、ほかの誰かからなんか聞きたくなかったんです」

秋庭はしばらく無言のままで答えなかった。真奈からわずかに目を逸《そ》らしている。

その逸らされている時間さえもう痛くない。怖くない。

傷つく自分を守っている場合なんかじゃないと――甘やかな恋の空想ができる可能性なんかを守っている場合じゃないと、もう気づいているから。

「俺がどんな奴かなんてお前が一番知ってると思ってたけどな」

優しくするとき怒る人。

わざとのように素っ気なくて、誰よりも優しい。

そういう秋庭を知っている。

でも。

静かに保とうとしていた心が初めて揺らいだ。一度揺らいだら揺れ幅を押さえることはもう不可能だった。

縮め切ったバネが放たれる。

真奈は激しくかぶりを振った。

「いやです、全然足りません――だってあたし、秋庭さんの名前も知らないのに！」

「高範《たかのり》」

不意打ちのように何気ない答えに、真奈は思わず息を止めた。

秋庭は真奈の目を見ながらもう一度言った。

「高範だ。呼んでみろ」

真奈は声にならないような声で、その名を呟《つぶや》いた。真奈をまっすぐ見ながら告げられた名前。

それは秋庭が真奈に名前をくれたということに――なるのか。

「いやです！」

真奈はもっと激しく叫んだ。

「名前教えてくれたって何をどれだけ教えてくれたって足りない！　教えるだけ教えてあたしが足りたら、行っちゃうんでしょう⁉　だったら一生足りないままでいる！」

だから行かないで。ひとりで帰ってこないかもしれないところへなんか行ってしまわないで。

取り繕いようもなく声がもう泣いていた。涙の幕が降りてしまった視界で、秋庭がどんな顔をしてこちらを見ているのかはもう分からない。

「――このままだと明日がいつ来なくなるか分からないんだぞ」

声は諭す色合いを帯びていた。秋庭が諭すなら何でも聞く。――それ以外のことなら何でも。

秋庭がいま諭そうとしている、そのことだけが聞けない。

「来なくていいです、明日なんか。秋庭さんが行っちゃうならそんなもの要らない！　あたし、世界なんかこのままでいいもの！」

わがままでも身勝手でもいいんです、あたし、世界がこんなふうになっちゃってよかったって――だって世界がこんなことになってなかったら、

あたし秋庭さんに会えなかったから、

だから、秋庭さんに会うためにこんな世界になったんだったら、

それがどんなひどい世界でも許容してみせる。

ごく平凡な高校生と自衛隊の戦闘機乗り。正常に回っている世界だったら、この二つに接点はない。接点が変わってしまったこの世界なのだとしたら、この世界ごと。

いつか聞いた台詞《せりふ》と似たことを言っている自分に真奈は気がついた。

わがままだけど、身勝手だけど――

俺たちが恋人同士になるために世界はこんな異変を起こしたんじゃないかって。

そう言って海を目指した恋人たち。

「親が嘆くぞ。異変が起こらなかったら両親は生きてたはずだろ」

諭した秋庭に真奈は初めて強く、逆らう意志を持って逆らった。

「言葉を慎んだら両親が戻ってくるんですか!?　違うでしょう!?　どうせ戻ってこないんなら、

いい子の振りして大事な人を行かせちゃうなんて、絶対やだ！」

――秋庭に向かってこんな大声で叫んだことなんかない。叫んで止まるならいくらでも叫ぶ。喉《のど》が嗄《か》れても血を吐いても一生声が出せなくなっても――それで秋庭が止まるなら。この手が届くなら。

「世界なんか救わないで！　秋庭さんが無事でいて！　もう旧《ふる》い世界のほうがよかったなんて言わないからっ！」

空気が、激しく動いた。

「――――分かれよ！」

耐え兼ねたような秋庭の大声。肩が激しく摑《つか》まれた。大きな手のひらが顎《あご》を摑んで荒っぽく持ち上げる。

――息が詰まった。触れた唇が同じ温度に、
熱い。

息をしていいのかどうかも分からなくて、真奈は何かに怯《おび》えるように息を潜めた。

どうして、秋庭さんが、あたしにこんなことするの。

好きな人と初めてするキスは、こんなじゃないと思ってた。もっとロマンチックで優しくて、こんな、奪うような強引なのじゃなくて――

でも気持ちいい。

そう感じてしまうのが悪いことのようで、真奈はこらえるように体を硬くした。

まるで永遠のような一瞬。

唇がわずかに離れて、空気を一枚重ねただけの近くで怒号のような声が聞こえた。

「先に死なれたら俺がたまらねェんだよ！」

突き放すように肩が離された。倒れかけた体をベッドに手で突いて支えると秋庭はもう部屋の中にいなかった。

――――――

「ずるい、こんなの……！」

真奈はなじるように呟いた。

手は届いた。思いがけず――ただし、届いた瞬間振り払われた。

「止まってくれなきゃ、届いた意味ないじゃない……！」

真奈は両手で顔を覆った。涙は後から後から、止まる気配もなく流れ続けた。

＊

深夜に訪ねた秋庭を、入江《いりえ》は意外な顔一つせずに出迎えた。

「ベッドは君が使っていいよ。出撃前の大事な体だからね」

入江は男子隊舎の大部屋を一人で使っていたが、予備の布団は置いていなかった。遠慮する義理はないので、秋庭は布団の敷かれたベッドに腰掛けた。意識せずに肩が低く落ちる。

「ずいぶん消耗してるみたいじゃない」

入江はわき目も振らずにノートパソコンを叩いている。

「真奈ちゃん？」

秋庭が無視して答えずにいると、入江は勝手に喋《しゃべ》った。

「あの子ねえ。何しろ一生懸命だからねえ。たまんないよね、健気《けなげ》すぎてさ」

「……ああ」

健気すぎて——重たいほど。半ば釣られるように返事をしていた。もしかすると初めてこの男の前で弱音のようなものを吐いたのかもしれなかった。

一緒に暮らしはじめてもう四ヶ月になるだろうか。それは長くはないが短い時間でも決してない。そうでなくてもこんな世情だ、時間は安穏と回っている世界よりも濃密に過ぎる。その比重の高い時間の中で、
初めて、自分のために駄々を捏《こ》ねる真奈を見る。他人の身を案じて引き止めるのがわがままになるのだとすれば。

「どうしてこう、女ってのは」

知らず呟いた秋庭を、入江は茶化さなかった。

来なくていい、明日なんか。あなたが行ってしまうのなら、世界なんか要らない。

それは一体何という思いの丈か。

たったひとりが手に入れば世界が滅びてもいいなんて。そんなことを正気で何故言える。

どちらが先に塩を吹きはじめるか、大の男がびくついているというのに、あの娘ときたら。

どうしてあんな小さい体でその恐怖を軽く飛び越えられるのか。

「女っていうのは、元来男よりも度胸がよくて図太い生き物だよ。男は頭でしか考えられないけど、女は違う。男は理屈を越えられないけど女は越えちゃう。頭以外のどっかでね、理屈を追い越した先にある何かをしっかり摑んでるんだろうね」

入江は分かったような顔で分かったようなことを吹く。

「そもそも同じ極限下にあった場合、女のほうが生命力は強いんだ。野生動物はいついかなる状態でも選択権は雌が持つ。本来、雄より雌のほうが生物として上位である証拠さ。女が弱いだなんて男が信じたがってる幻想だよ。女性を守る義務くらいもらわないと、女から生まれてくる僕らはただ発生しただけの役立たずだからね」

けれど、守っているつもりで守られていることの一体何と多いことか。

知らずに暮らしていた塩害の危険地帯で今まで自分が無事でいたのは、真奈がいたからではなかったのか。

自分が先か真奈が先か。たった二人のコミュニティでその恐ろしい命題。

欠けたら痛い一部と自覚しながら、想像するだに気が重いその痛みを憂いながら、それでも自分が先になるわけにはいかないと思っていた。

自分の庇護《ひご》がなければあっという間に世界の中に沈んでしまう、あの小さなものを守らなくてはと——そうして今、自分が逆に庇護されていたことを知る。

「あんなにちっちゃくても女だよね。子供じゃない」

入江が初めて顔を上げて秋庭を振り返る。そして言った。

だって恋してるんだもんね。

「女っていうのはすごいよね。恋をしたらもう女だもんね。どんなにちっちゃくても。僕たちなんか、何かを為《な》そうと気張ってないと男でいられないって言うのにさ。ちょっとずるいよね、そういうとこ」

「……ずいぶん語るじゃねェか、女を」

「面白いことなら何だって語るさ、僕は。世界の命運がかかった恋なんて滅多に見られるもんじゃないしね」

「やかましい！」

入江に枕を投げつけて秋庭はベッドに寝転がった。荒っぽい動きにベッドの木枠が抗議するように軋《きし》む。

世界の命運を賭《か》けた――そんなものであるかどうかは知らない。本当にそれがそんな言葉で呼べるかどうか知らない。

けれど変わってしまった世界で、それまでの常識も恙《つつが》なく来るはずの明日も翻された世界で、すべてが奪われたわけではなかった。

奪われたものは確かに多く、取り返しのつかないこともまた多い。それでも奪い尽くされてゼロになったわけではなかった。

こんな世界でも、新たに手に入れる何かがある。こんな世界ですら、こんな世界でよかったと言える者がいる。──自分はどっちだ。

「入江」

頼む相手は正しいのかどうか。しかし、ほかには思い当たらない。

「何かあったら頼む」

「はいよ」

何を頼まれたのか、入江は訊き返さなかった。

＊

翌日、秋庭の姿は隊内のどこにも見当たらなかった。心なしか、他の隊員の姿も少ない。

手当たり次第に訊いて回ったが、誰も秋庭の居場所を教えてはくれない。

「ごめんね。うちは後方支援部隊だから、作戦の詳細までは知らされてないのよ」

武器隊の野坂《のさか》は、申し訳なさそうに謝ってくれた。

「作戦開始が夜半からとしか聞いてないの。でも、うちで整備しといた装備はもう請け出されてるから……」

もう部隊が動き出している可能性は高い。まだ日没までは間があるが、予備行動か何かあるのだろう。

がくりと膝《ひざ》を突きそうになった真奈を、野坂が慌てて支える。

「……二尉に何か言い残したことでもあるの？」

訊かれた真奈は、首を横に振った。

「言い残したことはないんです。でも……」

案ずるような顔の野坂に、真奈は力なく笑った。

「秋庭さん、止めるために探してるって言ったら、怒りますか？」

世界なんかどうでもいい。あの人だけ無事でいてくれるならそれで。

世界が救われることを、何千人、何万人、何億人の人が望んでいたとしても。

野坂だって塩害が解決されることを望んでいる側のはずに違いないけれど。

このまま世界が塩害でゆるゆると崩壊していくのを望んでいるのは、世界中で真奈一人だ。

たとえ世界中から憎まれても、その歪《ゆが》んだ願いを捨てられない。

秋庭にもしものことがあったら、たとえ世界が救われたってそんな世界には何の意味もないのだ。秋庭の命が危険にさらされるくらいなら世界なんか救われなくていい。あと少しで世界が終わるとしても、その少しを無事で生きていてほしい。

「怒れないわよ。怒れるわけないじゃないの」

野坂は困ったような、怒ったような、悲しいような顔でそう言った。

「世界のために好きな人を諦《あきら》めろなんて誰が言えるって言うのよ。そりゃ助かりたくないって言ったらウソになるけど。あたしが自分で救うわけじゃないんだし」

「――あたし、」

真奈は両手で顔を覆ってしゃがみ込んだ。

「世界なんかどうでもいいんです。ごめんなさい。ほんとに、どうでもいいんです」

ごめんなさい。ごめんなさい。誰に謝っているかも分からずに真奈は何度も呟いた。

ごめんなさい。あたしにはあの人のほうが大事なんです。

ふと隣に気配を感じて目を上げると、野坂が真奈のそばにしゃがみ込んでいた。何故か野坂も泣きそうな顔になっていた。

「あたしの旦那《だんな》のとこ、行ってみよ？　彼も後方支援なんだけど、あたしよりは作戦の詳細が分かる部署にいるの。もしかしたら、何か聞けるかもしんないから、行ってみよ？」

「……いいんですか」

真奈が訊くと、野坂はいきなり真奈を抱きしめた。かすかに甘い匂いがした。

「お願いだから謝んないでよ。何であんたが誰かに謝んのよ。好きな人に死なないでほしいって思うのが何で悪いの。あんた、二尉が好きなだけじゃない」

秋庭が好きなだけなのに何てままならない。まるで、世界中にその恋は悪い恋だと言われているような。

悪くないから。野坂に言われて、真奈は何度も無言で頷いた。

誰かにそう言ってほしかった。

野坂に連れられて真奈は本棟に入った。同じドアが延々と続く廊下を迷いなく歩く野坂が、ある部屋の前で立ち止まる。室名プレートには通信隊とあった。

野坂がノックするとドアが僅《わず》かに開いて中から誰かが応対した。

短いやり取りがあり、室内から一人の男性隊員が出てきた。後ろ手にドアを閉めたその隊員は中肉中背の文系風情の容貌《ようぼう》をしている。これが野坂の夫らしい。

真奈はぺこりと頭を下げた。秋庭や入江のように目立つタイプではないが、誠実そうで好感が持てた。

野坂は塩害がなければ結婚していたかどうか分からないと言っていた。それが何故なのかは真奈には理解できなかった。多分、野坂と同じ年にならないと分からないのだろう。

野坂は前置きなしでいきなり夫に切り出した。

「二尉の居場所、吐いて」

真奈に会釈をしていた野坂の夫はぎょっとしたように野坂を向き直った。野坂は夫を睨《にら》んだ。日頃の力関係が窺《うかが》える。

「二尉の部隊と連絡取ってるはずよ。二尉は今どこにいるの？」

「そんなこと――」

野坂の夫はたしなめるような声を出した。穏やかそうな人柄を感じさせる声だ。

「言えるわけないだろ。実働中の部隊の動向は重要機密だ、お前も自衛官なら分かるだろう」

「正《ただし》」

名前を呼ばれて、野坂の夫はやや表情を渋くした。公私混同だ。そう呟いた彼に、野坂は顎を突き出すように昂然《こうぜん》と言い放った。

「公私混同、望むところだわ。そのつもりで来たのよ。自衛官として話をしにきた訳じゃないの。分かるわよね？」

お前がそういう顔するときは何を言っても聞かないって嫌ってほど分かってるよ。野坂正は諦めたように溜息《ためいき》をついた。

「お願いします、秋庭さんと話したいんです」

真奈が訴えると正は気の進まない顔で腕を組んだ。睨みつける野坂と見つめる真奈に挟まれ、しばらく続く無言。

「……とにかく、場所を変えよう。話すにしても、俺にも立場ってもんがあるからね」

声を潜めた正が先に立って歩き出す。真奈と野坂も早足にその後を追った。


正が二人を連れ出した先は、別棟の最上階の部屋だった。

「早く入って。誰かに見られたらまずい」

急《せ》かした声に真奈は慌てて中へ入った。野坂も続く。長いこと使われていない部屋らしい。

「随分空気が澱《よど》んでるわね、窓開けよう。真奈ちゃん電気点《つ》けて」

真奈が電気を点けて、野坂が窓際に歩み寄る。カーテンと窓が開かれた途端、空気が一気に動いた。最上階だけあって風はよく吹き抜ける。

と、抜ける風が急に弱くなった。

真奈が振り向くのと野坂が血相を変えてドアに駆け寄るのが同時だった。

野坂がドアを叩く音が高く響いた。ノブを激しく回すが既に鍵《かぎ》はかけられた後だ。内側にはシリンダーがついておらず、外鍵の部屋だった。

「ちょっとアンタどういうつもりッ!?」

閉ざされたドアに野坂の怒鳴り声が虚《むな》しく跳ね返る。真奈は呆然《ぼうぜん》としてその光景を見つめた。

どうしてこんな、最後まで——誰も彼もが邪魔をする。

「開けなさい！——開けてッ！　許さないわよ、こんなっ……あたしを騙《だま》すなんて！」

ドアの向こうから返事はない。いるはずだ、と野坂が憎々しげに吐き捨てていきなりドアに向かって回《まわ》し蹴《げ》りを放った。

「開けろぉ————————ッ！」

恐ろしいような野坂の絶叫に、激しい打撃音が重なった。

肩で息をする野坂が乱れた前髪の下からぎろりとドアを睨む。木製だが頑丈なドアには傷がわずかに入った程度だ。

「ちっきしょお……騙し討ちで反省室に閉じ込めるなんてっ」

そして野坂が再びドアを激しく叩く。

「いるんでしょ、そこに！　開けてよ！　卑怯《ひきょう》だわ、こんなの絶対許さない！　開けないなら離婚してやる！　裁判よ、慰謝料よ！　徹底的に闘争してやるっ！」

逆上してめちゃくちゃを叫びはじめた野坂に真奈は歩み寄った。野坂の肩に手をかけて制すと、野坂の叫びが止んだ。驚いたように真奈を見つめる。

でも、自分が今どんな顔をしているのか、どんな気配なのかなんて分からない。

真奈はドアをそっと叩いた。

「旦那さん、いるんでしょ？　ここ開けてください。秋庭さんの居場所は教えてくれなくてもいいですから。もう頼まないから、開けてください」

もう頼まない。そう言ったとき、初めて自分が怒っているのだと気づいた。誰に。野坂じゃない。正じゃない。ままならない状況に。

「もう誰にも頼まないからここを開けて。あたしが勝手に探すなら自由でしょう？　やみくもに探しても見つかるわけないんだから誰にも迷惑かからないでしょう？　あたしも邪魔しないから、あたしを邪魔しないで」

「——ごめん」

初めて、ドアの向こうから返事があった。苦しそうな声だった。

「行かせるわけにはいかないんだ。頼まれたんだ、君に二尉を追わせるなって」

誰によ？　横から割り込んだ野坂の問いに正が答えた。

「秋庭二尉に」

頬を涙が滑り落ちた。ここへ来てから泣いてばかりだ、恋はもっと幸せで甘いと思っていた。こんなに苦しくてままならないなんて。そのうえ——

秋庭自身が一番ままならない。

「真奈ちゃんが二尉を追うとしたら、ツテは親しくなった武器の三曹しかないって。そのうえ旦那の俺が通信隊だしね。だから二尉、俺にわざわざ頼みにきたんだ。出撃前の慌しいときに、あの伝説的な人が俺にわざわざ頭下げにきたんだよ」

正の声はまるで泣いているようだった。

「俺、二尉の気持ち分かるんだ。あの人、本当に君が好きなんだ。本当に守りたいんだ。俺も分かるんだ。だって」

正が次に何を言うか、真奈には分かった。

「俺だって同じことするよ。——由美《ゆみ》」

呼ばれた名前に、野坂は拗《す》ねたようにドアから顔を背けた。

「俺だって、お前を守るためならどんなずるいことでもする。お前にどんな恨まれても嫌われても、離婚されても慰謝料取られても、お前が無事ならいいんだ。二尉も同じだよ」

「そんなの、男の勝手な自己満足だわ」

怒ったように呟くが、野坂の声はもう正を許している。

真奈はぺたりと床に座り込んだ。本当に何て勝手な、男というのは、何て自分勝手な生き物なんだろう。

ずるくても汚くても、相手さえ無事ならそれでいい。そんなことを思っているのが自分だけだとでも思っているのか。

それでも許してしまうのが悔しい。好きだからなんてそんな言葉一つでごまかされてしまう自分が悔しい。

「お願い……秋庭さんと話させて」

呟く真奈に、ドアの向こうからはごめんと返ってくるばかりだった。

ドアの中から声は聞こえなくなった。気配はするから抜け出したわけではないらしい。

そもそも妻はともかく真奈が最上階の窓から抜け出すのは不可能だろう。

ドアにもたれて座り込んだ正は、後ろめたさに小さく溜息をついた。

と、そこへ──律動的な靴音が聞こえてきた。

正が顔を上げると、司令の入江がこちらへ向かって歩いてくるところだった。正と目が合い、笑ってひらひら手を振る。彼の着任以来、誰もが思っていることだが、本当にこういうところは自衛官らしくない。

正は慌てて立ち上がり、敬礼した。

「いいからいいから。それより、出してくれる?」

入江は中にいるのが誰なのか言わなかった。最初から知っていて、敢《あ》えて言うまでもないという省略の仕方だった。どうして知っているのかどうしてここが分かったのか何故ここへ来たのか、混乱して正が押し黙ると、入江はこともなげに言った。

「秋庭のやりそうなことは何でも分かるし押さえてあるんだよ、僕は。どこの隊で何やっても話が回ってくるぐらいにはね。秋庭は内密にするつもりなら君と密会でもするべきだったね。まだまだ僕を見くびりすぎ」

だとすれば入江は知っているのだ、中にいるのが真奈であることも何故正が真奈を監禁したのかも。ここへ真奈たちを連れてくるときは誰かにつけられた気配はなかったが、駐屯地内でこうした用途に使える空き部屋を順に探せばここを見つけるのはたやすいことだ。

「出してくれる？　けっこう急いでるんだ」

司令の命令は絶対だ。そもそも自衛隊で上官に逆らうなどあり得ない。——だが。

「……駄目です」

降格ぐらいは覚悟の上だ。正は再度敬礼をして、入江をまっすぐに見返した。

「自分は秋庭二等空尉に民間人保護を命令されました。二尉の命令撤回がない限り任務を放棄することはできません」

入江に渡したらその後の動向は追えない。もし真奈が入江の目を盗んで駐屯地を抜け出そうとしたら？　階級が六つも下の正に頭を下げた秋庭に何と詫《わ》びればいいのか。

入江の表情は変わらないまま、気配だけが変わった。有無を言わさぬような。

「僕が誰だか分かるかな？」

まるで出来の悪い子供に言い含めるような口調。

「入江司令……いえ。立川《たちかわ》駐屯地司令です」

「良くできました。じゃあ、僕と秋庭と偉いのはどっち？」

いたぶられる小動物のような気分になって、正はごくりと唾《つば》を飲んだ。

「入江司令です」

「駐屯地内のあらゆる懸案について、最終決定権は僕にある。秋庭じゃない。そうだね？」

正論すぎて返事もできない。正はかろうじて頷いた。

「出してくれる？　今頼んでるのは、君が素直に開けてくれるのが一番面倒くさくないからだ。けど、二番目だろうが三番目だろうが、結果が一緒なら僕は一向に構わない。僕は最終的には絶対に自分の意向を通す。君がここで意地を張ろうが切腹しようが、ほんの五分か十分、結果が出るのが遅れるだけだ。つまり、君がいくら意地を張っても無意味だってこと。——分かるよね？」

たとえ、どれだけ自衛官らしくなくても。

入江は秋庭を押さえて動かしたのだ。塩害の発生した当初、秋庭は統幕の決定には逆らって隊を飛び出したが、入江の命令には従ったのだ。その事実を痛感する。

観念する、ということは正《まさ》にこういう気分を言うのだ。正は胸ポケットから鍵《かぎ》を出し、入江の差し出した手に乗せた。

「ありがとう。君が話の分かる人間で嬉《うれ》しいよ」

弄《なぶ》っているとしか思えないようなことを言いながら、入江が鍵穴に鍵を挿す。

「多分、ちょうどのタイミングだと思うよ。もう少し粘ってたら君は絶対後悔したはずだ」

言いつつ入江がドアを開ける。部屋の中で、真奈と野坂がびくっとこちらを振り向いた。

部屋の中で向かい合わせで座った二人の間には、窓から外されたカーテンが積まれてあった。野坂がナイフでそれを切り裂き、真奈が裂かれた布を片端から結んでいる。脱出用のロープを作製中らしい。

唖然《あぜん》としてその光景を見つめた正に、入江が軽く肩をすくめて見せた。

「ほらね。いがーいと無鉄砲なんだよ、この子は」

くれぐれもよろしく頼む。秋庭の頼みを正は思い返した。くれぐれも、とはこういうことか。

「さ、おいで」

手招きする入江に、真奈は立ち上がったものの警戒するように距離を取ったままだ。

「ほら。秋庭くんを助けに行くんだよ。急いで」

当たり前のような入江の言葉に、真奈はこぼれるほど目を瞠《みは》った。

「──本当ですか？」

「信じないのは勝手だけどね」

言いつつ入江はもう歩き出している。ドアに向かいながら正に目を向けた。

「伝令が一人要るから、君ついといで。機材の手配に十分やる」

それから野坂を振り返る。

「君、車の手配。同じく十分。本棟前に回して」

野坂夫妻は二人同時に敬礼をして部屋を飛び出していった。入江も早足に歩き出し、真奈もその後を小走りに追いかけた。

＊

きっかり十分後に、全員が本棟の前に集合した。

大型の高機動車を運転するのは野坂、助手席には入江が乗り、後部座席は真奈と野外無線機を持った正だ。

行き先として府中《ふちゅう》刑務所を指示した入江はその指示以降はまったく喋らず、勢い車内は沈黙に包まれた。

街路は相変わらず荒れているが、野坂の運転は入江より上手《うま》いらしい。真奈にとっては立川に連れてこられたときより楽だった。

そろそろ夕焼けが市街に迫りはじめた頃、行く手に広い敷地を備えた塀の高い建物が見えてきた。

威圧感のある高い鉄扉は、入江の要請一つで簡単に開いた。

車が庁舎前に停まると、入江はさっさと降りて庁舎の中に入った。真奈たちも慌てて追う。

職員は入江と懇意らしく、二階中門に無言で上がる入江を呼び止めもしない。庁舎と刑務所を結ぶ中門もフリーパスだ。

職員たちの立ち働く保安管理棟を抜けて受刑者の房へ入ると、いきなり人気《ひとけ》が薄れた。平時で二千人は収容しているはずの刑務所である。

入江の背中を追いながら、真奈はトモヤのことを思い返した。

一体入江はここの何人を『被験体』にしたのか。何人であろうが、入江の中では数値でしかない。そんなことはもう知っている。恐い男だということなどは。

振り向かない背中に真奈は声をかけた。

「秋庭さんを助けるってどういうことですか？」

それで釣ったくせに、入江は一向にその説明をしようとしない。房の扉が並ぶ殺風景な廊下を早足に突っ切っていく。

やがて、ある部屋の前で立ち止まった。

「秋庭のためなら何でもできる？」

振り返って唐突に訊く。

挑まれた。――今さらそんなことをあたしに訊くのか。あの人を賭けられて躊躇する何かがあるかだなんて。

真奈は挑み返すように顎《そ》を反らした。

「――いい度胸。じゃあ、入って」

言いつつ入江がドアを開け、真奈は中に踏み込んだ。入江と野坂夫妻も続けて入る。

室内は暗かったが、すぐに電気が点けられた。蛍光灯が一回瞬き、周囲に白い光が溢《あふ》れる。

――周囲の壁は白く、蛍光灯の明かりにキラキラと光を反射させている。

「分かるね」

入江の問いかけに、真奈は無言で頷いた。白い壁を見た瞬間分かった。

塩害の実験室だ。壁中に白い結晶が貼られた、入った人間を塩化させるための部屋。トモヤが入れられ逃げてきたのと同じ——恐らく都内の各所に同じような施設を作ってあるのだろう。ここだけではとても足りない。

入江が無線機を背負った正を振り返る。

「秋庭に繋《つな》いで。伝令は秋庭に専属で一人くっついてるはずだ。周波数は分かるね」

正はすぐさま背中の無線機を降ろし、操作を始めた。わずかな時間でチューニングは完了し、

「もしもし、秋庭はいるかなあ？」

マイクを受け取った入江は、まるで部屋から電話をかけているような声で呼びかけた。

＊

一度は引退して本国へ回収されていた厚木《あつぎ》基地第一五四戦闘飛行隊《VF154ブラックナイツ》使用機だったＦ14Ａ《トムキャット》が、精密爆撃装備仕様で再配備されたのは数週間前である。

そのＦ14Ａのうち一機を強奪するのが、秋庭率いる突入部隊の第一段階の目標だ。

Ｆ14再配備時、米軍からは非常事態下における同盟国への警戒支援という説明がなされたが、それを額面通りに信じるのは人が好《よ》すぎるというものだろう。

単なる警戒強化だけなら、夜間低高度赤外線航法／目標指示システム《LANTIRN》やレーザー誘導爆弾《GBU》を全機に装備する必要はない。しかも爆弾は千ポンド級のＧＢＵ－24だ。対地攻撃性能を異常に特化した機体を配備して言い訳が警戒強化とは、さすがに無理のある話である。

爆撃実験のフィールドに日本が選ばれたという読みは秋庭と入江で一致した。現時点で米国の塩害対策は結晶が落ちた都市の封鎖《ロックアウト》と結晶周囲への防護壁である。単純な対策だが、塩害研究が滞っていた状況下では最善策としたものだろう。日本ではそれを実施する能力すら初期に失われている。また、塩害の実態を考えるとそれが実際に最善の策でもあった。

しかし、怪しげなものをただ囲っただけでよしとする国ではない。決定的な解決策が欲しいはずだ。米国の塩害研究が入江の推論に近いところまでたどり着いているとすれば、お家芸のパワープレイが採択されるのはある種の必然である。

ただし、他国で予行演習しようとするのは、入江ほど理論が確立されていない証拠だ。爆撃に現役機であり対地攻撃能力にも優れたＦ／Ａ18《ホーネット》ではなく、とっくに引退済みのロートル機《F14A》を使用する辺りも保険だろう。万一失っても惜しくない、というわけだ。

ご丁寧に全機が爆装しているからには相当広範囲への爆撃が予定されているはずだが、その実行がいつになるかは向こうの腹積もり次第だし、実行時に市街や民間人への配慮が為されるかどうかは甚だ疑問だ。すでに人口の半数以上を失ったこの国は、米国にとって使いでのある実験フィールドでしかないだろう。

好き勝手やられる前に鼻面を叩く。そのためにも敢えて厚木からＦ14を奪取する意味はある。

「二尉、Ｆ14の操縦経験は」

尋ねてきた隊員に秋庭は軽く肩をすくめた。Ｆ14は自衛隊に配備されていない。空自の主力戦闘機は現在Ｆ15Ｊ《イーグル》で、秋庭はいわゆるイーグルドライバーである。

「流出品のマニュアルならとりあえずこの数日で丸暗記したけどな」

「乗れるんですか」

重ねて尋ねた隊員の声は、不安げな色に彩られている。

「乗るさ。機種が違うっつっても基本操作が極端に変わるわけじゃないし、ミッション内容も単純だからな。動かないバカでっかい目標に爆弾叩き込むだけなら、機種転換訓練が要るほど大袈裟《おおげさ》な話じゃねェよ」

秋庭の言葉で、周囲に安堵《あんど》したような空気が走る。

実際は機種の差異より問題なのは対地攻撃の習熟度だが、秋庭は敢えてそれは言わなかった。対地攻撃能力を持たない空自配備のＦ15Ｊに乗っていた秋庭は、当然のことだが対地攻撃訓練を受けたことはない。もっとも、レーザー誘導が可能なＧＢＵはミサイルのカテゴリーに含む考え方もあるし、空対空の攻撃感覚がある程度は通用するはずだ。

秋庭は隣にいた隊員に問いかけた。

「突入まで後どれぐらいだ」

「突入は日没予測時間である。部隊は厚木基地を取り囲むように配置され、既に待機に入っている。このご時世だからか、今の日本に脅威となる存在など現れないとすでに侮っているのか、基地の正門には歩哨《ほしょう》がなおざりに立っているだけで、部隊の展開が気取られた気配はない。しかし、相手は世界で一番戦争をし慣れた軍隊だ。不意を衝《つ》けたとしても立ち直りは早いに違いない。

あと一時間ってとこですね。

俺が離陸したら全員撤退。捕縛されたら投降しろ。司令に従っただけだと言い張れ。何日かぶち込まれるかも知れんが、後は入江が何とかするはずだ。

最後にそれだけ命令し、秋庭は首に提げた認識票《ドッグタグ》を一枚ちぎった。それを質問してきた隊員に渡す。ＬＡＮＴＩＲＮ《ランターン》頼りの飛行で結晶を見ない計画だったが、
何かあったら真奈に渡してくれ。

泣きそうな表情で受け取った隊員に、秋庭は笑った。

臆病《おくびょう》な奴は生き残るって言うしな。

周囲の空気が一瞬なごんだ。

そのときである——入江から通信が入ったのは。

『もしもし、秋庭はいるかなあ？』

緊張感を削《そ》ぐ声に秋庭は回されたマイクを引ったくった。送話スイッチを押しながら怒鳴る。

「もうすぐ突入ってときに間抜けた通信入れてくんじゃねえ！　士気が下がる！」

『あのねえ、真奈ちゃん、あの部屋に入ってもらったから』

まったく噛《か》み合わない返事に、反応が一瞬遅れた。

「……何だと?」

『分かるでしょ、あそこだよ』

分かるだけに答える声は低くなった。

「てめえ、こんなときに悪い冗談……」

『あ、嘘だと思う? じゃあ彼女に代わるよ』

入江の声が遠くなり、代わりに——

『……あの、真奈です』

聞き違えるはずのない声が入った。敢えて今日、会わずに出てきた——

秋庭は押し殺した声でゆっくりと尋ねた。

「真奈。今、どこだ」

真奈は秋庭に嘘はつかない。秋庭は真奈の返信を待った。ただならぬ秋庭の様子に、周囲で他の隊員も聞き耳を立てていたが、そんなことを構っている余裕はない。

『府中の刑務所の……白い壁の部屋です。——トモヤさんの話で聞いたみたいな』

「すぐ出ろ! 見るな!」

叫んで応答を待つ。真奈は応《こた》えない。

「せめて目を閉じろ!」

必死の訴えに、返事の声はまた入江に代わっていた。

『いかなる心理的条件下でも、一日で塩化した個体はない。保険はそれくらいかな。ごめんね危なっかしい保障で』

「入江、貴様《うめ》……！」

苦く呻くが向こうの送話が終わるまで発信できない。ワンウェイトーク《無線》のもどかしさが秋庭を苛立《いらだ》たせる。

『作戦をね、成功させて帰っておいで。それで丸く収まるよ』

言うだけなら簡単なことをしれっと言って、入江の声が途絶えた。

黙りこんだ秋庭を慮《おもんぱか》ってか、伝令が低く声を添えた。「送れますが」

秋庭は壊れるほど強く送信スイッチを押した。

「首洗っとけ、てめえ今度こそ殺してやる！」

伝令にマイクを突っ返し、秋庭は渡した認識票を隊員から引ったくった。

「やめだ、辛気くせえ！　生きて帰るぞ！」

＊

「うわー、コワコワ」

入江は首をすくめてマイクを正に返した。

「君たちはもういいよ、出てなさい」

促す入江に野坂が反駁《はんばく》した。

「何故ですか。彼女は疲弊しています。同性の介護者がそばにいたほうがいいと思います」

一瞬、怪訝な顔で野坂を見つめた入江が思い出したように呟いた。——ああ、君ら知らないんだったね。

「あのね、この壁全部、結晶から切り出して張ってあるの」

野坂と正が息を飲んだ。見たら伝染《うつ》るという情報は立川の全隊員に開示されている。

「この部屋に入った人間がどれくらいで塩になるかってね、そういう実験してた部屋なんだよ。君の義侠心《ぎきょうしん》は買うけど、そういうのあんまり頭のいいことじゃないしね」

野坂の顔色は青ざめている。無理もなかった。

「野坂さん、」

真奈は声をかけて微笑んだ。

「あたし、大丈夫ですから。外、出ててください」

野坂は半べそをかくような顔で真奈を見た。

「ね？」

諭した真奈に、野坂が俯《うつむ》く。正がその肩に手をかけた。導くようにそっと力を入れる。

野坂はうなだれたまま、正のエスコートで外に連れ出された。

＊

室内に真奈と入江を残したままドアを閉め、少し離れたところまで廊下を歩いて立ち止まる。

その間、野坂はずっと顔を上げなかった。

俯いたままの野坂の足元に、水滴が散った。

「いて、あげられなかった」

低い声で野坂が呻く。その声は激情を抑えるように震えている。

一緒にいてあげたい。そう思ったのは嘘ではなかった。真奈とは仲良くなっていたし、懸命に秋庭を想う彼女に共感もしていた。

しかし、それ以上に恐ろしかった。あの白い部屋が。

見たら塩になると知らされていて、あの白い部屋に居続けるのは耐えられなかった。

ほんの数分いただけで致死性の猛毒を口に含んだかのような恐怖。毒なら吐き出して何百回でもうがいをする、でも目のうがいはできない。

「あんな恐ろしい部屋に——あたし、あの子一人で残して」

「一人じゃないよ。司令が一緒だ」

取りなす正に野坂は歯向かうように顔を上げた。

「同じことよ！　あたしは見捨てた、それは変わらない！」

切れ長の瞳《ひとみ》からまるで泉が湧くように涙が湧き続ける。正を睨む眼差《まなざ》しは、正の目の中に映る自分を睨んでいる。

「あの子、あたしのこと強くてかっこいいって言ったのよ。それなのにあたし、――あんな塩の固まりごときが恐くて、あんなちっちゃい子、置き去りにして！　自衛官のくせに民間人を危険な場所に見捨てたんだわ！　自分だけがかわいいのよ、全然かっこよくなんかない……！　弱くてヘタレで――最低よ！」

突然、正が野坂を抱きしめた。野坂の声が断ち切られたように止む。

「お前が弱くてヘタレで最低なら俺だってそうだよ。俺だって自衛官のくせに民間人見捨てたんだ。そのうえあの部屋出られてよかったと思ってるし、お前が出てくれてうれしいよ。お前のためなら死ねるけど、できれば二人で無事でいたいもん」

でも、お前、ちがうだろ。正が耳元で囁《ささや》く。

「自分だけかわいい奴は泣かないんだよ。置き去りにしてごめんなんて泣かないんだよ」

野坂が正の胸にすがりついた。――甘やかさないでよ。だが、その声は子供のように泣いている。

「二尉は、帰ってくるわよね？　絶対、帰ってくるわよね？」

真奈をあの部屋から出せるのは秋庭だけだ。秋庭が帰ってこなくては真奈も出てこない。

真奈はそこまで腹を括《くく》っている。

「帰ってくるよ。俺なら絶対帰るもん。俺が帰らないとお前が死ぬならどんなことしても絶対帰るよ」

二尉もきっと同じだ。

そう言って、匡正は妻を再び強く抱きしめた。

＊

野坂夫妻の退室後、真奈は残った入江を意外そうに見つめた。彼が残るとは思わなかった。

入江が気づいて笑う。

「意外？」

真奈はそれには答えず尋ねた。

「今ので、秋庭さんを助けることになるんですか？」

真奈がこの部屋にいるということだけで。

「なるなる」

入江は真奈に向かって大袈裟《おおげさ》に両手を広げてみせた。

「何しろ僕は信用がないからね。秋庭はこれが単なる脅しだなんて楽観できない。できるわけがない。これで奴は死ねなくなった。だって君をここから出しにこなくちゃいけないからね」

「……何か、すごい悪辣《あくらつ》」

真奈は苦笑しながら呟いた。入江は続けた。

「君は重い荷物になるべきだ。置いていける、他人に預けていけるなんて思わせちゃいけない。残して死ねないと重圧を与えてなくちゃね」

秋庭にとって自分にそれだけの意味があるのかどうか、真奈には分からなかった。

けれど、敢えて重い荷物になることで秋庭が死ねないと思ってくれるなら——重くてもいい。秋庭が生きて戻ってくるなら、重たい荷物である自分に初めて感謝しよう。

そして秋庭が戻ってきたら、軽くなるためにまたあがこう。

「ま、秋庭を騙せたようだからもう部屋を出たっていいんだけどね。どうする?」

真奈は静かに首を横に振った。

「もし、あたしがここで部屋を出る人だったら、最初から連れてきてないでしょう?」

入江は満足そうに頷いた。

「僕の意見としてはね、君たちの恋はそれくらい自虐的なほうが美しいよ。しかも互いを想うあまりの自虐であることに僕は美学を見出《みいだ》したんだ」

「入江さんの美学なんか知りません」

精々つんと言い放つと、入江もにこやかに背筋が寒くなるようなことを言った。

「ここで部屋を出るような女だったら敢えて秋庭に返す必要もないかもしれないしね」

何気ない質問はもしかすると自分の命運を試していたかもしれない。初めて会ったとき銃を突きつけられたことをふと思い出した。何を考えているか分からない、何をするか分からない。そんな男だ。暇つぶしの言葉遊びなのか本気なのか真奈には量りかねる。

恐らく秋庭も量れないのだろう。だから秋庭は入江を恐れている。無線で入江とやり取りをしたときの秋庭の声には、真奈が初めて聞く恐怖の色が混じっていた。

真奈の返事が気に食わなかったら秋庭には平気で死体を返したのかもしれない。そんなことさえ思わせる。今日も拳銃《けんじゅう》は持っているだろう。それでも一緒にいることは恐くない。考えてみれば不思議な——おかしな男だった。

入江は話さなくなったので、真奈からも話すことはない。そうなれば思うことは一つだけだ。

真奈は挑むように真っ白な壁を見つめた。

秋庭は必ず戻ってくる。そう信じる。信じることで、もし運命を望むほうへ引き寄せることができるとすれば、
部屋を出ることは秋庭の帰還を疑うことになる。信じているのなら出る必要はない。

それに、もし戻ってこないとすれば——もっと出る必要はないのだ。

秋庭のいない世界なんてもう要らないから。

「入江さんは付き合わなくていいですよ」

ふと気がついてそう言うと、入江は苦笑した。

「まあ、一日くらいは付き合うよ。寝るだけなら無害な部屋だし、君たちを利用した身として一応ね。それに僕、今夜は立川には戻らないほうがいいし」

秋庭が厚木に突入したら、程なく部隊が立川所属であることは割り出され、防衛省や近隣の自衛隊施設から釈明を求める問い合わせが殺到するだろう。いちいち相手をするよりは不在にするほうが手っ取り早いし、その後予定《じ》している筋書きに防衛省を担ぎ出すなら情報の開示はできるだけ引き伸ばしたほうがいい。焦らして踊らすのは相手が人でも組織でも同じだ。

そうした事情を入江は噛み砕いて真奈に話しながら、壁際の寝台まで歩いていって腰掛けた。真奈もそれに倣う。

「昔さあ」

入江が真奈を向かずに口を開いた。

「愛は世界を救うって、ヘドが出そうなキャッチコピーの番組やってたの知ってる？」

これはまた話が明後日《あさって》の方向へ飛んだものである。真奈はおぼろな記憶を引っくり返しつつ心許《こころもと》なく答えた。

「……えーと……ちっちゃいときに何回か見たかも」

「あれがもう、嫌いでねえ」

入江は横顔だけで分かるほど、心底うんざりな表情を作って見せた。

「愛は世界なんか救わないよ。賭けてもいい。愛なんてね、関わった当事者たちしか救わないんだよ。救われるのは当事者たちが取捨選択した結果の対象さ」

入江らしい辛辣《しんらつ》な意見である。

「秋庭が作戦を成功させるとしても、彼は世界なんかを救ったんじゃない。君が先に死ぬのを見たくないってだけの、利己的な自分の感情を救ったんだ。そしてその感情の先に繋《つな》がってる君を救う。秋庭に無事でいてほしいと願う君をね。僕らが救われるのはそのついでさ。君たちの恋は君たちを救う。僕らは君たちの恋に乗っかって余禄《よろく》に与《あずか》るだけさ」

真奈は小さく笑った。

「実はロマンチストですね、入江さん」

「秋庭には内緒だよ」

入江はおどけたように人差し指を立てた内緒の仕草をした。だから入江のことは恐いけれど、嫌いにはなりきれないのだ。

釣られて真奈はまた笑い、笑いながら少しだけ涙がにじんだ。


――あたしたちは、恋だろうか。


その実感はまだ湧かない。彼は一方的に、瞬間的に感情を閃《ひらめ》かせただけで行ってしまった。真奈にそれを実感させる暇《いとま》さえ与えてはくれなかった。

手が届いたことは、等しい温度になった唇は、夢ではなかったかと思えてくる。怯えるように息をした慄《おのの》きさえも。

そんなことで恋が叶ったと知れなんてめちゃくちゃだ。

だからまだ半分だ。半分、真奈の分は恋。

分かれよ！

叫んだ声が耳に蘇《よみがえ》る。――分かってなんかあげない。

ちゃんと分からせてくれるまでは、分かってなんかあげない。どうしてあたしが先にいなくなったらたまらないのか、ちゃんと説明してくれないと分かってなんかあげない。

ちゃんと秋庭の分の半分も恋だと教えてくれなくては。半分ではなくひとつの恋だとどうか分からせて。

真奈は静かに白い壁を見つめた。——あたしはあの人を待つのだから、伝染ろうとするこの白い色になど負けない。胸の前で祈るように両手を組む。

どうか、あの人が無事に戻ってきますように。

世界なんかどうなってもいい。あの人だけが無事だったらそれで——ほかには何も要らない。欲しくない。だからどうか、

あの人をください。

あたしにとってすべての意味を持っているあの人を。

世界で一番身勝手な祈りを呟く。

そうして、待った。——長い時間。

＊

基地内に突入し、障害物を利用しながら散開する。

そこまでの展開は、まるで絵に描いたようだった。

強いて言うなら上手《うま》くいきすぎる。

秋庭は怪訝な顔をしながら反撃してくる敵部隊をバリケードの陰から窺った。跳弾が足元をかすめる。——が、さっきから跳弾以外は飛んできた例《ためし》がない。

「全班に連絡取れ、負傷者の確認だ。程度もな」

秋庭の指示に従い、伝令が無線を飛ばす。秋庭の率いるA班《アルファ》の他に別方向からの陽動が三班ある。

「B班《ブラボー》、現時点で負傷者ゼロ！　C班《チャーリー》二名、D班《デルタ》四名、共に軽傷！」

そういうことか、と秋庭は鋭く舌打ちした。

「全班に命令、狙うな！　外せ！」

突飛な秋庭の指示に銃撃中の隊員がぎょっとして秋庭を振り返る。伝令も理解しがたいのか、無線を飛ばそうとはしない。

秋庭は叱りつけるように怒鳴った。

「いいから送れ！　出来レースだこんなもん！　向こうは外して撃ってんだ！」

突入し、戦闘開始からもう数十分が経つ。一人も深刻な負傷者が出ていないなどあり得ない。あり得ない話は仕組まれている。

仕組んだのは——考えるまでもない。

「——あのクソ馬鹿！　二回殺す！」

部隊の頭越しにもう話がついている。茶番を演じる秋庭たちはいい面の皮だ。

「装甲車回せ！　滑走路に突っ込む！」

「無茶です！」

近くにいた副官が反駁する。秋庭はそれを怒鳴りつけた。

「それが一番早ェんだよ！ いいか、もう話はとっくについてんだ！ 入江がどうやって米軍を詐欺ったか知らねえが、滑走路まで行きゃ暖機済みの機体が鎮座ましましてやがんだよ！」

副官が虚を衝《つ》かれたようにぽかんと口を開けた。

「分かったら回せ！ あのイカレ科学者め、ミッション終えたら奪った機体で立川に強行着陸してやる！ せいぜい苦労して後始末しやがれ！」

秋庭が装甲車で銃弾の中に突っ込んでから十数分、A班伝令が一本の無線を受けた。事前に設定してあった、地上別働隊と駐屯地も含めた全班の共通周波数である。

『猫は巣を飛び出した』！ 繰り返す、『猫は巣を飛び出した』！」

通信内容を報告する伝令の怒号を掻き消すように、大気を轟《とどろ》かせるジェットの音が低空から降った。

全員一斉に見上げた夜空を低視認性《ロービジ》塗装のF14が切り裂くように急上昇する。秋庭機である証拠に、上昇途中で翼が振れた。

凄《すさ》まじいほどの歓声が沸き上がった。

万歳。やった。がんばれ。行け。頼みます。どうか——ありとあらゆる激励の言葉が重なり合い押《お》し潰《つぶ》され、もはや意味をなさない暴力的な声となった。

米軍兵に包囲されても一向にその熱狂的な咆哮《ほうこう》は止まず、米軍兵は彼らが自然に鎮まるまで待たねばならなかった。

信じ難いことに戦闘開始三十分を過ぎても深刻な死傷者を出さないまま、突入部隊は全員が厚木駐留部隊に投降した。

＊

恐ろしいほどの集中で研ぎ澄まされた聴覚が、遥《はる》か彼方《かなた》で空気を貫く音を聞いた。

——遠くから、雷のような音が急速に迫ってくる。

真奈は腰掛けていた寝台から立ち上がった。寝るだけなら無害だという宣言どおり寝ていた入江も起きたが、部屋を飛び出したのは真奈のほうが先だった。

ドアの外で座っていた野坂夫妻が驚いたように腰を浮かす。それには構わず真奈は長い廊下を力いっぱい駆けた。

轟くその音が呼ぶ。導かれるように屋内を走り、庁舎の玄関から表に飛び出すと、外はもう漆黒の星空だった。

大きく仰ぎ見ると、至近距離で落雷し続けているような音が地上を叩きつけ、
激しい風が、

————そして、

頭上を翼端灯が数えられるほどの低さで、翼を三角に畳んだ機体が駆け抜けた。

鋭い風が一瞬で吹き抜ける。

「――秋庭さん!!」

夜の中に、二筋の排気炎が青白く尾を引いた。

「あーあ、怒ってんねえ」

真奈に続いて出てきた入江が呟いた。

「威嚇としか思えないね、あの高度と来たら……しかも機体は海に捨ててこいって言ったのに。こりゃ一発くらいじゃ済まないかな」

「――それくらい」

真奈は笑った。笑いながら、涙がいくらでも溢れてくる。

「それくらい、安いものでしょう? あたしたちの恋に、ただ乗りしたんだから!」

苦笑する入江はそのまま苦笑させておいて、真奈は大きく天を仰いだ。

人工の光が消えた都会で、頭上には驚くほどたくさんの星がぶちまけられている。

これですべて終わったわけではないのは真奈にも分かる。

まだ結晶の攻略が始まったというだけの話だ。東京に続いて各地で、世界で。

その後、一度壊れてしまった世界を誰かが作り直しはじめるのだろう。

それでも、以前のように怠惰でいい加減で便利な世界が戻ってくるのは遥か先のことだろう。

もしかしたら、真奈は将来自分の子供たちに「お母さんが若い頃、東京は一二〇〇万人都市で、テレビもチャンネルがいっぱいあって」なんて話すことになるのかもしれない。

世界のバランスも崩れて色んなことが色んなふうに変わるのだろう。失われてもう取り返しのつかないこともたくさんあるのだろう。

でも、そんなことはもう知らない。

これからどんな世の中がやってくるとしても、
真奈は生きていけるのだ。

だって、秋庭は戻ってきたのだから——

世界がどんなに過酷で辛いものに変わってしまうとしても、秋庭が失われるより苛酷《かこく》で辛いことなんかこの世にないのだから。

「真奈ちゃん。中に入れば」

入江に声をかけられたが、真奈は振り返らずに首を横に振った。もう誰もこの目に映したくない。

彼を見るまでは。

「待ってます。ここで」

彼はきっとすぐに来る。来たらどうしよう——何を言おう。何をしよう。

とびっきりの笑顔で、思い切り大きな声で、

「お帰りなさい」って——

待つ時間は、さっきまでと打って変わって短い。

——そして彼は現れる。

とびっきりの笑顔で、大きな声で、
お帰りなさいって、
しようと思っていたことはできなかった。

気がつくときつく抱きしめられていた。秋庭はそのまま膝を突き、真奈も巻き込まれて膝を折った。

ばかやろう。

息の上がった声が叱るように呟く。

よかったでも大丈夫だったかでも好きだでもない。何てぶっきらぼうで愛想のない——でも。

まるで、愛していると言われたような気がした。

きつく抱きしめられた腕の中で、言いたかったことだけ真奈はかろうじて囁いた。

——お帰りなさい、秋庭さん。

Fin.

塩の街、その後

塩の街 *-debriefing-* 旅のはじまり

＊

世界は突然変わってしまった。

その変わってしまった世界の狭間《はざま》にいるということは、とても得難い機会だ。

聞くところによると、世界の変貌《へんぼう》はもう終息に入っているらしい。

だから僕は、この変わってしまった世界を見てこようと思う。

＊

「うわっ」

ノブォは予期せぬものを道端に見て慌てて目を逸《そ》らした。

隣県へ通じるバイパス道路沿いに、腰くらいの高さの塩の柱がひっそり佇《たたず》んでいる。まるで鍾乳石《しょうにゅうせき》のように。

塩害対策の処理対象に入っている塩柱は、撤去作業を待つまでもなく大抵風雨にさらされて崩壊しているが、たまにこうして残っているものがある。

見るとその柱には、切り崩しの丘に根付いた萩の茂みがひさしのように被《かぶ》さっていた。これが多少なりとも雨風を凌《しの》がせたのだろう。

表面が雨風で削られて丸くなってはいるものの、確かに元は人だったのだと思わせるラインを腰から下に残している。

「やっぱ、あんまり気持ちのいいもんじゃないなー」

結晶の影響する生活圏内に住んでいなかった者はそれほど神経質になることはない。それは分かっているが、やはり影響些少《さしょう》とはいえ塩害の一因と分かっているものをまじまじ見つめるほど酔狂にはなれない。

デジタル処理された映像なら大丈夫という話を思い出し、リュックからデジカメを取り出す。フレームを恐々覗《のぞ》きながら写真を一枚。シャッターを切るや、くるりと柱に背中を向けて写りを確認する。

「……ま、出発早々で資料写真が一枚手に入ったんだからラッキーだよね」

思いがけず塩柱を見てしまった気分の盛り下がりを強がって相殺してみる。根が単純なのでそれで気分の切り替えはうまく行った。

「それにしても……」

ノブオは塩の撒《ま》き散らされたバイパスの縁石に座り込んだ。路面の塩粒くらいは気にしたって仕方がないので気にしない。

「車、来ないなあ」

自宅から十キロほど離れたこのバイパスまで歩いてきてみたものの、車どころか人影ひとつ見かけない。足もそろそろ疲れて痛くなってきた。

塩害の主要因と確定された結晶の処理が全国で始まって数ヶ月が経つが、まだ世の中の人々は家を離れて旅に出るほど気楽にはなれないらしい。――隣県へ出るしか用途のないバイパスにまったく人気がないこともそれを裏付けているのである、まる。

なんて、こんなふうに分析なんかしちゃう僕ってカッコイー。何だか早くもルポライターっぽくない？　と自画自賛してみたり。

ともあれ、バイパスまで出てヒッチハイクでも、という甘い見通しは早くも座礁寸前である。気ままにヒッチハイクで旅なんて洋画みたいでカッコイイと思ったのに。

いつまでも塩なんかに怯《おび》えてることないじゃないか、と八つ当たりのように呟《つぶや》く。もう人口百万以上の都市なら結晶はほとんど撤去されているし、それ以下の都市の撤去作業も着々と進行中だ。塩柱や路面の塩についても然《しか》りである。ノブオの住む街でも先日洗浄車が来て路面に残る塩を洗い流していき、もう塩害の痕跡《こんせき》はこんな市外のバイパスにでも来ないと見つからない。

そもそもノブオの周囲では塩害で死んだ人もいないので、塩害の恐怖もあまりピンと来ない。ノブオの通う中学校で同学年の被害者も数人出たらしいが、それは別のクラスの顔も知らない奴だったし、塩害で学校が休校になってから伝わってきた噂なのでやはり実感はない。

ノブオにとって塩害で初めて直面した問題は、ヒッチハイクがしたいのに車が来ないという今の状況だ。もっとも、塩害で物流が滞っている現状ではガソリンの供給もままならず、現在走っている車は公用車がほとんどだということはノブオの知るところではなかった。

「早くこの辺離れないとなー」

家に置いてきた両親宛ての書き置きは、そろそろ発見されているころだ。休校以来、ノブオは昼まで惰眠を貪《むさぼ》る怠惰な日々を送ってきたが、もうそろそろ母親が部屋に起こしにくる時間である。

勉強机に置いてきた書き置きを見つけて過保護気味の母親は大パニックに陥っているだろう。そのヒステリックな様子まで目に見えるようだ。

ルポライターを志望する身として変わってしまった世界を見たい――なんて言い分が通じるような母親ではない。書き置きを見たが最後、町内中で大騒ぎを巻き起こすに決まっている。

「連れ戻されるのはカンベンだなあ……」

それはいくら何でもカッコ悪すぎる。

ノブオが溜息《ためいき》をついたとき――

国道の彼方《かなた》に、オリーブドラブのジープが見えた。

「しめた！」

上手《うま》いことに方向も県外へ出ていくほうである。

ノブオは車道に飛び出して、『乗せてください』と大書したスケッチブックを振り回した。

停まった車から降りてきたのは、背の高い男だった。

目の鋭さに気圧《けお》されてノブオが口ごもっていると、男は不機嫌そうな顔で口を開いた。

「ヒッチハイクか自殺志願かどっちだ？　ヒッチハイクなら道の端でやるもんだし、自殺なら俺の車に飛び込むのはごめんこうむりたいもんだな」

声も恐い。ノブオはますます怯《ひる》んだが、朝から初めて見かけてしかも停まった車だ。ここで諦《あきら》めるわけにはいかない。

「あ……あの、ヒッチハイクのほうです！　県外出たいんです、乗せてください！」

ほとんどヤケクソで叫ぶように言うと、男はしばらく無言でノブオを見定めるように眺めた。

やがて男が親指で肩越しに車を指す。

ノブオもせいぜいイイ子に見えるようにその場にかしこまった。

「ありがとうございます！」

運転席へ戻る男に続いてノブオもジープに駆け寄った。駆け寄ってから、助手席に同乗者がいるのに気づく。

目の位置に包帯のように白い布を巻きつけた少女だ。助手席の外からしげしげ彼女の横顔を眺めたノブオに、男の怒鳴り声が飛んだ。

「お前は後ろだ、坊主！　さっさと乗らねェと置いてくぞ！」

ノブオはうへっと首をすくめ、後部座席に乗り込んだ。

「中学生くらいの坊主だ。ヒッチハイクだそうだからしばらく乗せる」

男は車を出しながらそう言った。ノブオに言ったのでないのは明白である。

男が話しかけた少女は、後部座席を少し振り向いて軽く会釈した。口元は軽く微笑んでいる。

「こんにちは、真奈《まな》って言います。よろしくね」

声は少し舌足らずでかわいかった。包帯で目が隠れているのが惜しいがきっと顔もかわいい。雰囲気もおとなしやかで大いにノブオの好みだ。

「こ……こんにちは、僕はノブオ」

ノブオも大いに照れながら挨拶《あいさつ》した。彼女の目が見えなくてよかった。もし見えていたら、第一印象がでれっとしただらしない顔になってしまうところだ。

「真奈ちゃんってカワイイ名前だね。目はケガかなんかしたの？」

ノブオが訊《き》くと、運転席から男が答えた。

「真奈は別に目が悪いわけじゃない。最近、短期間に集中して結晶を見ることがあったからな。うっかり未処理の結晶見ないように移動中は目隠ししてるだけだ」

塩害の伝染経路なら先日も町内回覧板で回ってきたところだ。直接的に塩害に関わったことのないノブオにとっては、あまり実感の湧かない注意ではあったが。

しかし――

「おじさんには訊いてないよぉ。僕、真奈ちゃんに訊いたんだから」

「おじさんだぁ!?」

運転席から男がじろりとノブオを視界の端で振り返る。

「ガキャァ、乗せてもらってる分際でいーい度胸だな、てめえ」

と、助手席で真奈が耐えかねたように吹きだした。

「子供にかかったら秋庭《あきば》さんも形無しですねえ」

「うるせえな、どうせ俺はお前らから見りゃおっさんだよ」

秋庭と呼ばれた男はふて腐れたようにまた前を向いた——が、ノブオも一緒にふて腐れた。

子供にかかったら秋庭さんも形無し。

真奈ちゃんだって、ちょっとは年上っぽいけど僕とそれほど変わらないくせに。

「ノブオくん。この人、秋庭さんて言うの。ちゃんと名前で呼んであげてね」

言いつつ真奈がノブオを振り向いて口元で笑う。ふて腐れた気分はいっぺんに吹き飛んだ。

「うん、分かった！　でも、真奈ちゃん目が悪いんじゃなくてよかったね」

首を傾げた真奈にノブオは言った。

「せっかくかわいいのに、目が見えないんじゃかわいそうだもんね」

真奈は困ったように小さく笑って、返事をしなかった。

「短絡なお子だな、かわいくなきゃ気の毒じゃないってか」

前席から揶揄《やゆ》した秋庭に、ノブオはむっとして唇を尖《とが》らせた。

「そういう意味じゃないよ！」

「なら言葉は口に出す前に十秒考えろ。考えなしにモノ喋《しゃべ》ってたらバカに見えるぞ」

何も真奈の前でそんなこと——

おもしろくない、おもしろくない、おもしろくない！

ノブオは後ろから秋庭に向かってべえっと舌を出した。

「ねーねー、秋庭サンたちってどこ行くの？」

後部座席から問いかけるノブオに、秋庭がうるさそうに顔をしかめる。

「とりあえずは関西方面だ。途中、ちょこちょこ寄るとこはあるがな」

「僕、しばらく一緒に行っていい？」

秋庭がバックミラー越しにノブオを睨《にら》む。真奈が気に入ったから、という下心は見抜かれている感じだ。

勝手にしろ、と秋庭は投げやりに言い捨てたので、勝手にすることに勝手に決めた。

「真奈ちゃんて秋庭サンの妹？」

「違う」

答えたのは秋庭だ。

「じゃあ何？」

重ねて尋ねたノブオに、秋庭は肩越しににやっと笑って見せた。

「どう見える」

「……いとこ」

願望で答えたノブオに、秋庭は返事をせずに笑ったままだった。——おもしろくない。

ノブオは後部座席でこっそり唇を尖らせた。

昼前に、秋庭は閉鎖されたガソリンスタンドの前で車を停めた。

「この辺はまだ洗浄が進んでねェな……」

呟いた秋庭が、運転席から片足を降ろして路面の上に靴底を滑らせる。ノブオも見下ろすと、路上には相も変わらず塩が散っている。

「真奈、すまん。外は見せてやれないが休憩だ。しばらく未処理地域を抜け出せそうにない」

はい、と頷《うなず》いた真奈が手探りでシートベルトを外す。かなり手慣れた様子だ。

「坊主、そこの背嚢《はいのう》……じゃねえ、バックパック一つ持って降りろ」

ノブオが後部座席に乱雑に積み上げられた荷物の中から手近なリュックを取って車を降りると、秋庭は自分も車を降りて助手席に回った。

ドアを開け、真奈の腕を取って抱き下ろすように席から下ろす。

——うっわ、何か……

ノブオは思わずその様子をまじまじと見つめた。

何か、お姫様とか扱ってるみたい。

秋庭は自分の左肘《ひだりひじ》に真奈の腕をかけさせ、ゆっくりした歩調でスタンドの事務所に向かって歩きはじめた。

「塩さえなきゃいいとこだな。山が近い。道の向こうは畑と田んぼだ。ほとんどうっちゃられてるけど、何か植わってるとこもある。再開した農家もあるんだろうな」

真奈に聞かせているのだろう、秋庭は周囲の風景を見える片端から説明している。

「わあ……畑かあ。見たかったなあ、何が植えてあるんですか？」

「遠目じゃよく分からんな。菜っ葉か何かに見えるけど、葉野菜は塩害に強くないしな……」

「あ、本来の意味の塩害ですね。じゃあ大根の葉っぱじゃないかなぁ」

後ろから眺めていると単に腕を組んで歩いているカップルか何かのようだ。秋庭に腕を保持されているとはいえ真奈の足取りに迷いや怯えはなく、目を塞《ふさ》がれているようには思えない。よほど長いことこうやっていて慣れているのか。

おもしろくない。

ノブオは後ろから話に割り込んだ。

「ねー、事務所行ってどうすんの？　どうせ鍵《かぎ》閉まってるよ」

「俺が開ける」

事もなげに言った秋庭は、ポケットから出した針金二本でものの五分もかからず事務所の鍵を開けてしまった。

ぽかんとしているノブオの様子を察したように、真奈が言った。

「びっくりした？　秋庭さんね、引き出し多いの」

秋庭はテーブルセットの椅子に真奈を座らせ、室内のブラインドを下ろして回った。

そうか。窓閉めたら真奈ちゃんが目隠し外せるんだ。

そうと察したノブオも駆け回って手伝う。

ブラインドを全て下ろし終わると、秋庭が真奈の包帯を外しはじめた。結び目をきつくしてあるのか、ほどく指先にかなり力が入っているのが分かる。

白い包帯がようやく緩み、ノブオは慌てて真奈の正面に回り込んだ。

閉じられた瞼《まぶた》が包帯の下から現れ、そしてその瞼が開かれる。

「——はじめまして」

真奈がノブオを見上げてにこっと笑った。——地味目のタイプだが、ノブオの好みにぴたりとはまった。だらしなく緩みそうになる表情をノブオは必死で引き締めた。引き締めてやっと普通の笑顔くらいだ。

「坊主、口がなくなったのか？」

秋庭に揶揄されて、ノブオはやっと挨拶を返した。

「はじめまして」

昼食は秋庭が荷物から出した軍用の携行食糧だった。オリーブドラブ色のラミネートパックが一人に一つ。パックの中身はクラッカーと惣菜《そうざい》類、それから粉末のスープである。

真奈が事務所に備え付けてあったプロパンのガスコンロで湯を沸かし、惣菜のパックを軽く温めて付属のスープを作った。

「秋庭サンて自衛隊の人？」

クラッカーをかじりながらノブオが尋ねると、秋庭は「一応今のところはな」と微妙な答えを返した。

「これ、あんまりおいしくないよ。自衛隊の人っていっつもこんなん食べてんの？」

「いつもなわけあるか、非常用だ。それに自衛隊の戦闘糧食はまだ旨《うま》いほうだぞ。米軍の加熱式の奴なんか素人だと臭いだけで食えない奴いるからな」

食べる量が違うのだろう、最初からクラッカーと惣菜を少し秋庭に渡してあった真奈は、先に食べ終わってノブオに話しかけてきた。

「ねえ、ノブオくんはどうしてヒッチハイクしてるの？」

真奈の声にはこんなご時世なのにという気配が見えた。やっぱり少しくらい年上に見えても女の子は女の子だ。恐がりで心配性。クラスの女子と変わりやしない、生意気でないところは大いに違うけど。まったくあの女子どもと来たら休校で会わなくなって清々したというくらいうるさくて、真奈とは比べものにならない。

ノブオは真奈にいいところを見せようと胸を張った。

「僕はね、世界の現状を見とくための旅をしてるんだ」

旅立ったのはつい今朝方――というのは言わないでおく。

「僕、将来はルポライターを目指してるんだ。ライターを志す者としてこの情勢に立ち会ったのはものすごい機会だからね。今のうちに全国回って、いろいろ生の景色を見とくんだ。将来、本を書く役に立つから」

真奈が目を丸くしてノブオを見つめる。

「すごいね、しっかりしてるんだね」

単純な賞賛の声が気持ちいい。ノブオは鼻を高くした。

「がんばっていい本書いてね」

真奈の笑顔に思わず顔が緩む。

やっぱり、読者をがっちり摑《つか》むためには魅力的な異性との出会いもないとね。——真奈ならその資格は充分である。クラスの女子なんかと違ってうるさくなくて優しいし、何と言ってもノブオの好みだ。

「ま、せいぜいお子様の物見遊山にならんようにな」

水を差す秋庭に、ノブオは頰を膨らませた。

「おじさんには若者の情熱は分からないんだよーっだ」

「へいへい、どうせ俺はおじさんですよ、と」

言いつつ秋庭が紙コップのスープを飲み干す。くしゃっと潰《つぶ》して投げたコップは自販機の横のくず入れにきれいにシュートした。

トイレを済ませてからまた出発である。事務所を出る前に秋庭はまた真奈の目に丁寧に包帯を巻いた。

「先行って荷物積んどけ」

言いつつ秋庭がノブオに車のキーを放ると、ノブオは表情を輝かせた。「エンジンかけてもいい？」メカに興味のあるお年頃らしい。秋庭に却下されると少し不満そうだったが、一応は素直に背嚢を持って車へ駆け戻った。

「元気ですねえ、あれくらいの子って」

多分ノブオが走っていったほうへ顔を向け、真奈はくすくす笑った。食事中もくるくる表情が変わって、何を考えているかその都度分かる。

それを相手に少しうるさそうな秋庭も新鮮だった。

「随分『おねえさん』ぶってるじゃないか」

秋庭にからかい口調で言われ、真奈は唇を尖らせた。

「別に、ぶってるわけじゃ……だって、中学生ならあたしのほうが三つか四つは上でしょう？普通にしてるつもりですけど」

言いながら少し不安になった。普通に年下に接するように接したつもりだったがそれが滑稽《こっけい》に見えたのだろうか。秋庭にはどっちもどっちに見えたり――するのだろうか。

「変、でしたか」

何気なく窺《うかが》ってみる。「ん？」と秋庭の声がこちらを向いて、

「――いや。いいおねえさんって感じじゃないか？」

何気なくそう返される。ソツなく真奈が聞きたい返事だ。だが、欲しかった返事の筈《はず》なのに実際もらえると少し違う。

フォロー、されたかな。

窺ってみないと安心できない辺りが気持ちの上でもう負けている。

「でもあの年頃ってのは背伸びしたがるからな。あんまり子供扱いすんなよ」

頷《うなず》くが何だかちょっといたたまれない。ノブオを子供扱いできるほどにはまだ大人じゃないと言われているような気がした。

もう目隠しが済んでいてよかった、今の顔は見られたくなかったから。と小さく負け惜しみのよかった探し。

ノブオと一緒の箱に入れられていないかどうか気にするのも、気にしているのを気づかれるのも、思い描く理想の自分からは少し遠くて悔しかった。

＊

「夜は外で目隠し外してやれそうだぞ」

秋庭が言ったとおり、路面に散らばる塩は徐々に少なくなっていった。

途中で路肩に車を停め、秋庭が地図を広げる。

「二十キロばかり先に『道の駅』があるか……風呂《ふろ》ついてるかな」

入浴施設や仮眠施設がついているかどうかは規模や立地条件による。

「昨日入れたから、なくてもいいですよ」

そう言った真奈に、秋庭は地図を畳んだ。

「ま、行ってみよう。今日はそこで泊まりだ」

それから小一時間走ってたどり着いた『道の駅』はかなり大きな規模のものだった。駐車場も百台以上は停められそうだ。

「真奈ちゃん、包帯外してあげる！　ここ、塩ないから大丈夫だよ」

そう言ったノブオに、真奈が秋庭を窺うような仕草をした。

「大丈夫だ、外してもらえ」

「じゃあ、ノブオくんお願い」

ノブオも大丈夫だと言ったのにどうしてわざわざ秋庭を窺うのか。あまり面白くない気分でノブオはヘッドレストから浮かせた真奈の頭に手を伸ばした。

髪に触れてどきりと心臓が跳ねる。

何て柔らかくてサラサラしてるんだろう。

何の気なしに包帯を外してあげるなんて言ったが、よく考えたら女の子の髪に触れるなんてこれが初めてだ。それに何だか――いい匂い。シャンプーかなリンスかな。

秋庭はどれだけきつく結んだのか、やたらと固い結び目に爪を立ててほどきながらノブオはそっと深く息を吸った。

夕食は食堂の施設を使って三人で作った。水と電気は来ていたが、ガスはあいにく都市ガスで止まっていたので、勝手口の外で火をおこして調理する。

メニューはこうしたときのお約束のカレーだ。

「何かキャンプみたいだね、楽しー！」

「手が止まってんぞ、坊主。手と口いっしょに動かせないなら黙ってやれ」

野菜の皮むきは意外にも秋庭が一番上手かった。真奈は丁寧だが秋庭より少し遅く、ノブオは一人だけ皮むき器だ。

「肉は？」

秋庭の用意したのは野菜ばかりで、肉好きな子供としては物足りない。

「この陽気で生肉なんか持ち歩けるかい。米と日保《ひも》ちのする野菜しか持ってねぇよ。何か狩る時間もないしな。農家にでも立ち寄れたら鶏でも分けてもらえたかもしれんが」

さらっと言われた台詞《せりふ》の最後のほうにぎょっとする。狩るって何だ、鳥とかウサギとか？魚とかも狩りのうちに入るのかな。農家で鶏が分けてもらえたらそれは誰が捌《さば》くんだろう。

その気配を読んだように、秋庭がまたさらりと付け加えた。

「不自由な旅先だ、誰かが代わりに殺して肉にしてくれるのを待ってるわけにはいかねぇよ。配給所に寄れりゃラッキーだけどな」

「……分かってるよ、そんなこと」

ふて腐れたような声で——ノブオは嘘をついた。

ノブオの知っている肉は、以前はスーパー、今は配給所で手に入る、発泡スチロールの皿にパックされた加工済みのきれいな肉だ。血糊《ちのり》さえ残っていない、まるで最初からその形だったみたいなお行儀のいい肉。鶏《とり》モモ、豚バラ、この形になるところを想像したことなんてない。魚の切り身だって。

それが自分以外の誰かの労力の上に乗っかった楽であることなんて、秋庭に今言われるまではまったく気づかなかった。

本当なら、もうそんな楽ができるようなご時世ではないのだ。変わってしまった世界を見る、なんて大口を叩《たた》いておいて、そんなことにも自分一人では気づかない。

ノブオはちらりと真奈を窺った。真奈はノブオと目が合うとまるで今のやり取りが聞こえていなかったかのようににこりと笑った。——気を遣われている。

真奈の前でカッコ悪いのが悔しかった。

元は天然の温泉で客を引いていた『道の駅』らしい。男女ともに立派な大浴場があった。外には露天の檜《ひのき》風呂まで。

汲《く》み上げポンプはつけっ放しで放置されていたらしく、汲み上げたお湯が浴槽になみなみと溢《あふ》れている。あまり浴場が汚れていない様子を見ると、どうやら近所の住人が利用しに来たりもしているらしい。

ポンプを点検した秋庭が燃料の残っていたボイラーを点《つ》け、シャワーも使えることになった。

「全員上がったらボイラー切るから、上がった者はロビーで待機。以上解散！」

言うなり秋庭はさっさと男湯ののれんをくぐった。

続こうとしたノブオを真奈が小さな手招きで呼び止めた。そしてノブオの耳元に口を寄せる。

「あのね、ノブオくん。塩害のことで本書くなら、秋庭さんに話聞いたらいいよ」

「ど、どうして？」

耳元をくすぐる真奈の声に心臓が飛び跳ねる。舞い上がるというのはきっとこういう気分だ。囁《ささや》かれたのが秋庭の名前でなければ最高なのに。

「秋庭さんね、東京で一番に結晶攻撃した人なの。きっと役に立つ話が聞けるよ」

ぽかんとして真奈を見直す。まさかぁ。表情でそう言ってしまう。しかし、真奈は真面目な顔で頷いた。

「それじゃあ、後でね」

真奈に手を振られ、ノブオも釣られて振り返した。

役に立つ話——塩害のドキュメントを書くのに役に立つ話。

ルポライターになりたいというノブオの話を、真奈は真面目に聞いてくれたのだ。

ノブオは嬉《うれ》しさで顔が緩むのを抑え切れなかった。

慌てて入ったつもりが、タオルや着替えを荷物から出したりするのに手間取り、浴場に入ると秋庭はもうシャワーを止めて浴槽に入るところだった。

「あー、僕も僕も！」

　ノブオも慌ててかかり湯をして秋庭の隣に飛び込む。

「静かに入れ、バカ！」

　怒られたのを首をすくめて流し、ノブオはいきなり切り出した。

「ねーねー、秋庭サンて東京で結晶攻撃した人ってホント？」

「……真奈か」

　秋庭が少し顔をしかめる。やっぱり真奈が言ったことは本当らしい。

「やっぱ本当なんだ？」

「言っとくが、公式発表以上のことは話せねェぞ。職務上の守秘義務だ」

　先に釘《くぎ》を刺されてノブオは口を尖らせた。――色々スゴイ秘密の話が聞けると思ったのに。

　しかし、ここで挫《くじ》けていてはルポライターは務まらない。何しろ、真奈がノブオの夢を信じてくれたのだから、こんなことで出端《ではな》を挫かれている場合ではないのだ。

「公式発表の範囲内なら話してくれるんだよね？　それでいいよ、話してよ」

「……七月初旬に陸自立川《たちかわ》駐屯地が匿名筋より機密扱いの塩害研究レポートを入手、その報告を受けた防衛庁臨時幕僚連は研究の信憑《しんぴょう》性が高いと判断し、塩害の原因を暗示性形質伝播《でんぱ》物質であるところの結晶と認定。全国域の結晶破壊作戦を決定し、作戦の第一段階として東京湾の結晶破壊を立川駐屯地に命ずる。立川は米軍厚木《あつぎ》基地の協力を得てこれを実行。――で、俺が厚木から貸与された戦闘機で結晶を破壊、と」

まるで公式文書をそのまま暗記して暗唱したような秋庭の台詞に、ノブオは大いに不満な顔をした。何か口を滑らすかと思ったのにガードが堅い。そのうえ堅苦しい単語が多くて、何が何やら。後で調べたら分かるのだろうけど、ノブオはとりあえず文句を言った。

「難しくってわけがわかんないよ、どういうこと？」

「お子様向けに開いて言うとだ、自衛隊が塩害の原因が結晶と突き止めて、お偉方がそれじゃ攻撃しましょうつって、米軍がうちも協力しましょう飛行機を爆弾つきで貸しましょうつって、貸してもらった飛行機で立川の部隊が爆撃かけましたっつーこと」

「じゃあさ、どうして秋庭サンが選ばれたの？」

「そりゃあ単純にキャリアの問題だろ。俺より飛行時間の長いパイロットは立川にいなかったしな」

「そーんなんじゃドラマになんないよぉ」

「そういうのは書き手が切り口考えるもんじゃないのか」

それは確かに正論である。ドラマになるような——読み手が引き込まれるような切り口って、何だろう？

思想——かな？　自信はなかったが口に出すだけならタダだ。

「秋庭サンは、命令されたときどう思った？　どうして引き受けたの？」

秋庭が軽く片眉《かたまゆ》を上げた。どうやら少しは意表を衝《つ》けたらしい。

「ねえ、どう？　こう、世界を俺が救うんだー！　とかさ、そういう熱い話とか！」

ノブオが食いつくと、秋庭は苦笑した。

「人間、そんなご立派で抽象的なお題目のために命なんか張れねェよ」

「ええ〜……」

けっこう、いい切り口だと思ったのに。がっくりお湯の中に沈んだノブオに、秋庭が続けた。

「俺が知ってる塩害研究者は『あんな塩の固まりに負けるか』って向こうッ気だけで動いてたし、俺は——」

そこで止まった言葉に、ノブオは顔を上げた。

秋庭は湯気の踊る天井に視線を泳がせて、難しい顔をしている。難しい——複雑な？　いや、それも違う。

秋庭はやがて口を開いた。

「単純に好きな女が塩になるのを見たくなかっただけだ。そこにたまたま機会が転がり込んできたから飛び乗った、それだけだ」

釣られたとも言うけどな、と不本意そうに吐き捨てて秋庭が再び口を閉ざす。

あまりにも秋庭のキャラにそぐわない談話に、ノブオの反応は大幅に遅れた。

「……ええ——！　何何何それ！　何なの、そのちょっとイイ話は！　もっと詳しく聞かせてよ！」

「やかましい、二度は言わん！」

秋庭が怒鳴って冷たく横を向く。でもそんな素振りをしたってダメだ。

「なーんだ、難しい顔してんなーと思ったら照れてただけじゃん」

はやすように秋庭にお湯を散らすと、秋庭からは手加減のないげんこつが返ってきた。でも、それくらい取材料だと思えば安い。

「そっかー、結晶を攻撃したパイロットを動かしたのは愛！　愛は世界を救う！　感動狙えるね、これ！」

「そのふざけたフレーズ使ったら目鼻抜くぞ、ガキ！」

もう一回ノブオにげんこつを見舞い、秋庭が浴槽から上がった。

「さっさと上がれよ。ボイラーの操作を手伝わせてやるから、湯冷めしないように髪はきちんと拭《ふ》いてこい」

「手伝わせるくせに『やる』ってなんだよぉ。手伝ってくれの間違いでしょー」

むくれたノブオに、秋庭は苦笑混じりの声で「ガキ」と返しただけだった。

ノブオを置いて風呂を出た秋庭がロビーに向かうと、ちょうど真奈も出てきたところだった。

「早いな」

「秋庭さん、お風呂早いんだもん。合わせるの慣れちゃった」

自衛官の早風呂は芸のうちである。

真奈はソファに腰を下ろして無人の売店を見やった。秋庭もそばの柱にもたれて同じほうを見る。暗いカウンターは埃《ほこり》っぽく、天井には蜘蛛《くも》の巣が張っている。

「昔ね、家族でこういう温泉行ったら必ずフルーツ牛乳飲んでたんです。お母さんはコーヒー牛乳でお父さんは牛乳だったんだけど、お父さんってばあたしとお母さんは邪道だっていつも詰《なじ》るの」

真奈は最近、こんなふうに家族の話を何気なくするようになった。話すときがふとよぎったときなのだろう。別に無理をしているようではなく、ただ懐かしむように。

「あーそりゃ邪道だ、風呂上りに甘ったるい牛乳なんか気持ち悪くて飲めるか」

「おいしいんですよー。あ、でも秋庭さんならうちのお父さんと話合ったかも」

「牛乳で合ってどうするんだよ。やっぱり瓶が王道ですね、いやいやテトラも捨て難いとか？　わけ分かんねえし、それ」

想像したのか、吹き出した真奈が苦しそうに引き笑う。

笑いすぎて――多分笑いすぎということにしておく――ちょっと涙がにじんだ目元を、真奈が指先で拭《ぬぐ》いながら呟いた。

「――会わせたかったなぁ」

それが決してあり得ない仮定であることにはお互い触れない。真奈の両親が塩害に遭わずに済んだ世界では、真奈と秋庭は出会っていない。

半身を切り取られるような、大事なものを失ったことが前提の出会い。秋庭とて何も失わずに真奈と出会ったわけではない。

不幸の上に依《よ》って立つ出会いは、手離しで喜ぶには多少後ろめたくて多少しょっぱい。

「会ってたら俺が殺されてるな。つか、俺が親でも殺すな。出て行けとか言って灰皿が飛んでくるぞ、多分」

「そんなこと」

「ないか？　よく考えろ、ほんっとうにないか？」

「ない……こともないかもしれない、……かも」

考え込んでしまった真奈が、思いついたように顔を上げた。

「大丈夫ですよ、うち重たい灰皿なかったし！　お父さん、そんなに吸わなかったから小さいのばっかりで、だから致命傷は」

「ちょっと待て！　命中するのは前提か！」

意外といい性格をしているのだ、この娘は。

「――まあいいよ。十も年下のガキ誑《たぶら》かしたんだ、親父の気が済むまで殴られてやる」

「すみません」

建前は謝りながら真奈が嬉《うれ》しそうに頬を上気させて笑う。こんな他愛のないもしもごっこで喜ぶなんて何てお手軽で――何て、

「真奈。ちょっと上見てみ」

「え？」

真奈が釣られて顔を上げた。

ノブオが風呂を上がってロビーに行くと、もう真奈も上がっていた。並んだソファに腰掛け、そばに立った秋庭と話をしている。

真奈の肩が揺れているので笑っているのだと分かる。秋庭の表情も柔らかくて、随分和やかな雰囲気だった。

——いっつもああいう顔してたら恐くないのにな、秋庭サンも。

そんなことを考えながら、ふといたずら心が湧いた。二人の後ろから脅かしてやれ、と壁際にぴたりと寄り添って身を隠す。

キャーッとかカワイイ声上げるんだろうな、秋庭サンのびびった顔もおもしろいぞ。そんなことを考えながら様子を窺う。秋庭がこちらを向いていると不意を衝けない。

ああ、なかなか隙がないなぁ。

と、ノブオが見ている前で——

秋庭が軽く腰を折って屈んだ。そのまま真奈に顔を重ねる。

秋庭の顔がまた離れるまで見て、やっと覗き見していることに気づく。

胸が重く一回打った。ノブオは壁に隠れたままでリュックをきつく抱き締めた。

妹？　——違う。どう見える？

好きな女が塩になるのを見たくなかった——真奈に塩を見せないための執拗《しつよう》なまでの気遣い、ガソリンスタンドの事務所までたった数十メートル歩かせるだけでも目隠しを外させない完璧《かんぺき》なエスコート。

「……何だよ」

恋人同士になんて見えないよ。ノブオは小さな声でまた嘘をついた。

「何だ、もう上がってたのか」

突然、秋庭が廊下の角から顔を覗かせて鉢合わせしそうになった。ノブオの様子を見に男湯へ戻るところだったらしい。

「荷物、真奈に預けてこい。ボイラー室行くぞ」

言いつつ秋庭が親指で肩越しにロビーを指差した。——知ってるよ、ロビーに真奈ちゃんがいることぐらい。ノブオは秋庭にべえっと舌を出してロビーに走った。秋庭は怪訝《けげん》な顔をしている。ざまあ見ろだ。

「真奈ちゃん、荷物預かって」

駆け寄ると、真奈は笑顔でノブオを振り向いた。頬が上気しているのは湯上りのせいか秋庭とキスしたせいか——やっかみが見方を斜めにする。

「ボイラー消しに行くんでしょ？　湯冷めしないでね」

話す言葉の形に動く真奈の唇をノブオはじっと見つめた。淡い桜の色の、柔らかそうな——たった数十秒前に秋庭と重なった唇。

その跡を消すように唇を重ねたいという衝動が沸き上がった。もちろん実行に移す度胸などないが。

ノブオは無言で真奈に荷物を押しつけ、秋庭のほうへ駆け戻った。

＊

翌朝、乗り込んだ車の運転席で秋庭が地図を広げた。

「午前中に結晶跡一ヶ所確認していくぞ」

「この辺にもあるんですか？」

応じた真奈の目にはもう包帯が巻かれている。ノブオがやると言っても秋庭が決して任せず、自分の手でしっかりと巻きつけた包帯。

「リストに上がってる。高台に小さめのが一個落ちたらしい。多分、名古屋かどっかに落ちたのが途中で欠け落ちたんだろ」

「何でわざわざ結晶なんか見に行くの？　真奈ちゃんがいるのに」

ノブオが非難がましく言うと、秋庭が地図に目を落としたままで軽く肩をすくめた。

「しゃあねえ、これも仕事だ。人使いの荒いクソ上司がいるからな。赴任先までの道中で結晶の処理状況確認してこいって命令だ」

「仕事のほうが大事なんだ？」

「なーに言ってんだ、ガキ」

秋庭は取り合わずにエンジンをかけ、車を出した。ノブオはしつこく食い下がった。

「真奈ちゃんより仕事のほうが大事なんだ？」

秋庭よりも真奈のほうが困っている気配がした。秋庭はうるさそうな表情をしただけだ。

「何か絡んでるつもりか？　機嫌が悪いならフテ寝でもしてろ」

その突き放した声は、答える必要を認めないとはっきり宣言している。ノブオはふて腐れてシートに倒れ込んだ。

そっちがそういう気なら——こっちにだって、考えがある。

しばらく車で走ると市街地に入った。団地が立ち並んでいる高台の木々の間に、微《かす》かに陽光を反射する白い固まりが見え隠れしている。

秋庭は細い路地が入り組んだ坂を見当だけで上った。一度も行き止まりに入り込まなかったから、相当道を読み慣れているのだろう。

頂上の手前の路肩で秋庭は車を停めた。

「写真撮ってくるから二人とも車で待ってろ。すぐ戻る」

ダッシュボードから小型のデジタルカメラを取り出し、秋庭が車を降りた。ドアを閉めようとして、真奈に向かって言う。

「目隠し、絶対取るなよ」

「はい」

よし、いい子だ。秋庭がそんなふうに笑ったのが分かっているように、真奈も小さく笑って手を振る。

何気ないそんなやり取りもナナメに見たら不愉快の種だ。そんなこと言うくらいなら最初っから連れてこなければいい、こんなとこ。危ないところにわざと連れてきて心配する真似だけして、そんな上っ面の心配で嬉しそうにしている真奈も真奈だ。

ノブオは坂を上っていく秋庭の後ろ姿を食い入るように見つめた。やがて坂の向こうに秋庭の姿が見えなくなる。

今だ。

ノブオはドアを開けて車を飛び降りた。そして助手席のドアを大きく開ける。

「真奈ちゃん、来て」

「え？」

「話があるんだ、こっち！」

戸惑っている真奈の腕を掴んで強引に車から引きずり出そうとするが、シートベルトが邪魔をした。それがまた真奈の降りないという意志を示しているようで腹が立ち、勝手に外す。

「え、ちょっと、ノブオくん！」

真奈が咎《とが》めるように声を上げるが、ノブオは無視した。力だけなら真奈には負けない。来年は学校が再開していればもう中三だ。背丈だって真奈と大して変わらない。力任せに引っ張ると、結局真奈は抗《あらが》いきれずに足を踏み出した。

坂を下って、一番手前の角を曲がる。真奈は腕を掴まれて恐る恐るついてくるが、腰が完全に引けていて歩調は極端に遅い。ノブオは急き《せ》立てるようにまた引っ張った。

真奈の足がぐらりとよろける。

「ノブオくん、お願い、戻って!」

「いやだ!」

ノブオは聞かずに歩き続けた。秋庭が戻るまでに少しでも遠くに。秋庭に見つからずに二人で話せる時間を少しでも長く。好きだと言って分かってもらう、秋庭より好きだと。自分なら秋庭より大事にすると。分かってもらうには時間がかかる。

しかし、歩調の遅い真奈が重い荷物のように進むのを妨げる。

どうして。いつもいつもあんなにさっさと歩いていたくせに。歩けるくせにわざとこんな。

ノブオは苛《いら》ついて更に真奈の腕を引っ張った。

と、突然真奈がものすごく重くなった。振り向くと、真奈は路上にぺたりと座り込んでいた。もうこれ以上は歩かない、そう宣言しているように。

「真奈ちゃん、何で?」

咎めると真奈はノブオのほうへ顔を上げた。口元が泣き出す寸前のように歪《ゆが》んでいる。

「ごめん、もうダメ」

真奈は言うなり俯《うつむ》いた。ノブオが引っ張る腕に全身で抗う。

「もうダメ、怖い!　歩けないよ!」

「どうして!?　秋庭さんとだったら普通に歩いてたじゃないか!　ホントは歩けるくせに!」

「秋庭さんだからだよ!」

　真奈が叫んだ声に打たれたように、ノブオは立《た》ち竦《すく》んだ。

「あたしあんなふうに歩けるの秋庭さんだけなの、他の人じゃだめなの！」

　秋庭とならら歩けてノブオとは歩けない。そう言われた事実に頭が沸騰した。

「何で⁉　何で秋庭さんなんかがいいの⁉　真奈ちゃんがいるのに結晶わざわざ見に行ったりするんだよ！」

「だってそれは仕事だから」

「仕事のほうが大事ってことじゃん！　真奈ちゃんが間違って結晶見たらどうするんだよ！　真奈ちゃんのこと全然考えてないじゃないか！」

　目元が隠れているのにそれでも分かるほど真奈は悲しそうな顔をした。

「それはノブオくんが決めることじゃないでしょう？――あたしが秋庭さんとだったらどこに行っても絶対大丈夫だって思ってるんだから、それで充分でしょう？」

「どうして秋庭さんじゃないとだめなんだよ！」

　ノブオは怒鳴った。

「僕だって真奈ちゃんのこと好きなのに！」

　真奈の声が止まった。ものすごく困った気配がした。それが更にノブオを苛立たせる。

「僕ならいつだって真奈ちゃんを優先するのに！　僕じゃ真奈ちゃんの彼氏になれないの？　今からじゃもう追い抜けないの？　秋庭さんと先に会っちゃったから？　僕が年下でまだ真奈ちゃんと会ったばかりだから？」

僕だって秋庭さんみたいなキスできるよ。そう呟いたノブオが真奈の頬に手を添えると、真奈の声は恐いほど固くなった。

「――それ以上したら、ホントに嫌いになるよ」

びくっとノブオが手を引くと、怯えたノブオの顔が見えたように真奈はほんの少しだけ表情を和らげた。

「ごめんね。後とか先とか、関係ないの。年が上とか下とかも。あたしが秋庭さんとしかキスしたくないの。それだけなの」

秋庭さんが好きなの。

揺るぎない気持ちで拒否されてノブオはがくりとうなだれた。年齢も、時間の短さも言い訳にしなかった。

真奈は、秋庭じゃないからだめだと言った。

そのとき、恐いような声が真奈の名前を呼んだ。真奈が表情を明るくして声のかかった後ろを振り返る。ノブオも上目遣いで窺った。

角の先に秋庭が立っていて、その肩が全力疾走の後のように上下していた。振り向いた真奈を見て険しかった表情がわずかに緩んだ。

駆け寄るかと思ったが、秋庭は大股《おおまた》に歩いてきた。そして真奈の前に膝《ひざ》を突く。

「――大丈夫か」

たった一言にこんなに気持ちが乗るということをノブオは初めて知った。それに比べて真奈を責め立てたノブオの言葉ときたら――ただぶつけるだけで何て空虚な。

「大丈夫です、何も見てません。――歩くの怖くてへたり込んじゃっただけ」

真奈の敢《あ》えて明るくした声は多分ノブオを庇《かば》ったのだろう。秋庭はその声を聞いてようやく息を吐いた。その息が深い。

真奈の額に秋庭は自分の額を軽く合わせた。そこに真奈がいるのを確かめるように。

「よし、戻るぞ」

頷いた真奈が秋庭の助けを待たず立ち上がろうとし、ノブオはせめてそれを手助けしようと膝立ちになって真奈の腕に手をかけた。

途端、

「お前が触るな！」

秋庭がノブオの手を真横に払いのけた。ノブオは呆然《ぼうぜん》として払われた手を胸元に引き寄せた。それは容赦のない、そして大人気ないほどの勢いだった。

まるで横っ面をいきなり殴られたかのような。

再びへたり込んだノブオには目もくれず、秋庭が真奈を軽々と抱き上げる。お姫様抱っこだ。かっこいいけどノブオにはできない、腕を無理に引っ張ることはできても。真奈がついてきてくれなかったら、引っ張りすぎて肩を抜くだけ。まるで人形の腕を抜くように。

さっさと歩き出した秋庭はノブオのほうを振り向きもしない。どうやら子供だからと許してもらえる一線を越えたらしい。

かける言葉もなく、動き出す契機もなく、へたり込んだままのノブオを秋庭が途中で肩越しに振り向いた。じろりと恐い一瞥《いちべつ》。

「甘ったれんな、お前は自分でついてこい」

ようやくもらえた契機に、ノブオはのろのろと立ち上がって秋庭の後を追った。

真奈を抱いて歩いているのに、秋庭の足取りは手ぶらであるかのように早い。

その足取りが、真奈をエスコートして歩いているときはとてもゆっくりだったのを思い出す。わずかな段差や引っかかり、小石の一つ一つまで避けた歩みだったのだとようやく気づく。

ぐいぐい腕を引っ張るだけでは敵《かな》うわけがなかった。


秋庭は真奈を助手席に乗せてから、ノブオのほうに歩いてきた。

まっすぐ睨まれてノブオは俯いた。本気で睨まれるとこれほど恐い人なのだとやっと分かる。相手がどんな人なのか推し量る力もないほど子供な自分を思い知る。

「……殴らないの」

ノブオが訊くと、秋庭は突き放したような声で言った。

「殴られたいなら殴る価値があると思わせてほしいもんだな」

殴る価値もない。秋庭にそう切り捨てられたことは、自分でも意外なほどノブオの胸に深く刺さった。

殴られたほうがまだマシだった。

「自分の都合で振り回したいだけなら生身の女なんか好きになる必要はねェだろ。それが真奈である必要はもっとない」

かわいいし好みだし。本を書くときドラマチックで格好がつくし。ノブオはたったそれだけだ。

かわいくて優しくて、手が届きそうな女の子がもう誰かのものだったことが悔しかっただけだ。見ている前でキスされて横取りしたくなっただけだ。

自分の都合だけ。振り回したいだけ。目を塞がれて歩く真奈がどれだけ恐い思いをしているかさえ分からない。

こんなのは好きなんて言えない。さっきのこの二人を見た後では。

好きというのは相手を大事にしたいということなのだ。

「――ごめんなさい」

他に言葉など何も出てこない。秋庭をまっすぐ見ることもできない。地面に落ちた秋庭の影を見るのがやっとだ。

と、いきなり脳天にげんこつが降った。容赦のない勢いで目から火花が散る。ノブオは頭を両腕で抱え込んだ。

「こんぐらいにはしといてやる」

ノブオは秋庭を見上げてへらっと笑った。泣くのと笑うの、中間のような情けない笑顔だが精一杯だ。

ちょっとはマシだと言ってもらえたような気がした。

——本当は、塩を見るのがそれほど危ないのかというと真奈の場合は微妙なところらしい。塩害の研究者からは、そう神経質になるほどのことはないと言われているそうだ。真奈に塩を見ないことを強いているのは、むしろ秋庭の意向によるものらしい。

俺が恐いからだ、と秋庭は率直に言った。

俺が恐いから見ないでくれ。そう言った秋庭に、真奈は笑って頷いたという。

期限などない。日本中から塩が除去されるまで知らない場所へ行くときはずっと目を閉じていろという横暴な要求だ。しかも実効がどこまであるかも怪しくて、もしかしたらそんなことをする必要などまったくないかもしれない無駄な要求。

多分、それは「わがまま」と言う。

それを一切反駁《はんばく》せずに、当たり前の提案をされたように笑って受け入れるのは、まるでそれが全然わがままなことじゃないかのように受け入れるのは、本当なら一体どれほど難しいのだろう。

だから秋庭は、目を閉じさせていることで真奈に不自由な思いは一切させないのだ。見るなという一番理不尽な不自由を最初にさせているから、それ以外では何も不自由させない。恐い思いを何もさせない。秋庭がそのために自分の力のすべてを使っていることは、出会ってから今までのわずかな時間で充分に分かった。

真奈もそういう秋庭だから、無茶な要求を笑って飲んだのだろう。

だから恨むぞ、と真奈に聞こえないところで秋庭に言われた。

こんなところで恐がらす予定はなかったんだからな。

返す言葉は一つもなくて、ノブオは決まり悪く頭を掻《か》いた。こんな二人に割り込もうなんて、我ながら無謀なことだった。

＊

それからもう一日、ノブオは二人の旅に乗っかった。

知り合ってから四日目の朝、コンビニに入り込んで泊まった日の翌日——朝食が済んでからノブオは切り出した。

「今日から一人で行く」

秋庭は頷いただけだった。真奈は少し心配そうに大丈夫？　と訊いた。

ノブオは笑って答えた。

「大丈夫。ボイラーとか電気の配線もちょっとは覚えたし」

秋庭は教えてやるなんて一度も言わなかったが。

一人であちこち旅をするなら、覚えておいたほうが役に立つこと。そんな分かりやすい示唆などくれずに、強制的に手伝わせてヘマをやったら小突かれるだけ。

気づかない奴にわざわざ気づかせる必要などないと思っているのだろう。だから全部を説明されないと気が済まない奴には秋庭は分かりにくい。最後までそんな奴じゃなくてけど、全部説明されないと気が済まないようじゃカッコ悪い。最後までそんな奴じゃなくてよかった。


「僕ねえ、真奈ちゃんが秋庭さん好きなわけ、分かったよ」

ノブオがにっと笑ってそう言うと、真奈の顔が真っ赤になった。

「やだ、もう、どうして今そういうこと言うの⁉」

「照れることないじゃん、真奈ちゃんカッワイー」

「やだもう、意地悪！」

真奈がノブオの肩をばしばし叩く。

初めて、真奈に手が届いたような気がした。年そんなに変わらないじゃんと精一杯背伸びをして肩を摑むのではなく、自然体で。

普通にこうして話せるほうが楽しい、自分の勝手で振り回すより。それが恋にならないのはちょっと惜しいが、それはもう仕方がない。

「真奈ちゃんのおかげでいい取材ができたから、いいこと教えてあげる」

ノブオと真奈の騒ぎには知らん顔でコーヒーを飲んでいる秋庭の様子をちらっと窺う。

そんなふうにカッコつけてられるのも今のうちだ。

「秋庭さんねえ、好きな人のためだけに作戦引き受けたんだって。世界とか人類とかどうでもよかったんだってさ。真奈ちゃん以外はね」

秋庭が思いっきりコーヒーを吹いた。爆弾は狙いどおりに爆発したらしい。

「ガキ、てめえ!」

中身のなくなってしまったアルミのカップを投げつけられ、ノブオはひょいと首をすくめて避けた。カランと床にカップが滑る。

「電源落としてきまーす!」

後ろは見ずに、ノブオは配電盤のある事務室に逃げ込んだ。


車に乗り込む二人をノブオは歩道で見守った。乗り込んだ秋庭が窓からノブオに小さな冊子を放ってよこす。

「何?」

「全国の配給所のガイドマップだ。どこでももらえるだろうが一応持ってけ」

「ありがと、助かる!」

受け取ったノブオは、思いついて運転席側に回り込んだ。

「あのねえ、秋庭さん」

窓から首を突っ込むようにして、ノブオは秋庭に耳打ちした。

「僕もそのうち彼女作るからね。真奈ちゃんよりかわいくていい子見つけて、すっごい大恋愛して、秋庭さんに勝っちゃうからね」

言われた秋庭は、ノブオを挑発するように笑った。

「Go ahead, Make my day《やれるもんならやってみろ》」

「ちょっと、今何て言ったの⁉　絶対いま何か、無理とか何とかバカにしたニュアンスだったよね！」

「自分で調べろ。家出中でも勉強は怠るなよ、親不孝してんだから」

いきなり家出と言われて、ノブオは思わず声を飲んだ。

「このご時世にガキの一人旅を許可する親なんざいるもんかい。捜索願いも出てるだろうから、せいぜい目立たないようにするんだな」

「──気がついてたの」

秋庭の憎まれ口に、ノブオは食い下がった。

「どうして警察に連れてかなかったの」

「俺にもガキの頃はあったし、ガキの行動原理を覚えてるくらいにはまだ若いんだ、おっさんでもな」

おじさん呼ばわりを根に持っているらしい。ノブオは思わず吹き出した。

「ごめん、おじさんとか言っちゃって。でも、おじさんでも秋庭さんは真奈ちゃんとお似合いだから大丈夫だよ」

「一言余計だ」

最後のげんこつが頭に降った。

秋庭が車のエンジンをかけたとき、真奈が大声でノブオに話しかけた。

「ノブオくん、名前！　名前、ちゃんと聞かせて！」

首を傾げたノブオに真奈が笑う。もう目隠しをしているから瞳《ひとみ》は見えないけれど、それでもちょっとたまらなくなっちゃうような笑顔だ。

「本書くときの名前。聞いとかないと将来、本探せないから」

ノブオはきゅうっと胸が締まるのを感じた。ホントに——ちょっとたまらない。こんな最後のギリギリまで、ノブオの夢を真剣に受け止めていると信じさせてくれるなんて。

その将来が来ることを、ノブオが本を出すことを、真奈は微塵《みじん》も疑っていないのだ。

あーあ。何でもう人のものなのかな。小さな恨み言が胸を走る。

「高橋《たかはし》ノブオ。高い橋に、ノブオはカタカナだよ」

本当は、すごくかっこいいペンネームとか考えるつもりだったけど——真奈が探せなくなるといけないから、本名で書こう。そう決めた。

「きっと、ものすごく時間かかるけど、いつか絶対出すから。待っててくれる？」

真奈は笑って頷いた。

「名前、覚えてるから。急がなくて大丈夫だよ」

——走り出した車を、ノブオは手を振って見送った。遠ざかる車が道の果てに消えたとき、初めて涙がにじんだ。

白状すると、ライター志望なんだよねと言うのがかっこよくて夢にしていたところがある。だって言ったらすごいねって言われるし。ちょっと社会派っぽくてかっこいいし。

でも、そういう上っ面だけの気分とは訣別《けつべつ》できた気がした。

真奈があれだけちゃんと信じて待っていてくれるのだから、遊び半分ではやれない。

秋庭だってノブオに塩害の話を真面目にしてくれて、いろんなことを教えてくれた。それは旅の片手間の暇つぶしでは決してない。

あの二人はノブオに気づかせていったのだ。幸いにも塩害でだれも失わず、だからこそこの巨大な異変を何かのイベントのように無責任に楽しんでいたノブオ自身を。

バイパス沿いに見つけた萩のひさしがかかった塩の柱に何も思いを馳《は》せず、単に不吉なものを見たように目を背けただけだった。資料写真が撮れてラッキーだなんて嘯《うそぶ》いて、あの塩の柱にどんな思いが残っていたのか考えもしなかった。

ノブオにとっての塩の柱は、不吉な気配をまとった単なる『物』でしかなかったのだ。

気づいてみると、それは本当にひどい自分でへこむ。気取っていた客観性は質の悪い野次馬根性でしかない。他人の不幸を覗き見ておもしろがるような、そんな自分を人から知らされるなんて。せめて自分で気づけたらよかったのに。

それでも、秋庭の言い方に倣えば——気づかせる価値があると思われたことは幸運だった。気づけば自分で正せる奴だと思われたことは誇らしい。

これからは、きちんと見よう。自分の目で見た塩害を書こう。旅に出て一番初めにあの二人に会ったのは、多分運命だから。

書き出しは絶対こう。

世界が終わる瞬間まで、人々は恋をしていた。


きっと、最後の瞬間まで恋をしていた人たちはいっぱいいる。

そのうちの一つの恋が、世界を救ったのだ。世界を救うなんて大上段な使命感ではなく。

ただ好きな人を守りたい、という願いがきっと一番強いのだ。きっと世界を守りたいなんて思って世界を守る人はいない。

好きな人がこの世界にいるからだ。

好きな人を守りたくて、守り切ったらついでに世界も救っていた。きっとそんなものだったのだ、この世界が救われたのは。

ああ、いっこだけ、訊き忘れたな——ノブオは二人の去ったほうに顔を上げた。


真奈ちゃん。秋庭さん。あなたたちはどんな恋をしましたか？


でも、こんなことは訊くまでもないかもしれない。

だってあの二人の恋なら幸せに決まっているんだから。

＊

「ああ、うるさいガキだった」

清々したように言い放つ秋庭に、真奈は笑った。

「またそんなこと言って。素直じゃないんだから秋庭さんは」

秋庭はむっつり黙り込んだ。こういう気配になるときは図星を衝かれたときだ。面白いのでもうちょっとつついてみる。

「ホントはちょっと気に入ってたでしょう」

これも絶対図星のはずだが、秋庭はふて腐れた気配で返事をしない。

流されたかな、と思って黙っていたが、しばらくしてから秋庭が口を開いた。

「けど、本気で腹も立ててたぞ」

「……ええと、それは」

ノブオの跳ねっ返りぶりをフォローする言葉を探す。

「あの、たぶん、本気じゃなかったんですよ。ほら、男の子って年上のおねえさんに憧《あこが》れたりとかってあるじゃないですか。でもそういうのはただの錯覚だから」

「あれが本気に見えなかったんならお前に男を語る資格はない。つーか、お前が男語るなんざ十年早いわ」

「じゅ……じゅうねんはちょっと言い過ぎじゃないかなあ、それはちょっとひどすぎじゃないかなあ」

控えめに、しかしけっこう強く抗議を申し入れると、秋庭はおもしろくもなさそうに言った。

「錯覚でも大マジなんだよ、あの年頃ってのはな。恋に恋するお年頃ってのは一番恐いんだ」

――何か、地雷踏んだかな？

真奈は秋庭の様子を窺った。顔が見えないと分かりづらいが、怒っているともむくれているともつかない複雑微妙な雰囲気だ。

と、秋庭がいきなり大声で吐き出した。

「腹立ったし焦ったしむかついた！　最近のガキャァ色気づくのは早いからな！」

「……腹立ったとむかついたは重複してると思いますけど」

「正しい日本語なんざどうでもいい！」

秋庭は真奈の添削を切り捨てて、また黙り込む。

真奈はしばらく考え込んで、それからそっと窺った。

「……ごめんなさい、もしかしてけっこう心配かけました？」

「したなぁ、それはもうめちゃくちゃしたなぁ。どこぞの誰かさんはガキのフォローはしても俺のフォローはしねェしなぁ」

もしかして、これは拗《す》ねてる？

日頃の秋庭とどうしても繋《つな》がらない言動を悩みながら読み解いていると、秋庭が呟いた。

「まぁ俺も油断はしたけどな。あの年頃のガキの瞬発力と短絡ぶりとバカっぷりを舐《な》めすぎた、それは認める。……だけどだ！」

言うなり秋庭が急に車を停めた。シートベルトにテンションこそかからなかったが、かなり唐突な停まり方だ。

驚いて秋庭のほうを振り向くと、秋庭はすごい勢いでまくし立てた。声の位置と大きさで、こちらに身を乗り出しているのは分かる。

「どっからどう見てもてめェに気があるガキを調子に乗せんな！　相手がガキだからって気ィ抜くな！　十《と》年上の男誑かせるんだから、それ以下なんか一ひねりだって自覚しろ！　ひねる手前で止めとけバカ！」

「……ええと、あたしは秋庭さんを誑かしたことになるんですか」

「あー、誑かした誑かされた！　本来こんな乳臭い小娘は俺の対象外なんだ、完ッ全にゾトン外の男撃墜しといて自覚なさすぎだ、この魔性の女が！」

「魔っ……!?　ちょっと待って秋庭さん、ちょっと錯乱してませんか、ノブオくんに当たっておくべきが全部あたしに来てませんかっ」

「あんなガキにマジ当たりなんてみっともねぇ真似ができるか！　あまつさえ釘《くぎ》なんか真面目に刺せるか！」

「矛盾してません？　それって言ってる端から矛盾してません？　あの年頃ガキ扱いするなってたった今言ったとこだと思ったのはあたしの空耳ですか」

「逆上してる人間に真っ向から理屈説くんじゃねえ！　襲うぞ！」

「逆上してるって自己申告できるならそれは客観が残ってるってことですよね、違いますか」

「かわいくねえ、喧嘩《けんか》するとき理詰めの女ってめっちゃくちゃかわいくねえ！」

秋庭がぶんむくれてよそを向く気配。いつもの秋庭からは考えられない大人気なさである。

いつの間に喧嘩になったやら、もうどうフォローしていいやら分からない真奈の前で、沈黙の時間だけが過ぎる。

やがて、秋庭のほうから口を開いた。

「……何かあったら重石《おもし》抱かせて海に投げ込むとこだったぞ。お前の親父の気持ちが分かるわ。灰皿なんか何個でも投げられてやるよ、それで済むならな」

「……秋庭さん来るときは全部アルミのに替えときますから」

「フォローのつもりか、それは」

秋庭が苦笑した。一応成功したらしい。

ほっとしたところで、笑いのツボがきた。

知らなかった、秋庭さんてけっこうかわいいかも。なんて、身の程知らずにも思ったり。

声を殺して笑いながら、秋庭をちくりと刺してみる。

「大人の男のひとでも拗ねるんですね」

照れるかなと投げた言葉だが、秋庭は車を出しながらしれっと言い返した。

「そんなことも知らなかったのか、お前。十年早いで言い過ぎじゃねェな、全然」

追撃は調子に乗りすぎたようだ。秋庭は歯牙《しが》にもかけておらず、まったく子供扱いである。

でも、ノブオと同じ箱かどうか気にしたときのようないじましい気持ちは湧かない。

こんなやり取りをして初めて気づいた。「どうせ俺はお前らから見たらおっさんだよ」——秋庭のほうも離れた距離を反対側から気にしている。気づいたからと言ってすぐに追いつけるような距離ではないけれど。

「十年早い」が「早くない」になるのは一体どれくらい先だろう。まだ来ていないそんな未来はそのうちちゃんと来るのだろうか。

その日が来たら、二人はどんな二人になっているのだろう。その未来を迎えたいと思うのは秋庭も一緒だろうか。

それは訊いてみたかったが結局訊けなかった。何だか真っ向から訊くのは恥ずかしくて——でも今はそれでいい。

秋庭は多分待っていてくれる。そう思えた。

Fin.

塩の街 *-briefing-* 世界が変わる前と後

＊

出会いは缶のカフェオレだった。

昼時の波もそろそろ引けはじめた喫茶室《PX》でぼんやりしていると、

「あっ、」

いかにもやっちゃったふうな声が自販機のほうから聞こえ、関口《せきぐち》由美《ゆみ》がそちらを振り向くと男性隊員が取り出し口から缶を取り出すところだった。その途方に暮れた表情で買い間違えたことは想像が付く。

見るともなしに彼を見ていると、相手も不意にこちらを振り向き目が合った。目を逸《そ》らそうとした刹那《せつな》、相手からにこりと微笑んで逸らす機会を逸した。会社員と名乗っても通用しそうな文系風の穏やかそうな見てくれは、自衛官としては珍しい。少なくとも戦闘職種ではない顔だ。

「ねえ」

由美のほうへ歩み寄ってきた隊員は、テーブルの上に買った缶をことりと置いた。

「よかったらこれもらってくれる？　俺、甘いの苦手で」

デミタス缶のカフェオレだ。由美も甘いものはさほど好きではないが、まあ飲めなくもない。

習慣でちらりと相手の襟章を確認すると三曹だった。士長の由美より一階級上だ。

「ああ、じゃあ」

由美は作業服のポケットから小銭入れを取り出した。

「あたし買いますから代わりのお買いになれば」

「いいよいいよ」

三曹は由美の手元を押しとどめた。

「俺うっかり者だからさ、こういうの身銭切って懲りとかないと学習しないんだ」

たかだか百二十円で身銭を切るという言い方がおかしくて、由美はくすりと笑った。

「分かりました、お言葉に甘えます」

缶を軽く掲げて会釈すると、三曹も笑って自販機に戻った。今度は間違わずに買ったらしい、最後に由美に軽く手を振ってPXを出て行った。

単にそれだけで終わった話のはずだった。二千人の隊員が常駐する練馬《ねりま》駐屯地で、たまたま一度PXですれ違っただけの名前も知らない同士が再びすれ違う可能性は極めて低い。

だから、二度目の偶然は素直な驚きだった。

「これよかったら」

ことりとカフェオレ缶が置かれたのは、今度は昼戦争真《ま》っ只中《ただなか》の隊員食堂のテーブルだった。

顔を上げると穏やかそうな文系顔の三曹が立っている。

「またですか？」

呆《あき》れたように訊《き》くと、三曹は照れたように頭を掻《か》いた。

「俺うっかりだから」

買い間違えたところにまた偶然由美を見かけたということらしい。三曹は由美の向かいに腰を下ろして、買い直したらしいブラック缶を開けた。

「次の受けるんだ？」

言いつつ三曹が指さしたのは、由美が隣に置いていた陸曹試験の問題集である。

「ええ、まあ」

自衛隊において一人前と認められるのは曹からだ。三士から士長までは実質アルバイト扱いである。自衛官を続けるのなら曹を目指すのは常道だが、入隊が曹候補士である由美の場合は三曹への昇任試験をパスしなければならない。

「熱心だね。まだ試験勉強始めてる人なんかそうは見かけないのに」

そういう三曹は由美とそう年が違うように見えないから、由美と同じ補士ならそれこそ熱心でしかも優秀だったのだろう。

多少の僻《ひが》みが返事を斜めにした。

「熱心なだけじゃ自慢になりませんよ、あたし一回落ちましたしね」

「一発合格だったらそれはむしろびっくりするよ。俺だって最初は落ちたもの」

最初はということは二度目で通ったのだろう。やはり優秀だ。あたしは何度で通れるのかな、などと弱気がふと胸をかすめる。

昼定食を食べ終わり、由美はもらったカフェオレ缶を開けた。食後に喉越《のどご》しの甘さが重たいが、もらいものだから文句は言えない。

「今年は通りたいなぁ……」

独り言に近い呟《つぶや》きに、三曹が尋ねた。

「何か目標でもあるの？」

「隊の同期に抜かれたくないんです」

別に知り合いでもないから取り繕う必要もない。由美は負けん気剝《む》き出しな理由をあっさりと口にした。

「うちの同期って、お調子者でバカでスケベで、あんなバカどもを上官に戴《いただ》いて指図を受けるなんて不本意すぎて憤死します」

遠慮会釈なく言い放つ由美に、三曹が小さく吹き出した。

「何て言うか、……なかなかアグレッシブな理由だね」

かなり言葉を選んだコメントである。

「いや、いいと思うよ。明確に目標があるっていうのは」

笑いを嚙《か》み殺しつつ言われてもあまり誉められている気はしないが、由美は一応「どうも」と会釈した。

カフェオレを一気に呷《あお》ってテーブルに缶を置くと、三曹がその缶を取って立ち上がった。

「捨てとくよ」

遠慮しようとした先に三曹はさっさと立ち去ってしまった。

作業服の名前を確認しなかったな、と思ったのは昼食のトレイを片づけた後だった。

だからそれからしばらくの間も、彼は所属不明の謎の三曹だった。

名前を確認する機会はPXで再び訪れた。

課業後、隊舎へ戻る前に喫茶室で過去問をさらっていた由美の前に、

「よかったら」

ことりと置かれたのはまたデミタスのカフェオレだった。顔を上げるとやはり穏やかな文系顔が笑っている。

右胸の名前を確認すると「野坂《のさか》」とあった。所属は通信隊だ。

「三度目ですよ、もう」

呆れて応じると、野坂三曹は照れ隠しか苦笑した。

「よくよく君にカフェオレもらってもらうめぐり合わせらしくて」

偶然また見かけたから、という理由はやや付け足しくさく聞こえた。

「頑張ってるね」

言いつつ野坂が由美の開いている問題集を目線で指す。

「こんなとこじゃ却《かえ》って気が散らない？」

課業後のPXは、隊舎帰還前に一息吐《つ》く隊員たちでそれなりの喧騒《けんそう》になっている。

「帰る前に一さらいすることにしてるんです。部屋に戻るとついダラダラしちゃうから」

同室の友人とのお喋《しゃべ》りが主だが、ほかにも持ち込まれるファッション雑誌やお菓子など誘惑は多い。自習室は早い者勝ちでそろそろ後のない隊員たちが占拠するのが常で、由美のような若手はなかなか席を確保できない。かと言って誰かが試験勉強を始めたからと静かにするような遠慮のあるルームメイトたちではない。

どうせあと一ヶ月もすれば隊舎中試験ムード一色になるのだろうが。

「関口さん、けっこう取組み早いよね？」

「ええ、まあ」

立ち入った質問が障らないのは人当たりの好《よ》さが幸いしているのだろうか。

第一選抜で通るなんて思ってはいなかったものの、落ちてみるとそれなりにショックだった。熱心な取組みの裏の理由はそれになる。誰かを選ぶ制度で『お前は要らない』と弾《はじ》かれるのは、いくつになっても心のマイナス部分を刺激する。

由美の場合は生来の負けん気が「どうせ一回で通る人なんてそうそういないんだし」と自分をフォローする方向へ気持ちを走らせなかった。この性分で損をすることは分かっているが、これればかりはどうしようもない。

「あのさ、俺でよかったら学科見ようか？」

唐突な申し出に、由美は野坂の顔を見直した。

「学科ってけっこう要領あるんだよね。俺も先輩からその辺教わったんだけど。だから、もしよかったら」

もしよかったら。毎度カフェオレを渡すときと同じ台詞《せりふ》だ。

「ええと、でも……」

悪いというより申し出の裏側が何となく見えたような気がして、そう思うのもまた図々《ずうずう》しいような気がして、とにかくいろんな思惑が絡み合って返事の歯切れは悪くなった。

「迷惑だったら断ってくれていいよ」

さらりと引き加減がまた巧《うま》い。確かに学科を見てくれる上官は欲しかった。女子隊舎の三曹は由美などにはまだまだ気の張る存在で、今の時期から個人指導を頼めるほど気楽な関係ではない。

そのうち自然発生的に勉強会が始まったら潜り込もうと思っているが、それまでの個人教師を確保できるのは心強い。

「あー……助かります、ね」

「じゃ、決まった？」

さり気なく決断を推すところが微妙に押しが強い。

「そう、ですね」

ままよ。

「よろしくお願いします」

会釈をすると、野坂三曹は自分の分のブラック缶を軽く掲げた。由美ももらったカフェオレを掲げてプルタブを開けた。

結果として、野坂は教師としては上等だった。教わるほうがつまずくと必ずそこまで降りてくる。どうして分からないのかと苛立《いらだ》ったり解を押しつけることはしない。相手のつまずきを解《ほど》こうとしてつまずいた相手より丁寧につまずきを洗い直すところは好感が持てた。

正直、直前必勝講座みたいなものを期待していたのでそこは当てが外れたが、教わったことが地力として根付くような教え方は悪くない。今回落ちても(落ちたくはないが)次に繋《つな》がる感じがする。

これはかなりの拾い物だった。

課業後、PXでの授業が定例化してからしばらく。

野坂は今でもたまに買い違えたカフェオレ缶を持ってくる。由美も甘いものは好きではないということは何となく言いそびれている。

ある日の昼、食堂の外の自販機の前で同僚と一緒の野坂を見かけた。代わる代わる飲み物を買っている。見かけたのは背中だから野坂は気づいていない。背中で気づいた自分自身も少し意外だった。

由美も飲み物を買いたかったので、彼らが買い終わるのを少し離れた位置で待つ。

何となく聞こえてくる話の内容はたわいもない。好みのタイプの女優が誰かとかそんな話だ。野坂の挙げた名前は聞こえなかったが、周囲の反応からすると賛否両論っぽい。野坂が言い訳するように言う。「俺、ちょっときつそうな人好きなんだよね……」

ふうん。そうするとアレとかアレとかアレ辺りか。由美は男性がこういうシチュエーションで挙げそうなきつめの女優を二、三人思い浮かべた。そういえばあの女優はあたし似てるって言われたことあるな……いや別に三曹が誰を挙げたか気になるわけじゃなく。

野坂が最後に飲み物を買った。こういう状況で自分が一番最後に回る質《たち》なのだろう。らしいと言えばらしい。見るともなしにその様子を見ていると、

あんたそれ場所ちがくない？

ブラック缶は上列左端、野坂が押そうとしているボタンは下列の真ん中辺りだ。

ガシャンと自販機の吐き出した缶を野坂が取り上げる。缶の色は白。由美がいつも受け取る色だ。

野坂は笑いながら普通に缶を取り出し普通に缶を開け、そのまま同僚と立ち去った。

由美は彼らが立ち去ってから自販機の前に立った。

「……ほほう」

野坂の押したボタンの辺りに、白いデミタス缶はそれ一つだけだ。自分で敢《あ》えて甘い飲み物を買おうとしたことはないので缶の配置には今まで気づかなかった。これを買い間違えるなどという器用な真似は果たして可能か？　迂闊《うかつ》と言えば迂闊だが、この場合は相手が巧い――と

言うべきか？　いやむしろ、
あたしがちょろい。
由美は不本意に唇を尖《とが》らせた。

課業後のＰＸ。いつもの喧騒。大体由美より少し遅くやってくる。

「お待たせ」

言いつつ由美の前に置かれる白い缶。

「そっち頂きます」

由美は野坂の持っている黒い缶を指差した。

「ブラックお好きじゃないようなんで」

野坂がブラック缶を開けかけたまま軽く固まる。しばらくしてから、

「……まいったなぁ、どっかでバレた？」

言いつつ素直に白と黒を交換。往生際の良さは潔い。

「ちょろいんですよ、やり方が」

引っかかるあたしがちょろい。その苛立ちを混ぜて口調は皮肉に尖る。野坂は苦笑混じりにカフェオレをすすった。

「……あのさ」

「聞きません」

由美は内容を聞く前に却下した。顔は過去問に伏せて意地でも上げない。

「あたし陸曹試験通りたいんです。試験終わるまでそれしか考えたくないんです。——だから、何か言いたかったらあたしが三曹になってからにしてください」

「分かった、ありがとう」

畜生。

由美はむやみと強い筆圧でノートをえぐった。

ここでありがとうって出てくるとこはけっこう好みだ。

昨日の続き行く前に、と野坂が前置く。

「ブラックは二択だからってわけじゃなくて好き?」

「ええ」

「分かった覚えとく」

それから野坂は、由美には黒い缶を買ってくるようになった。

そろそろ隊内が試験ムード一色になってきた頃、過去問をさらい終えた。

「後はこの辺やっとくといいんじゃないかな。分かんないとこあったらいつでも訊きにきて」

訊きにきて。ということは、もう明日からは顔を合わせるのが定例ではなくなるということだ。

予定がいきなりすっぽり抜けたような気分がした。

「実技は大丈夫？」

「ええ」

試験が近くなったらどこの隊でも大抵は上官が見てくれることになっている。それは由美の武器隊も同じだ。

「関口さんは実技は得意そうだもんね」

由美はもともと運動神経は良く、実技のメインとなる行進や各種敬礼などの基本的な動作はかなりきれいに決まるほうだ。捧《ささ》げ銃《つつ》や吊れ銃《つつ》など、銃の取り回しも女子隊員としてはかなり巧い。

「大丈夫だよ」

野坂が不意に言った。由美の減った口数を不安と取ったらしい。

「学科は行ける。俺もただ付け入ったわけじゃないからさ」

そんなことは、――分かってるのよバカ。

年は多分同じなのに階級差がそんな苛立ちをぶつけることを許さない。

付け入られただけだったら途中で由美のほうから切っている。教え方は常に真摯《しんし》だった。

「頑張って」

そんなありきたりの言葉で最後の授業は終わった。

手応《てごた》えはあったものの、陸曹試験は結果が出るまで時間がかかる。

何か言いたかったらあたしが三曹になってからにしろ。釘《くぎ》を打ったのは自分だが、ちょっと早まったかもしれなかった。野坂と由美ではどう考えても短気なのは由美のほうで、焦《じ》れる側が状況を膠着《こうちゃく》させたのは戦法として誤っている。

でもまあ、結果待ちの間に言うことがなくなるのならそれはそこまでのことだ。

たまに黒い缶を奢《おご》ってもらったりすれ違ったら多少声を交わしたり。ものすごくたまにPXで一緒になることもあるが、勉強を見てもらうというような理由でもなければ違う隊の人間とそう接点はあるものではない。

そんなこんなで、線一本と桜が一つ入った階級章を受け取ったのは半年後だった。

まだ野坂には言いたいことがあるだろうか？

新しい階級章を着けて出勤した初日の昼時、

「おめでとう」

自販機で飲み物を買おうとしていた由美に声がかかった。野坂だ。

偶然にしてはタイミングが良すぎるから、まだ言いたいことはあるらしい。

由美は下段の真ん中のボタンを押した。転がり出る白い缶。

「カフェオレ飲まないんじゃなかったの」

からかう野坂に白い缶を押しつける。

「授業料。おかげさまで受かったわ、ありがとう。——もし言いたいことがあるなら聞くけど、どうする？」

　缶を受け取った野坂が軽く額を掻く。

「今ここで？」

「そのつもりなんじゃなかったの」

　言いつつ自販機の前から少し離れる。立ち話をしている隊員は多いからあまり目立たない。

　野坂は決まり悪そうに笑った。

「――口実がけっこう早々ばれたからなぁ」

「最初のも買い間違えじゃなかったんでしょ」

　いかにも買い間違えたふうを装ってはいたが。

　野坂は言葉を迷いながら口を開いた。

「関口さん、自分がけっこう男性隊員に人気あるの知ってる？」

「ていうか、この環境だし」

　何しろ女子の絶対数が少なすぎる。この環境に突っ込まれていたら大抵の女子は売り手市場になれる。由美も付き合いを申し込まれたのは一度や二度ではない。

「環境とか関係なくて俺としては関口さんに関してけっこう焦る状況だったの。隊も違うしね。接点ないのに情報だけはきっちり入ってくるわけ、武器では誰が狙ってるとかね」

　そういうところは女子隊員のほうも変わらない。圧倒的売り手市場であることと玉《たま》の輿《こし》狙いで独身上官に人気が集中するところを除けば。

ちなみに野坂は同期補士でかなり早く三曹に昇任したことから『穴』扱いだ。このまま出世街道に乗りそうだったらコナかけてもいいかな、などと勝手な言い草がまかり通っている。

「けっこう焦ってたところにさ、関口さんがPXで一人でいたわけ。もう接点作るなら今しかない！って。で、巧《うま》く接点作れたところにさ……」

「アレ巧かったかぁ？」

思わず女子同士で話すようなぶっちゃけ口調になると、野坂が苦笑した。

「言わないでよ、俺的にはけっこう巧くやったつもりだったんだから。まぁあれだ、陸曹試験の過去問広げてたからもう一歩踏み込めるかなって。学科なら俺、得意分野だし」

「そうね、確かに教え方巧かった。ありがとう」

それで？　先を促すと、野坂が困り果てたように天を仰いだ。

「……関口三曹。君、機微とか察しとかいうものは」

「ふざけてんじゃないわよあんた、女相手にこういうことを曖昧《あいまい》に流そうなんてふてぇにも程があるってのよ」

「何で俺こんな尋問されてんの」

「きつい女好きなんでしょ」

「うわ、どこで聞いてたのソレ。油断ならないなあ」

いいからさっさと言いなさいよ、と由美は野坂を睨《にら》んだ。

「そっちが言わなきゃこっちからうんとか言えないのよ！」

ああそっか、と今気づいたようなきょとん面《づら》。天然か？　そんなところも、——畜生。

「正直なとこ、ずっと前から狙ってました。俺と付き合ってもらえませんか」

照れ隠しか少しおどけたその告白の口上は、半年経ったら言ったほうは忘れていた。緊張で覚えているどころではなかったという。俺あのとき何て言った？　と不安そうに探りを入れてくるが、墓まで持ってく絶対教えない、といじめて遊んでいる。

いいよ、じゃあ俺も教えないから。付き合うようになって正《ただし》と呼ぶようになった野坂もそう言い返す。何て答えたかそっちも覚えてないだろ。——確かに覚えていない。

そっちが教えてくれたら俺も教えるんだけど、と駆け引きのつもりかたまにそんな取り引きを持ちかけてくるが、甘い。由美にとっては正に言わせることが重要で、言わせたことで成果として充分完結している。自分がそれほど醜態をさらしていない自信もあった。

それに「あのとき俺何てったっけ？」と困り果てて天を仰ぐ正はあのときみたいでけっこうかわいいのだ。

「あんたけっこう堅実派だったのねえ」

同室の友人にそんなことも言われた。もうちょっと上の人も狙えたわよ、とは事情通の女子隊員の言。あの人もあんたのこと狙ってたのに、と別の隊の二曹や一曹の名前が挙げられたが今さら興味はそそられない。まぁとにかくあんたが片付いてくれたらちょっと競争率減るわ、とあけすけに言う彼女は日頃から玉の輿狙いを発言して憚《はばか》らない。

「ホントは俺も狙ってたのになー」

そんなことを同僚に言われたりもした。手が出せなくなってから安心したようにそんなことを言ってくる男に興味はない。

付き合っている人がいる、というのは告白するほうにはご安心の断り文句だ。恋人がいるという公然たる理由がないのに断られるのは要するに、異性としての興味を感じないとばっさり切られることだから。

切られる心配がなくなってから「もし言ってたら俺どうだった?」なんて、

「そんな情けないこと言ってるからアンタたちはもてないのよ! あり得ないから! そんなこと訊いてくる時点で男としてまったく魅力感じないから!」

「うわひでぇ!」

暴言上等の女三曹という新しい位置付けが確立したのは速攻だった。

少なくとも、こんな煮え切らない奴らに野坂のどこが良かったのとか俺らとどこが違ったのとか言われたくない。

少なくとも正はけっこうな期間カフェオレが苦手なフリをしていた。俺、甘いもの苦手で。今となってはどのツラ下げてと思うが、こっちと接点を作るのに必死だったのだと思うとその努力が涙ぐましくも微笑ましい。

くそ。あたしもけっこうベタベタだ。

どっちが先に、などということは早くも意味がなくなりつつあった。

もはや意外でも何でもなかったが、甘い物にはけっこう目がない。デートでパフェを食べるのは定番になった。俺、甘いもの食べてもいいかなと肩身狭そうに切り出したのは確か何度かデートを重ねてからで、多少打ち解けてからとタイミングを計っていたらしい。

そんなところもかわいかったりいじらしかったり——けっこう踊らされているかもしれない。

コーヒーとパフェをまとめて正が頼むと、ウェイトレスは当たり前のようにパフェを由美の前に置いていく。それをそっと交換して正がパフェを食べ、由美はコーヒーをブラックで。

正と付き合いはじめてから気がついたが、意外とそうして男が甘い物を食べているカップルは世間に多い。

「ケーキとかアイスのプレートはセーフ、これは意外と男が食べても許される。でもパフェはね。絵ヅラ的に男一人じゃ食べづらいし、連れがいても頼みにくくて」

正に言わせると彼女がいる男の特権らしい。カノジョできたらパフェ食べるの夢だったんだ、とかまたそんなかわいらしいことを。

「そんなんでよく『甘いもの苦手』とか言ったわよね。あのままバレずに保《も》ってたらどうする気だったのよ」

「笑って許される関係になってから詫《わ》び入れようと思ってた。ていうか、とっさだったから他に声かける口実思いつかなかったんだよ。それに、男がブラック買って『苦手だから』なんてカッコつかないじゃない」

「あたしはそっちのほうがありがたかったわよ、ブラック好きだもん」

「好きな子にカッコつけたい気持ちくらい分かってよ」

不意打ちでそんなことを聞くとちょっと胸が弾む。

「ねえ」

あたしのこと好き？　そんなことを自分が口走るようになるなんて思わなかったし、他人事《ひとごと》だったら絶対に腑抜《ふぬ》けだと思う。

でも、訊かれて困る正の顔を見るほうが楽しかった。


外泊したとき二人で泊まる部屋を借りたり、お約束を適宜クリアしながら三年経った。

これはループに嵌《は》まったかな。何となくそう思うようになる。

正とは居心地もよく仕事は順調、貯金も順調に貯まるしそれに応じて好きなものを買ったり遊んだり。隊舎は規則に慣れるとけっこうだらだら暮らせるし、規則が息苦しくなったときは二人で借りた部屋に逃げ込める。

これ以上、積極的に何か変えねばならない必要性を感じない。だってこのまま充分楽なのに。このまま充分楽しいのに。

休日前夜から外泊を取った日、明け方が少し冷え込んだ。

それほど気温が下がったわけではないが、夕べのコトが済んだ後そのまま寝てしまったので、服を着ていない。起き出して着るのも面倒だしなと体を縮めると、背中がふわりと温くなった。

正が背中から抱いたのだ。

「……寒くない？」

明らかにまだ寝ぼけた声で布団も着せかける。

「うん。温《ぬく》い」

「よかったネ……」

そのまま眠りに落ちてしまう正のほうへ体の向きを変えると、正は半ば無意識だろうが由美が寝やすいように抱き直した。重なった素肌の温度が心地よい。

寒いと思っただけで温めにくる恋人とはたぶんいろんな呼吸が合っているし、愛されているとも思う。こんなときは結婚するのも悪くないかなと思ったりする。

けれど外泊が終わって二人の部屋を後にするとまただらだらのループが始まって、気持ちが楽に流れてしまう。干渉しない控えめな恋人、毎日の生活の心配をしなくてもいい集団生活、女友達とも気楽に遊べてお互い好きなことを我慢する必要もなく。

現状に不満がないので結婚への踏ん切りがつかない。だって結婚したからってこれ以上よくなるかなあ？　二人の生活とか始まったら家事の分担とかいろいろややこしくない？　自分の時間だって減るし家庭と仕事の両立って真面目に考えると大変さばかりが目につく。正はどこまで協力的かなあ、喧嘩《けんか》増えて険悪になったら結婚する意味ないし。

「俺の実家、和歌山《わかやま》なんだけど。今度の休みに一緒に行かない？」

部屋で正がそう切り出したとき、ついに来たかと腰が引けた。だらだらと楽に流れて先送りにしていた問題が決断を迫りにくる。

「それは……あれ？　親に紹介したいとかそういう？」

訊かずもがなのことを訊いてしまい、正が怪訝《けげん》な顔をした。

「それ以外の何かに聞こえましたか」

「あんた、あたしとそういうこと考えてるの」

正の表情が決定的に強《こわ》ばったのを見て失敗したと思った。

「由美が考えたこともなかったんならそっちのほうが意外だけど」

正にしては珍しく言葉が険を含む。

「や、待って、違うのよそういうことじゃなくて」

もうちょっとだらだらしてたかったとか、そういうこと今言っても許される？　今が気持ちよすぎて変えるのめんどくさいとか。

「あたしだって考えたことがないわけじゃないわよ、でも……」

俺は、と正が少し傷ついたような表情になる。

「いつでもいいかなと思ってたよ、由美となら」

あたしだって、と癇癪《かんしゃく》を起こしたくなった。言いたいことが巧く言葉にまとまらない。何を言っても怠惰なことをただ怠惰なままに伝えるだけだ。

優しくて前向きな正に向かって恥ずかしくて口に出せない、怠惰で臆病《おくびょう》な由美の理由は。

だって結婚して悪くならないなんて誰が約束してくれるの。

「変わるの恐いのよ。今よすぎて」

考えて考えてようやくそれだけ言った。やっと取り繕ったその台詞を、正はやっぱり前向きに受け止めた。

「俺は由美となら変わらないと思ったんだけど、由美もそう思ってるかなと思ったんだけど、ちょっと急ぎすぎたかな。ごめん」

ごめんじゃない。正は全然悪くなくてあたしとのことを真面目に考えてくれていて、あたしを信じてくれていて自分も信じていて、――ただ、あたしがあたしを信じられない。今のまま変わらずいられるとかあまつさえもっとよくなるとか信じられない。一緒に暮らし始めたら、結婚なんかしてしまったら、きっとあたしはボロが出る。正はあたしに呆れて嫌いになる。

だってあたしは今が楽だから変わりたくないと思うような怠け者なのに。

正が由美の手首を摑《つか》んで引き寄せた。座っていた膝《ひざ》が崩れて正の胸に軽く抱かれる。

「――頼むよ。泣かせたかったわけじゃないんだ」

言われて初めて泣いていることに気づいた。

「由美が何心配してるか知らないけど多分それ杞憂《きゆう》だと思う。でも急《せ》かさないから。ゆっくりでいいから考えといて」

ゆっくりでいいから。それでも緩やかに期限が切られたことは確かでリミットがいつなのか今度はそれが恐い。

何となく会う回数を減らしてごまかしているうちに、

——それは来た。

＊

人が塩になるという奇病は瞬く間に街に蔓延《まんえん》した。

原因も感染経路も不明で空気感染まで疑われている。しかしそんな中、自衛隊は出動せざるを得ない。街中の遺骸《いがい》、事故車両や鉄道の撤去などは主に陸自の仕事になり、住民への手当てや避難所の設営も急務だった。

こんなときのために自衛隊がいるんだろうと言わんばかりの風当たりを受けながらそれでもその理不尽に憤る先はなく。ただ笑顔で耐える。報われることはあまりに少ない。原因不明の奇病による恐怖は人々の心を食い荒らし、自衛隊の活動は当然のものと受け取られ、足りないことばかりを責められる。

そのストレスが隊内にも蔓延しはじめた。主には上の者から下の者へ、上官の目の届かないところで陰湿ないじめが発生する。

上司は塩害と名付けられたその災害に対処するのに精一杯で、隊内の風紀は各隊の三曹たちに概《おお》ね任されることとなった。

由美もその一人だが、目が行き届かずに後で加害の当事者を怒鳴りつけるような後手の対処も珍しくなく、また抑圧が内へ籠《こ》もる。正そうとすればするほど巧妙に潜る。

どうすればいい。強い者から弱い者へと降りてくるストレスを根本的に解消する方法はない。隊の人心は巨大な災害の前に食い荒らされるばかりだ。

正はどうしているだろう。正ならどうするだろう。そうは思っても、もう個人的に会う時間を作れるほどの余裕はお互いなかった。

逃げていたくせにこんな事態になると無性に会いたい。かろうじて携帯で連絡を取り合ってはいたが、ゆっくり話せるほどの時間はない。

隊は疲弊し、そんな頃——奇病が隊内をも襲いはじめた。

櫛《くし》の歯が欠けるように毎朝隊の人員が減っていく。発症すると手の施しようはない、しかし一応は自衛隊病院に収容される。誰も戻ってきた者はいない。


「あたし、今日までだから」

隣の部屋の隊員が由美の部屋に挨拶《あいさつ》にきた。辞めて田舎へ帰るという。

もう防衛省はほとんど組織が崩壊しており、各駐屯地の管理レベルは除隊願いを出して勝手に除隊する隊員を止められないような状態になっていた。

由美の部屋でも残っているのはもう二人だけだ。三人でささやかに酒宴となる。

「あたしの田舎、遠いのよ。このままだと帰れなくなりそうだから」

缶ビールを空けながら言い訳するようにそう言った彼女は、確か東北の出身だった。

もう飛行機も電車も止まっている。女一人これからどうやって帰るのだろう。それは敢えて訊かない。訊いたところでどうしてやれるわけでもないし、彼女がこれから舐《な》める苦渋にまで心をかけてはいられない。残された者には残された者の役目がある。

「寂しくなったわね、ここ」

女ばかりが何百人と突っ込まれてかしましく騒いでいたのが遠い過去のようだ。玉の輿なら誰が狙い目だとか競争率はどれくらいだとか、そんなバカな話をしていた昨日はもう一度来るのか。

「あんたたちこれからどうするの」

「あたしは当面辞める予定はないわね」

答えた由美に、彼女は絡むような視線を向けた。

「こんなところにしがみついててどうなるって言うのよ。誰も何の保証もしてくれないのに。どれだけ頑張っても民間人は当たり前だもっと働けって言うのよ。何が楽しくてこんなところに残るの」

悪い酒になったようだ。由美は苦笑しながらあしらった。

「でもまあ、ここにいたら最低限の衣食住は保証されるしね」

「別に家帰ったからって食えないわけじゃないでしょ？　配給あるんだし。さっさと逃げたらいいじゃないのよ、あんたなんか実家も関東でしょ？　それともこんなことになってもカレシと離れたくありませんーってか。お幸せなことだわね」

由美は聞き流そうとしたが、

「いい加減にしてよ！」

怒鳴ったのは由美のルームメイトだ。

「あんたは勝手に逃げればいいじゃない！　逃げて楽になる奴が何で逃げない奴をあげつらうのよ！　逃げる自分が正しいなんて勝ち誇ってるつもり⁉　シッポ巻いて逃げる負け犬のくせに勝ち誇ってんじゃないわよ！」

「やめなって」

ルームメイトは事情があって実家との折り合いが悪い。帰りたくても帰るところはないのだ。

そんな事情を隣室の彼女は知らない。

隣室の彼女にしても本当は不安でたまらないのだ。この混乱した情勢の中、女がたった一人で東北まで無事に帰れるのか。それでも帰りたい程の何かが田舎にあるのだろう、その何かを持っていること自体が由美のルームメイトには妬《ねた》ましく、そして容易に帰れる場所があるのに帰らない由美にも内心では苛立っているのだろう。

「最後だからぶっちゃけとくわ」

由美は隣室の彼女に向き直った。

「あんた士長よね。やっぱバイトはバイトよねって感じかな」

士長までは所詮《しょせん》アルバイト、士長以下の隊員にとっては業腹な隊内評価である。敢えてそれを引っ張り出す。

「いざってときにさっさと逃げ出す程度の覚悟で三曹になったわけじゃないのよね、こちとら。正社員には正社員の心構えってもんがあるの。バイトにはちょっと難しすぎる？」

ひっど、という呟きは二人分重なった。

「逃げたきゃ勝手に逃げたらいいのよ、別に誰も責めやしないわ。こんなご時世だしそもそもバイトにそこまでは期待してないもの。逃げない奴は逃げない奴でよくできたバイトだなって思うけど。なりたいバイトになりゃいいのよあんたたちは。所詮バイトなんだから」

「えっらそうに……」

唇を尖らせたのはルームメイトだ。「えらそう、じゃなくて事実あんたよかえらいのよ階級的に」由美はしれっと言い放った。

「最後なんだから楽しく呑《の》もうよ。いがみ合って終わることもないじゃないの」

規則規則で鬱陶《うっとう》しかったし、どこへ行っても一人になれない集団生活の煩わしさもあったが、この隊舎で楽しかったことも確かにあった。そんなことまで最後に壊すこともない。

仕切り直しでもう一度乾杯しながら、

「気をつけて帰んなよ」

気休めかもしれないが、そんな気休めを言ってくれる程度に親しい者がここにいたと覚えていてくれたらいい。

今度はいい酒になりそうな雰囲気を感じながら、不意に帰りたいなと思った。どこへ。

思い浮かぶのは、慌しさの中でもうめっきり行くこともなくなってしまった、二人で借りたあの部屋だった。

去る者にえらそうなことは言ったが、それほどご立派な覚悟があるわけでもない。ただこんなときやるべきことがあることにすがっている。自分は果たすべき義務を果たしている。不安定になっていくばかりの世界の中、そんな大義名分を得られることは貴重だ。果たすべき義務を果たしている以上誰にも謗《そし》られる謂《い》われはない。世界が元に戻るかどうかとか、そんな恐ろしいことを考える義務もなく。ただ目の前に積んである片付けるべき自分の仕事を片付ける。やるべきことに追われているうちに一日が過ぎ、やるべきことをやった以上自分の一日は有意義だったと満足を得る。

隣室の彼女は実家へ逃げ、由美は仕事に逃げた。それだけの話だ。

「由美はちょっと達観したよね。肝が据わった」

通信状況の悪化で電話が通じなくなる少し前、正が携帯でそんなことを言った。何であんたはそんなふうに前向きなんだろう。違うのよ、あたしはここでもやっぱり楽に逃げている。やるべきことがあるという楽。義務を果たしているという楽。今の世の中においておそらく最も怠惰でシアワセな選択。

あんたのプロポーズから逃げたときと何も変わっちゃいないのよ。

「甘やかさないでよ」

声が意識せずに少し拗《す》ねる。正が電話の向こうで笑った。

「そういう声聞くの久しぶり。最近の由美は男前だったからなぁ」

ちょっと嬉《うれ》しい。それ、俺しか聞けない声だよね。

疲れたときに甘い物がほしくなるようにタイミングよく甘い言葉。やっぱり呼吸は心地よく合っている。

一緒に暮らすならこの男しかいない。そんなことなら最初から分かっていたのに。他に楽な選択があったから棚上げした分際で今さらそんなことは言えない。今でもあたしと結婚したいと思ってる？——そんな恥知らずな。

その話は棚に上がったままだった。


帰るところがないからという理由のルームメイトの様子が変わった。

顔色が悪くなり、いつも思い詰めたような顔をしている。

「あんた具合悪いんじゃないの。医務行けば」

ある晩何気なく勧めると、

「嫌ッ!!」

撥《は》ねつけるような硬直な態度が返ってきた。

「どうしたのよ、ちょっと」

彼女が座っているベッドのそばへ行こうと座卓の上に手を突いて立ち上がる。

その手のひらが、

由美は手のひらをじっと見た。そしてルームメイトを見る。彼女は怯《おび》えたようにベッドの上で更に小さくなった。

手のひらにわずかに貼りついてざらつきを感じさせたのは、小さな塩の粒だ。

「……いつからなの」

もう助からない。かわいそうに。塩害って恐い。この子どこで伝染《うつ》ったの。黙ってるなんて。伝染るかもしれないのに。整合のつかない思考の欠片《かけら》が渦巻く。

一番大きな欠片は、——「あたしじゃなくてよかった」。

極限まで追い込まれると、人間というイキモノは一体何て利己的なんだろう。そんな自分に気づいてしまった自分を憐《あわ》れむ余裕までついて。

「お願い、連れてかないで」

泣きながら訴えるその声に心はまったく揺れない。

「ねえ。友達でしょ」

事態を察したときから感情にはフィルターが降りている。情に流されるわけにはいかない。

塩害の伝染経路は分かっていない。発症した者を隊内に置いておくわけにはいかない。隊舎の全員を危険にさらすわけにはは。

それにこのまま見過ごせば、一番危険なのは同室のあたしじゃないの！

一番気づきたくない声が一番大きくがなり立てる。頭が痛い。頭蓋骨《ずがいこつ》の中で鐘を撞《つ》き鳴らされているよう。

「ねえ。あたしの家族がいないも同然だって知ってるじゃない。入院したって誰もそばにいてくれる人なんていないのよ。ねえ。あたしに一人で死ねって言うの？　最後まで誰かと一緒にいたいのよ。ねえ。友達だったら分かってくれるわよね」

そのためにあんたあたしを巻き込む気？　伝染ったらどうしてくれるの。冗談じゃないわよ一緒に死ねるほどの友達なんて。友達だったらそっちこそわきまえてよあたしを巻き込まないでよ。あたし発症したあんたと一体何日暮らしたの。勝手に巻き添えにしないでよ。

――うるさい。黙れ。黙れ。黙れ。黙れ。エゴをがなるなあたしを打ちのめすな汚いあたしを気づかせるな。

「入院しなさい。処置が早ければ治るかもしれないわ」

「嘘つき!!　治るわけないじゃない、追い出したいからって適当なこと言わないでよ！」

「適当なこと言ってまで追い出したいって気づいたらどうなの!?」

由美は怒鳴った。

「誰が発症した人間と一緒に生活したいと思うの!?　あたしはあんたと死ねるほど親しかった覚えはないわ！　伝染ってもいいから死ぬまで一緒にいてやりたいなんて家族でもなきゃ無理なのよ！」

恨むな。ここまで言わせたのはあんただ。最初からわきまえてくれていたならこんなことを言わずに済んだ。あたしだって言いたくて言ったわけじゃない。

時ならぬ罵倒《ばとう》の応酬に、よその部屋の隊員たちが様子を覗《のぞ》きにくる。

「あたしの家族がいないも同然だって知っててそういうこと言うわけ……?」

ルームメイトは唇をわななかせた。

「それはあんたの事情でしょ。気の毒だとは思うけどあたしには関係ないわ」

「友達だと思ってたのに!」

それを振りかざしてあたしを傷つけるな。こんなことにさえならなければずっと友達だった。恨むなら塩害に罹《かか》った自分の運命を恨め。あたしがあんたにその運命を渡したわけじゃない。最後を綺麗《きれい》に終わらせなかったのもあんただ。かわいそうにサヨナラあんたのこと忘れないわ。あたしだってそんな綺麗事で別れたかった。

馬鹿を言うな。

そんな綺麗事に「ありがとう」と答えられるというのか自分なら。

浅ましく汚く醜く終わるのは必然だった。こんなふうに終わるはずじゃなかった、その責任をお互いになすりつけ。

ごめんねあたしはあんたよりあたしがかわいい。

「あの、関口三曹……」

部屋を窺《うかが》う隊員たちに声をかけられ、由美は彼女らのほうを振り向いた。

「医務に連絡して。この子発症したわ」

あたしは隊員を守る義務がある。あたしは隊員を守る義務がある。あたしは隊員を守る義務がある。

彼女を見捨てるのではなくあたしは隊員を守っているのだ。

すりかえた論理は自分が一番すりかえたことを知っていて、心はごまかされてはくれない。

まるで殺されるような悲鳴を上げてルームメイトは搬送されて行った。

連れてかないで、ここに置いて、ここに置いて、ここに置いて。

すがるような呪うようなその声に答える者はなく。

「関口三曹は悪くないですよ」

隊員たちがやや気兼ねするように声をかける。

「あたしたちだって塩害の人と一緒に生活したくないもの」

そうね、と上の空で頷《うなず》く。

でもあんたたち、あたしが『悪くない』って言うのね。あたしが『正しい』とは言わないのね。泣き叫ぶ友達を罵《ののし》って容赦なく医務に引き渡す、そのこと自体はやっぱり傍目にひどいと悪いと思ってるからあんたたち『悪くない』って言うんでしょう。

塩害の人と一緒に生活したくない、そのエゴを救ってあげるためにあたしに『悪くない』って言うのよね。手を汚したあたしを『悪くない』って慰めてくれるのよね。

だって明日はあんたたちが手を下す側に回るかもしれないから。

ねえ。

もしあたしがあの子になったら、今度はあんたたちが手を下すのかしら。もしかしたら来るかもしれないそんな明日の自分を救うためにあんたたちは先回りしてあたしを慰めてくれてるのかしら。

「ごめん、ちょっと出てくるわ」

言いつつ由美は玄関に向かった。帰る時間は告げず、隊員たちも気を遣ってか聞いて来ない。どうせ門限はもう曖昧になっている。

サンダルを突っかけて表に出る。息が白く凍る。

「ごめん、来ちゃった」

ドラマや漫画でそう告げるヒロインが訪ねる先は彼氏が一人暮らしするマンションか何かで、間違ってもこんな愛想のない鉄筋の隊舎ではない。

夜中に女子が訪ねて行こうものなら漏れなく野次馬も付いてくる。ドラマチックには程遠い。

「どうしたの、それ部屋着じゃないか。風邪引くよ」

玄関に出てきた正は慌ててサンダルを突っかけて駆け寄り、自分が羽織っていた半纏《はんてん》を由美に着せかけた。ここでコートやジャケットじゃなく半纏という辺りが自衛官の限界だ。

部屋でずっと着っぱなしになっているのだろう、正のにおいがした。二人で借りたあの部屋のにおい。

「ちょっと顔見たくなって。少し話せる？」

「いいよ」

正が野次馬の一人からフリースを徴収し、それから二人で表へ出る。

「同室の子が発症したの。さっき医務に引き渡した」

「……ああ。女子でも出たかぁ」

男子ではもう珍しくないらしい。隊員の絶対数が違う。

「黙ってててって言われたわ。その子、家族と縁が薄くって。入院したら多分一人で死ぬことになる。行きたくないって駄々捏《こ》ねたけど、無理矢理叩《たた》き出したわ」

生々しい罵り合いはまだ耳に残っている。傷ついたなんて言う権利は由美にはない。

「治るかもしれないとか適当なことばかり並べ立てて追い出した。友達だと思ってたのにって言われたわ」

肩にふわりと手が置かれる。

「よく頑張ったね」

正の声は由美を肯定して心地好い。その声はどこまで由美を認めてくれるのか。試すように続ける。

「いざとなったらあっさり切り捨てられるもんね、職場の友達なんて。自分でもびっくりした。ひどいこといっぱい考えた。あたしに伝染ったらどうしてくれんのよとか。隊員よりまず自分よ。あたしが伝染りたくなかった。あたしに伝染る前にとっとと出てってくれって。そんで」

あんなに容赦なく追い出したくせに、

「あたしはあんなふうに連れてかれたくないって思った」

最後まで誰かと一緒にいたい。そんなささやかな願いを突き放したくせに、自分は最後まで誰かと一緒にいたい。

明日、今日のあたしになるかもしれない誰かにあんなふうに追い出されたくない。

「結婚したいって言ったら今さら?」

伝染るかもしれない、死ぬかもしれない。それでも看取《みと》ってほしいと願えるのは家族だけだ。友達や恋人ではそこまで願えない。

「伝染すかもしれなくても、伝染されるかもしれなくても――どっちにしたって最後まで一緒にいたいのよ。あんたと」

正の返事はない。

「ごめん。楽になりたいんだわね、あたしは。ずっと楽に流れてばっかりなのよ」

こんなときに自分には誰かがいるという楽。拠《よ》りどころがあるという楽。

軽蔑《けいべつ》されても仕方がないと思ったとき、正が背中から軽く抱いた。抱く腕はいつでも優しい、あの部屋で寒いと思っただけで温めにきた裸の腕と同じに。

服が邪魔だ。体温が薄まる。

「こんなときに俺といると楽になれるって、けっこう究極の殺し文句だよ」

いつから一緒に暮らそうか。

正の問いに、由美は迷わず明日と答えた。

婚姻届を出す先はもうなかったが基地司令への報告で結婚は認められ、立川《たちかわ》の部隊との合流が決まったときも夫婦用の官舎を用意してもらった。

築二十五年、新婚にふさわしくないことここに極まれりの凄《すさ》まじい物件だ。何しろ入居して最初にしたことが全部屋の建てつけを直すこと。休日も潰《つぶ》れることが珍しくない日々の中、戸の開《あ》け閉《た》てをまともにできるようになるまでかなりかかった。

「あーあ、結婚したらフランで生活用品揃えたりとかしたかったのに」

「無理無理、部屋に似合わないって。せいぜいがとこ無印じゃない？」

どっちにしたってそんなところで買い物なんかできるご時世は遠くなって久しい。

「大体ね、自衛官って時点でカッコつけるのに限界があるんだよ。結婚決めた記念すべき夜に、俺たち一体何着てた？」

半纏にケバの立ったフリースだ。

諦《あきら》めようよ、俺たち自衛官なんだからこんなもんだよ。

そう執り成す正は、平和なときに結婚しておけばよかったという由美の負い目をまるで些細《ささい》な問題のように歯牙《しが》にもかけない。そして、

「幸せだったらいいんじゃない？　器とかはどうでもさ」

こんなときでも幸せになっていいのだと正は由美に気づかせるのだ。

……そして由美の前には昨日の自分がいる。

砂糖とミルクと両方要るかと思ったのにミルクしか要らないと答えた少女は明らかに無理をしている様子で、しかし無理をしたいのだろうから由美は注文どおりのコーヒーを渡した。

こんな年でももう一人前の女の顔をしていてかわいいと執り成すと要らないと言った。幼さを強調するような形容詞はほしくないと。

十も年が違うような二尉を想ってあがいているその姿は痛ましく、しかしあがくのはやはり少しでも楽になりたいのだ。

どうせ年が違うし相手になんかしてもらえない。

だから諦めたほうがいいのだ、ヘタなことをして気まずくなるより。

そういう楽に流れようとして、それでも自分の恋を捨てられず、そしてあがく。

楽を求めて何が悪い。不安な明日に怯えて何が悪い。あたしの男はそれでもあたしを認めた。

あのままうやむやに立ち消えたかもしれない結婚話は、塩害に追い詰められて現実になった。

そんなこともあるのだ。そんなこともあってもいいのだ。

塩害に追い詰められるまで結婚できなかった自分の臆病を正当化したかったのかもしれない。

やはり臆病になっている少女に余計な話を少しした。自分が逃げたことは少しだけごまかして。

カッコイイ、と言ってくれる相手にはちょっとくらいカッコつけたい。

少女は少し元気になって頷いて、——それが世界をどう変えたのか、それはそのときの由美は知らない。

もしかしたら世界が変わったかもしれない日の翌日、食えない司令は左の頬に派手な絆創膏《ばんそうこう》を貼っていた。

理由は当事者以外、立ち会っていた由美と正だけが知っている。要するに怒り狂った二尉は正一人では到底止められなかったということだ。

ひっどいよねえ、ちょっとくらい手加減したらいいのに。

悪いが、事情を知って頷ける奴は血の色が赤くない。由美と正は曖昧に笑ってごまかした。

「しっかし、意外なほどにベタベタだったわよねー。むしろ二尉が」

別に人前でイチャつくわけではないが、少女を構う二尉はけっこういろいろ態度が甘い。

「いやー、前からあんなもんだったんじゃない？ けっこう無理して突っ放してる感じがしたもん。──あ、これ旨《うま》い。腕上げたなぁ」

「ホント⁉ やった」

「俺にもレシピ教えて、覚えるから」

久しぶりに夕飯を官舎で作って食べている。大体いつもは隊員食堂でお互い済ませて帰ってしまうのだが。

「今ごろどこまで行っただろうね」

司令に命じられて二尉が西へ旅立ったのは今日だ。もちろん少女も一緒に。

別れ際に由美に貼りついて泣き出してしまったのをなだめて車に乗せた。

それを見守っていた二尉は片手で軽く由美を拝んだ。やっぱりいろいろ甘い。でもその甘さは由美を甘やかす正の甘さに似ていて、要するにシアワセなのだあの二人も。

あの二人も、と類列で思っていることはあまりにも自然で由美が自分で気づくことはない。

「ねえ、洗濯機回しとくから後で干しといてね」

「それ労働量が平等じゃなくない？」

苦笑しながら正は結局干してくれるのだ。

大丈夫。

あたしたちは大丈夫。真奈《まな》ちゃん、あんたも。

こんなときでも幸せになっていい。こんなときでも幸せになれる。――それは誰に負い目を感じることでもなく。

願わくば、あたしが今この男と一緒にいて幸せであるように、あのちっちゃな女の子も好きな男と幸せでありますように。

「どうしたの」

正が不意に訊いた。

「今、随分いい表情《かお》してたよ」

「あら、そんなに？」

「うん、惚《ほ》れ直しそうだった。何考えてたの」

教えない、と由美は笑った。黙って惚れ直すがいいわ、と言ってやると、正も笑った。

やっぱり由美だなあ。台詞の意味は深くは考えないことにした。

Fin.

塩の街 -debriefing- 浅き夢みし

＊

鈍い頭痛で目が覚めた。後頭部だ。

「うぁ……何だよコレぇ」

痛む後頭部をさすろうとして右手を動かすと左手も引っ張られてセットでついてきた。目の前で手を止めると両の手首が手錠で繋《つな》がれている。

「……更に何なんですかコレ」

ぼやきながら起き上がると見覚えのない部屋だった。広いがベッド以外に余計な調度は一切なく、ただし敷き込まれた絨毯《じゅうたん》と、天井や壁の造りで金がかかっていることが分かる。ベッドにしても隊舎の簡素なものとは似ても似つかない高級品だ。

手錠の掛かった手で痛みを主張する部位をさすると、髪に潜らせた指に乾いた血が剝《は》がれてついた。どうやら傷になっているようでそこが疼《うず》いている。

こういうの因果応報とか言うのかな、などとかつての手違いを思い出すが、取《と》り敢《あ》えず今の自分に降りかかっている出来事は手違いではない。

「手違いで手錠はかかんないよねー」

足は繋がれていなかったのでベッドを降りると足元には靴が揃えてあった。室内土足ということはホテルか洋館か。

室内に二枚あったドアは一枚がユニットバスへ繋がるもので、もう一枚は鍵《かぎ》がかかっている。恐らく外へ繋がるドアだが、中からは解錠できない仕組みだ。駐屯地ではこうした造りの部屋がいくつかあるが、民間の建物では珍しい。よく見るとドアだけ新しくて浮いているので、後からわざわざこういう設《しつら》えにしたのだろう。

浴室のほうにはタオルや洗面道具の新品が置かれているが、ロゴなどは入っていない既製品で、どうやらホテルの線も消えた。個人宅の線が濃厚である。

窓は開くが三階だった。蔦《つた》の繁る壁に足がかりらしきものは見当たらない。こんな状況でも何とかしそうな友人はいるがそいつの真似をする気はさらさらないし、そもそも真似ようにもスキルが足りない。

「頭脳派の優男を軟禁するなら充分な条件だよねぇ」

しれっと図々《ずうずう》しいことを呟《つぶや》きつつ窓枠に肘《ひじ》を突く。空は夜明け前の色で、窓からは見下ろすアングルで閑静な住宅地が見える。かなり高台だ。庭には樹齢のいった杉の木が何本も生えており、それは背の高い木をたくさん養っても近所迷惑にはならない程度に建物の敷地が広いということを示している。

「プラス、取り敢えずこの家の住人は花粉症じゃない」

などとどうでもいいことを暇つぶしに推理してみる。何にしても偉そうな建物だね、と鼻の頭に皺《しわ》を寄せる。

「こういう家だいっきらーい」

と、部屋にノックの音が響いた。客あしらいをきっちり仕込まれた音だ。

「勝手にどうぞー。どうせこっちからは開け閉めできないんだし？」

皮肉たっぷりに返事をすると、やはり仕込まれたタイミングと所作でドアが開く。

一礼して入ってきたのは、見るからに吊《つる》しでないことが分かる仕立てのスーツを着た若い男だ。背が高く線が細い。なよっちいね、と自分のことは棚に上げて論評。

「お目覚めになられましたか」

「知ってるから来たんでしょうが、よく言うね。せめて洗顔が終わるまで待ってほしかったな、アテンドが性急だよ」

申し訳ありません、と男が腰を折る。

「お客様のお名前を確認させて頂きます」

「うっわーお客様に手錠掛けるのが君の流儀？　笑えなーい」

揶揄《やゆ》して手錠の鎖を鳴らすが、男は顔色も変えない。若いのに大した自制だ。

「陸上自衛隊立川《たちかわ》駐屯地臨時司令、入江《いりえ》慎吾《しんご》様でいらっしゃいますね」

慇懃《いんぎん》なトーンの声に、入江はつまらなさそうに鼻を鳴らした。

「ここで違うって言ったら解放してくれるわけ？　しょーもないこと訊《き》かないでよ」

＊

入江に臨時司令という珍妙な肩書きがついたのは、かろうじて再建された陸上自衛隊幕僚部でいろいろな思惑が縦横した結果らしい。

要するに、塩害の処理が終わるまでは塩害の専門家を隊内に取り込んでおきたいようだ。部外者が身分詐称のうえ駐屯地司令に収まっていたことも勝手な人体実験を重ねていたことも現状では不問に付されている。もっとも、いつ手のひらが返されるか分からないので入江としても油断はしていない。自衛隊をコケにした入江を快く思っていない人間は大勢いる。

だからその一件もそうした一派の仕業かと思っていた。

米軍と塩害についての研究会を持った帰りのことである。時間は遅く設定されており、送迎は米軍がつけた。その車の前に人が飛び出してきたのは走り出して二十分ほど。急ブレーキは間に合わず接触、路上に転げたのは年配の男性のようだった。

ハンドルを握っていた日系の軍人は入江相手には流暢《りゅうちょう》な日本語を喋《しゃべ》っていたが、咄嗟《とっさ》の叫びは母国語になっていた。

転がったままぴくりとも動かない男を後部座席から眺め、入江は眉《まゆ》をひそめた。面倒なことになった。

――でもまあ責任は米軍側だろうからいいか。

「取り敢えず君らは基地へ連絡して」

救急は一部地域ではシステムが復活しているがまだ当てにできるレベルではない。基地病院に搬送するのが一番確実だ。

指示を残して入江は車から降りた。ひとまず診られる者が診ないことには仕方がない。臨床の経験はほとんどないが医師免許は一応持っている。

俯《うつぶ》せた姿勢で倒れた男には一見して分かる外傷はなく、出血もない。入江は男のそばに跪《ひざまず》き、垢《あか》じみたシャツの襟元に指を差し入れた。頸《けい》動脈を探って測ると、

——何だこりゃ。

脈はやや速いが安定しており、とても車に撥《は》ねられた直後とは思えない。体の下に隠した右手が銃を握っており、その銃口が入江に向けられる。

と、横向けに顔を伏せていた男の目がぎょろりと開いた。体の下に隠した右手が銃を握っており、その銃口が入江に向けられる。

「当たり屋ってのは初めてかい、兄ちゃん」

卑しく笑った顔に入江は肩をすくめた。

「実際見るのはこれが初だね」

ちらりと車を振り向くと、これも銃を持った一団に囲まれて運転手と護衛が降車させられているところだった。

「すまねえな。あんたには何の恨みもないが、あんたにドルをたっぷり弾むって奴がいるもんでな」

塩害以降活発になった闇市では、米ドルの価値が飛び抜けて高い。次がユーロで円のレートはかなり落ちる。

「悪いがしばらく眠っててもらおうか」

その声が入江がその場で聞いた最後の声になった。

＊

「ああいうときは薬を使うように指導しといてくれないかな、殴って昏倒《こんとう》させるなんて雇い主のお里が知れるよ。一寝入りしてもまだ痛いような傷残さないでほしいなぁ」

以前の自分の手違いは棚に上げ、入江は育ちのよさそうな若い男を軽く睨《にら》んだ。男は答えずどうとでも意味が取れるような会釈を返す。

うわいけ好かなーい。入江が横を向いて顔をしかめると、

「自分の処遇に文句をつけられる立場だとでも思っているの、あなた」

険のある声が割り込んだ。見ると、外から開けられたドアから部屋に入ってきた——車椅子の少女である。使用人らしい女性に車椅子を押されている。

年の頃は中学生くらいか。気位の高い小動物のような顔をしたその少女はにっこり微笑んでいればさぞ愛くるしいのだろうが、入江に対しては敵意剥《む》き出しの眼差《まなざ》しを向けており、これに何らか魅力を見出《みいだ》すのは至難の業だ。そもそも入江は子供が好きではない。

女性が室内に車椅子を進めてから退室した。

「お嬢様」

男がやや緊張した様子で入江と少女を結ぶ動線を遮る。

「心配しなくてもそのお嬢様に危害を加えたりしないよ。人質取って大立ち回りとかそういう泥臭いこと僕苦手。肉体労働向いてないし」

ざっくり男の懸念を指摘すると、少女も男に尊大な様子で顎《あご》をしゃくった。

「どきなさい、柏木《かしわぎ》。そこに立っていたら話がしにくいわ」

柏木と呼ばれた男は少女に向かって一礼し、元の位置へ下がった。障害物がなくなって少女の睨みつける視線が一直線に刺さる。

どうやら恨み骨髄に入っているようだが、入江のほうには少女と面識はなかった。人の恨みを買うのは得意なほうだが、さすがに一度も会ったことのない相手では心当たりが咄嗟に思い浮かばなかった。

「私は江崎樹里《えざきじゅり》。この姓には覚えがあるでしょう?」

覚えがないとは言わせないと言わんばかりの声だが——ここで知らないとか正直に言ったらどうなんのかなぁ、これ。やっぱ逆噴射決定?

とは言え、入江としては事実を答えるしかない。

「いや、知らないけど。江崎なんて知り合いいないし」

江崎樹里の顔色が白くなった。怒って血の気が上るタイプと引くタイプ、樹里は後者らしい。

「……あなたがうちの名前を知らないってどういうこと」

「初対面で名前知ってろって言われてもねえ。ほとんど電波だよ、その要求」

子供に手加減するという習性を入江は持ち合わせていない。柏木が非難するような眼差しを

入江に向けたが、

「こういう扱い受けてこのうえ首謀者に配慮しろって？　冗談じゃないよ」

入江が手錠の掛かった両手首をかざすと、柏木は無言で目を伏せた。入江の言葉を否定することもしないので、やはり拉致《らち》を企図したのは樹里らしい。大人を顎で使うことを既に覚えていることからしてよほどご大層な家柄のようだ。

「人殺しのくせに被害者ぶって何様のつもり!?　私はあなたが塩害の実験で殺した江崎定和《さだかず》の娘よ！」

鞭《むち》で打つような鋭い声にははぁと得心したが――

「ごめん、だから知ってるだろうっていうならもっと無理」

入江はあっさり謝罪した。樹里が表情だけで問い詰める。

「僕が一体どれだけの被験者を殺したと思ってんの？　ある程度のデータになるほどの実験数って言ったら一千や二千じゃ効かないよ。全国に手配して数万に乗せた実験例、全部いちいち覚えてろって？」

入江が個人的に名前を記憶している被験者は一人だけ、しかもそれは実験の途中で脱走したあげく入江の友人とニアミスしたから覚えていただけだ。脱走しただけなら名前までは覚えず済ませている。

「大体、実験結果なんて僕の手元に来るときには単なる数字の羅列だよ」

しれっと言い放った入江に樹里の顔がますます白くなった。

「君、表やグラフ見るとき数値にいちいち思い入れする？　しないでしょ」

入江にとってそれは親切なつもりの喩《たと》えだったが、父親を数値呼ばわりされた樹里にとっては違ったらしい。

「うるさい黙れぇッ!!」

樹里はいきなり喚《わめ》いて車椅子から立ち上がる素振りを見せ——そのまま前にのめって倒れた。深い絨毯の上にくねるような姿勢で投げ出された樹里に柏木が血相を変えて駆け寄る。

美しい主従関係だこと、と眺める入江は完全に冷めている。

柏木に抱き起こされた樹里が乱れた髪の間からぎらついた眼差しを入江に刺す。

「私のっ……父を、殺しておいて——数値ッ……」

激昂《げっこう》のあまりか樹里の叫びはつっかえて完全に音階を踏み外し、見る間に過呼吸に陥った。

「お嬢様、落ち着いて！　息をゆっくり！」

柏木が気遣わしげに樹里の背中をさする。ああ面倒くさい、と入江はベッドのそばのゴミ箱を覗《のぞ》いた。まだ使っていないのでまっさらのポリ袋が敷いてある。そのポリ袋をひっぺがして入江は二人の側に屈《かが》んだ。

反射的に柏木が樹里を入江から庇《かば》おうとしたが、入江はそれに構わず樹里の髪を摑《つか》んで頭を手元へ引き寄せた。

「何を……！」

「このエキセントリックなお嬢様の容態を落ち着かせたいなら黙っといで」

言いつつ入江は樹里の頭にポリ袋をすっぽり被《かぶ》せた。異様な呼吸音を響かせていた樹里の息で見る間にビニールが白く曇る。その中で何度か呼吸をするうちに樹里の呼吸が落ち着いた。

柏木も樹里も狐につままれたような顔になる。

「心因性のハイパーベンチレーションだよ、呼気の再吸入ですぐ収まる。いろいろ気遣うよりもこっちのほうが手っ取り早いから、ヒステリー持ちのお嬢様に仕える身なら覚えとけば？便利でしょ？」

樹里が顔を真っ赤にして、被せられたポリ袋をむしり取った。怒って血の気が引いたところをさっき見たが、これは羞恥《しゅうち》混じりらしい。

「……とにかく、お話は後にしましょう」

柏木が樹里を抱き上げて車椅子に戻す。そのまま車椅子を押して部屋を出ようとする柏木に、入江は声をかけた。

「後でカミソリくれないかな。成人男子を軟禁するのに髭剃《ひげそ》り道具が何もないって、ちょっと問題じゃない？」

言いつつ入江は顎を軽くさすった。洗面所をチェックしたときに、カミソリがなかったことは確認している。

「刃物警戒してるんなら電気カミソリでいいからさ」

かしこまりました、と肩越しに会釈を残した柏木にすかさず樹里の金切り声が飛んだ。

「そんな奴に私と同じ受け答えを使わないで！」

過呼吸が収まったばかりで大した剣幕である。柏木は困ったような顔で「分かりました」と入江に向かって言い換えた。

二人が退室した後は抜かりなくまた表から鍵がかけられた。

注文の電気カミソリは数時間後に朝食と一緒に差し入れられた。持ってきたのは柏木だ。手錠を掛けられたまま洗面を一通り終えると、部屋のテーブルに洋風の朝食がセッティングされており「お手を頂けますか」。言われるままに手を上げると柏木がスーツのポケットから鍵を取り出して手錠が外された。

「いいわけ？」

意外に思って訊くと、柏木は入江の目を見ず答えた。

「邸内に警備を置いてありますから。また後ほど掛けさせていただきます」

奇妙な処遇に違和感を感じながらも入江はテーブルに着いた。柏木は食事中を見張るつもりか使用人の習いか、やや離れたところに立って控える。使用人が控えた環境で食事を取るのは入江にとって久しぶりだ。

外せと言っても外さないだろうから、気にせずパンをちぎる。トーストにオムレツと果物、簡素だがこのご時世としては上等な食事だ。

そろそろ食べ終わる頃合いで柏木が紅茶を淹《い》れはじめた。好みを訊かれてストレートを注文する。相当の資産家らしいが、茶葉までは指定できる状況ではないだろう。

差し出されて一口すすった紅茶は無難にダージリンだった。

「定和様のことは……本当にご存じないのですか」

カップから口を離したタイミングで控えめに尋ねてきた柏木に、入江は軽く肩を竦《すく》めた。

「残念ながらさっきも言ったような事情でね。そっちには詰《なじ》る権利があると思うよ、こっちに何ができるわけでもないけど」

端的に答えた入江に柏木の表情がやや不本意そうになった。彼なりに精一杯の来客に対する不服の表情なのだろう。

「何か勘違いしてるみたいだけど、僕が被験者の選出にいちいち関わってたわけじゃないしね。さっきも言ったけど実験例は数万だ、そんな非効率なことやってらんないでしょ。短期間に数をこなすのが肝だったし」

塩害のメカニズムを解明するために使った被験者は服役中の囚人だ。選出は条件だけ伝えて臨時内閣に一任した。その当時の省庁は既に組織が崩壊しており、平時の法務省に当たる暫定組織がどういう基準で囚人を選出したかは入江の知るところではない。

デジタルな論法を貫く入江に、柏木はわずかに眉をひそめて控えめな不快感を示した。

「もう少し仰《おつしや》りようを考えて頂けませんか。せめて……」

樹里に配慮しろと言いたいらしい。

「父親殺したんだから負い目に思えって?」

あけすけな確認に柏木が鼻白む。

「何度も言うけど実験例は僕にとって単なる数値だ。数値にするために数万人を消費してその一人一人に負い目を持つなんておためごかしを言う気はないよ。倫理を外れた自覚はあるけど、それに罪の意識を感じるくらいなら端《はな》からこんなことやってない。やりたいことをやっといて上っ面だけ謝罪したってお互い胸糞《むなくそ》悪いでしょ？」

もともと口数が多い入江に自己主張の少ない聞き手ではほとんど入江の独演状態だ。柏木はしばらく黙って聞いてから、やがて口を開いた。

「言い訳はしないということですか」

「それはまた随分と好意的な解釈だね」

盛大に顔をしかめた入江に柏木が「ご不満ですか」と尋ねた。

入江は軽く肩を竦めた。

「君としてはあのお嬢様が親の仇《かたき》を許せる分かりやすい図式がほしいんだろうけどさ」

恨みつらみに囚《とら》われ続けるより頃合いで解放されてほしいと思うのは、子供を見守る立場に立たされている者としては自然な願望だ。

「勝手に見出した良心が見込み違いだったってねじ込まれても困るしね。責任持てない茶番に付き合ってられない」

言いつつ入江は温《ぬる》くなった紅茶を飲み干した。

「僕は僕のやりたいことをやったし、君らは君らのやりたいことをやればいい。拉致したのはそのためだろ？」

「もし……もしもですが、お嬢様が復讐《ふくしゅう》のためあなたを殺すと言い出したとしても、やりたいことをやればいいと仰いますか？」

もちろん、と入江は頷《うなず》いた。

「ただし、その場合は僕のやりたいことが生き延びることになるだけだね。そして僕が負い目を拒否している以上、敵対者としてお嬢様に容赦はしない」

入江にとっては明快な理屈だが、柏木は疲れたように息を吐《つ》いた。情も脅しも通じない相手を持て余しているらしい。

「お嬢様があなたをお連れしたのは、危害を加えるためではありません。どうか早まった真似はなさいませんよう」

「拉致したときのは危害と言わないわけ？」

「手配した私の不備です、ご不満は何なりと」

大した忠臣ぶりだね、と聞こえよがしの独り言は聞こえなかったものとして流された。

「あの子の父親はどうして服役してたの」

少しでも情報を取ろうと投げた質問に、柏木がやや気兼ねしながら口を開く。

「定和様は春日井《かすがい》商事の取締役でいらっしゃいました」

その企業名は入江にも覚えがあった。塩害の一年ほど前、大規模なインサイダー取引で摘発された企業である。社会的にもかなり大きな事件で経営陣からも逮捕者が何人か出たはずだが、樹里の父親はその一人だったらしい。

「あれ実刑判決出たんだ」

何の気なしの入江の問いに、柏木の表情が苦くなった。どうやら何かえぐったらしい。トカゲのシッポ切りのようなものです、とそれだけで柏木は口を噤《つぐ》んだ。要するに切り捨てられたということだろう。

「そんであの子の境遇って今どうなってんの？」

「判決の後、ご祖父様に引き取られました。定和様は離婚しておられましたので……お嬢様も報道被害でそれまでの学校に通えなくなっておられましたし」

「じゃあこのご大層な邸宅はおじいさんちなんだ？　おじいさんは？」

「塩害で亡くなられました」

柏木はそれ以上言わなかったが、入江への恨み言を述べたい気持ちを抑えていることはよく分かった。祖父を塩害で亡くし、服役中の父も結果的に入江が塩害で奪ったことになる。幼い少女にとっては深い痛手だ。だが入江としては「知らなかったからごめんね」としか言いようがない。それも謝るとすればの話である。

塩害の実験については部外秘だったが、入江の強引なやり口に反発していた人間は隊の内外を問わず豊富だったので、どこから漏れたかは追及しても詮無《せんな》いことだ。

「君はあの子の何なの」

「父が江崎家に長年勤めさせて頂きました。私はその後を勤めております。ご祖父様が江崎家の使用人も引き受けてくださいましたので」

「亡くなった雇い主に義理立てしてお守りってわけね」

入江の揶揄は礼儀正しく黙殺された。

「あの子に好き勝手させるのも義理の内かい？　僕が倫理を外れたことと僕を拉致する犯罪性は別問題だ。いざとなったら君が罪を被るつもりでいるんだろうけど、それは忠義って言えるのかなぁ」

柏木は一瞬痛いところを衝《つ》かれた顔をしたが、その表情はすぐに押し殺された。

「あの年で寄る辺一つない方が、せめてもっと長く生きたいとあがくことに何の罪がありますか。あなたには無体を強いて申し訳ないが、その罪状は私がお引き受けすれば済むことです」

静かだが決意の籠《こ》もった声は頑《かたく》なほどに固く、自制をよく訓練されたこの青年が最も感情を露《あらわ》にした瞬間だった。


入江に再度手錠が掛けられたのは、樹里に呼び出されたときである。呼びに来た柏木が入江に手錠を掛けて『客室』から連れ出した。朝食時の話題については互いに触れず、無言のままだ。今まで手錠を外されていたことについても。樹里には無断の処置であるということくらいは分かる。

樹里の自室は一階だった。車椅子なので外の出入りの利便を考えての配置だろう。扉は重厚な樫《かし》だが、室内は少女らしい色合いでかわいらしく統一されていた。重い色合いの館内装との落差で目がチカチカするほどである。

「そこに掛けて」

言いつつ樹里がピンクのファブリックが掛かったソファを顎で示した。言われるまま座り、肘掛《ひじか》けに手錠で繋がれた手を預けると手のひらにざらついた塩の感触が滑る。

「柏木は外して」

樹里の命令に柏木は不本意な様子を見せたが、

「何かあったら呼ぶわ、外に警備を控えさせておきなさい」

そう重ねられて渋々従った。恐らく警備員だけでなく自分が控えておくつもりだろう。

堂に入った女王様ぶりだこと、と他人事《ひとごと》で眺めていた入江に声がかかる。

「朝は話が途中になってしまったけど、あなたを拉致した理由を説明するわ」

「ああ、もう聞いたから」

入江はあっさり片付けた。

「君、塩害に罹《かか》ってるんだって？」

樹里が眉間《みけん》に険しい皺を刻み、「柏木ね」と怒ったように呟く。後でさぞや突っかかられるのだろうが、それは入江の知ったことではない。口止めはされなかった。

「まあ、聞いているなら話は早いわ。私の父を犠牲にして研究したんだから、あなたにはその成果を私に返す義務があるはずよ」

あくまで尊大な樹里に対し、入江も尊大だった。

「無理だね」

結論を言い放ってから説明を繋げる。

「僕が調べてたのは塩害の感染経路だ。塩害に罹った人間を治す研究なんかしてないよ。確かにデータの蓄積はあるけど、それを即座に治療に転用するのは無理だ。本来の塩害の進行速度から考えれば、仮に治療法があるとしてもその目処《めど》が立つより君が塩化するのが早いね」

絶望的な宣告を受けて、しかし樹里は衝撃を受けた様子はなかった。余裕綽々《よゆうしゃくしゃく》の様子で薄く笑う。

「だとしたら、あなたを解放してあげるわけには行かないわ。私が死ぬときはあなたも死んでもらう。柏木は私が命令すればどんなことでも必ず聞くわ。私を救うか二人とも死ぬか。二つに一つよ」

「ははぁ、大した暴君だね。これに付き従ってるんだから柏木君も気の毒だ」

何の気なしの感想は、思いのほか樹里をえぐったらしい。色白の頬にカッと朱が昇る。これは血の気が昇るほうのネタか、と入江は冷静に観察した。

「あなたにそんなことを言われる筋合いはないわ！　あなたなんか何の罪もない人をいっぱい殺しておいて……」

「罪はある人ばっかりだったけどねぇ、何しろ囚人だったわけだから？」

間違いを軽く指摘されて樹里の顔がますます赤くなった。

「全員が死刑囚だったわけじゃないでしょう！　それにあなたに殺す権利なんかなかったわ！　私の父だって服役を終えたら戻ってくるはずだったのに……！」

怒鳴っていた樹里の顔がくしゃっと歪《ゆが》んだ。その表情を入江に見せるのが不本意なのだろう、ものすごい勢いで横を向く。目元を拭《ぬぐ》うと泣きそうなことを認めるようで嫌なのか、鼻の先で必死に涙をこらえている。

初めて見せた素直な悲しみの表情に、質問は無意識にこぼれ出た。

「そんなに悲しいの」

「どういう意味⁉」

樹里が見事な反射で噛《か》みつく。

「家族が死んで悲しくないわけないでしょう！　あなたバカじゃないの⁉」

「ふうん、幸せだったんだね」

率直な感想は甚だ樹里の癇《かん》に障ったらしい。

「父を殺しておいて──あなたがそれを言うの⁉」

詰る声に入江はああそうかと頷いた。

「確かに僕が言う筋合いじゃない。ごめんね」

あっさり謝られて樹里は怪訝《けげん》な顔になった。しばらく不発に終わった怒りを持て余している様子だったが、やがて低く呟いた。

「会社では悪いことをしたのかもしれないけど、私には優しい父だったわ」

相槌《あいづち》がほしいわけではないのは明白なので入江は返事をしなかった。

「母は私を要らないと言ったけど父は要ると言ってくれたのよ。男の子じゃないのに。跡継ぎにするとしてもきっと親戚《しんせき》の反対があったはずなのに。ただ私を愛してくれた証拠だわ」

父親の定和は離婚していたという話だったが、どうやらそれは樹里に物心ついてからのことだったらしい。

「とにかくあなたには私から父を奪った責任を取ってもらうわ！」

いきなり険しくなった声は入江に心情を吐露したことを悔いている。

「そんなこと言われたってねえ。そもそも研究施設から切り離されて僕に何ができるって？　資料だってないんだよ」

肩をすくめた入江に対し、樹里は鼻で笑って返した。

「子供だからって適当なごまかしが利くと思わないでね。あなたみたいに悪辣《あくらつ》な人が敵の多い状況で研究資料のバックアップを個人的に持ってないはずがないわ」

「買いかぶられたもんだねえ」

「そうやってとぼけていられるのも今の内よ」

樹里の笑みが皮肉に歪む。

「私の言うことを聞かないなら、あなたの家族がどうなっても知らないわよ」

樹里としてはせいぜい悪辣なつもりの脅し文句だったのだろうが、聞いた入江はこらえる暇もなく吹き出した。

「な、何よ！」

うろたえた樹里に答えてやりたくても笑いがなかなか収まらない。

「何よ、何がおかしいの⁉ 笑うのをやめなさいッ！」

金切り声で叫んだ樹里に、入江は笑いすぎて浮いた涙を拭いながらようやく答えた。

「いやーごめんね、そういう脅しが利くほど人間的だと思われてたとは思わなくて」

「ど……どういう意味よっ」

「取り敢えずその脅し、僕には効果ないにも程があるから。何か別の手考えて？」

入江としては悪気はなかったのだが、樹里は笑われたことでバカにされたと取ったらしい。

「今に見てなさい、絶対後悔させてやるわ！」

歯軋《はぎし》りでもしそうな様子に入江はようやく笑いをこらえて頷いた。

「お手柔らかに頼むよ」

人を食った物言いは単なる入江の癖だが、樹里には重ねてバカにされたとしか思えないようだった。

部屋に戻ってから手錠を外され、入江はひとり両の手のひらを眺めた。ソファで拾った塩粒が残っている。

その揃《そろ》った粒子をしばらく見つめてから、「まあ彼女がどうなろうと僕には関係ないしね」独りごちて塩粒をはたき落とし、ベッドに寝転がった。

家族を盾に取られて揺るがないのは育った環境による。

「分かんないんだよねぇ」

――家族が死んで悲しいとか。

家人とは大学に進学して以来、一度も会っていない。塩害にやられていなければまだ生きているのだろうが、彼らは入江に対して人質としての価値を一切持たない。もし目の前で彼らが殺されても入江は動揺しない自信があった。逆に入江がそうなっても家人の誰も動揺すまい。

「どっちかと言うと……」

盾にされたら少しは困る顔を想定してみると、それは結局心配の要らない相手である。秋庭《あきば》という名のその男は入江にとって辛うじて友人と呼べる唯一の人間だが、彼が人質として入江の前に連れ出される図はどう頑張っても想像がつかない。もし樹里が秋庭に危害を加えようとするなら心配せねばならないのは樹里の安全である。

入江は秋庭の弱味を衝いて意に添わせたことがあるが、それも長年の腐れ縁で互いの間合いが分かっていればこそ許容されたギリギリの取り引きだ。同じことを見も知らぬ他人がやろうとすればそれこそ秋庭と命のやり取りをすることになる。そもそも入江がそれを仕掛けたとき弱味となった少女は秋庭にとって被保護者の建前だったが、今ではそんな建前はかなぐり捨てられている。もし入江が再び同じことを仕掛けたら今度は入江もただでは済まない。

「というわけで真奈《まな》ちゃんを狙ったとしても秋庭が勝手に排除する、と」

樹里にたどられそうな弱点を一さらいするが、切実なことにはなりそうにない。

懸案を切り上げると昼間にこれほど何もせずにいられることはついぞなかったことに気づき、その贅沢《ぜいたく》さが睡魔を誘って入江は程なく眠りに落ちた。

＊

秋庭とは高校の二年生で同じクラスになった。

二人ともクラスで微妙に浮いていて、ああもう一人浮いている奴がいるなと思ったのが秋庭を認識した最初のきっかけである。

秋庭の側も同じことを思っていたらしいが、お互い浮いていることをさほど苦痛に思わないタイプだったのでそんなことを話すようになったのはかなり後だ。

秋庭のほうはとっつきにくさと微妙に剣呑《けんのん》な人相で何とはなしに敬遠されていた様子だったが、入江はと言えばもう少し積極的に避けられているクチだった。

相手の立場をまったく斟酌《しんしゃく》しない物言いと性格はこの頃にはすでに確立されており、しかも周囲に関わりたくないと思わせる幾多のやり口で触らぬ神に祟《たた》りなしという扱いを受けていた。

秋庭に初めて声をかけられたのはたまたま席が近かった頃だ。

「あんまり波風立てんな」

そのときの波風の内容は、自分の後輩の告白に断り方が冷たかったとかいう意味不明な理由で抗議しにきた他のクラスの女子たちを大泣きさせて追い返したことだった。

鬱陶《うっとう》しい思いをした直後なので答えた声にはかなり険があった。

「それって忠告？　お説教？　君に諭して頂く筋合いないんだけど」

八つ当たりがてら噛みつく先を探していたのかもしれない。女を泣かすなどという月並みな苦言でも述べようものなら遠慮なしに叩《たた》き潰《つぶ》すつもりで待ち受けたが、秋庭は書店のカバーがかかった新書を読みながらつまらなさそうに言った。後にその本の内容が航空関係だということを知る。

「いや？　単なるお願い」

予想外の返事に入江は目をしばたたいた。

「そこでキャンキャンやかましく騒がれたら俺が苦痛だ。俺に席外せって言う筋合いもそっちにねェだろ」

自分の権利を淡々と主張する秋庭に完全に意表を衝かれ、入江は素直に頷いた。

「成程、道理だね」

意表を衝かれるというのは入江にとって貴重な経験である。

「揉《も》めたらうるさいってのも道理だろ。教室の中に戸も立てられねェし。外でやるか揉めごと減らすかどっちかにしてくれ」

「まったくだ。悪かった、気をつけるよ」

秋庭としては度重なる騒ぎに対処しただけだったのだろうが、入江に気に入られるきっかけになることを知っていれば黙って耐え続けることを選んだに違いない。

入江のほうが気に入って付きまとうようになったが、話しかけると秋庭は見かけほどは寡黙なタイプでもなく、振った話題は大概広がる。唯一広がらないのは家族の話題だ。

どうやら父子家庭で、父親と冷戦中らしい。航空自衛隊のパイロットを志望している秋庭は、同じく空自パイロットである父親に進路を猛反対されているという。交通事故で亡くなった妻の死に目に訓練飛行中で間に合わなかった、というのが反対の理由らしいが、

「そのくせ自分は辞めてねェんだから勝手なもんだ」

一度だけ愚痴のようなことを吐いた秋庭は父親に対する感情が複雑なようだ。自衛官は転勤が多いため秋庭は高校から下宿暮らしだったが、父親とはほとんど連絡を取っておらず父親も連絡してこないらしい。

自分がそんな事情だからか秋庭も入江に対してほとんど家のことを訊かず、そのことも入江にとっては秋庭の居心地のよさに繋がっていた。

入江にとって家族とは物心ついた頃から「顕在敵」か「潜在敵」、または「非好意的中立者」の代名詞である。それは入江がことさら家族に対してひねくれていた訳ではなく、単純に家風の問題だ。

ご大層な家柄に資産がつけば血の繋がりは温《ぬく》もりよりも猜疑《さいぎ》と争いの温床だ。血が繋がっているだけにその軋轢《あつれき》はえげつなく、本家に生まれてしかも母親が後妻である入江が血縁に幻想を持てる余地は一切なかった。

取り柄は知能とぬけぬけと言い放てるくらいに出来のよかった入江は父親に目をかけられて

おり、その一族の中で最も分かりやすくやっかみを受ける立場だった。

ごくわずかな例外を除いて、必要のない限り触れたくもないというのが入江にとっての家族や類縁であり、近しい人間がそのような状態では他人に対しても幻想など持てるはずもない。

秋庭はそんな入江にとってほとんど初めての好ましい第三者だった。

同年代の級友にはとっつきにくさを感じさせる執着の薄い割り切った性格は、入江にとってはむしろ美徳である。何しろ世俗に執着の薄い人間など入江の身近にいた例《ためし》がない。

秋庭にとってはその後も含めてさぞかし迷惑な認定だったことだろうが、そんなことは入江の知ったことではない。

自分が興味を持てる他人を初めて発見した入江にとって、その楽しさを追求することのほうが秋庭の意向などより重大なのだった。


幸せだったんだね。

何の気なしにそう口走ったのは別に樹里に対する皮肉ではない。

心からの単なる素直な感想だ。ただし、その幸せの尊さは入江には理解できないので、樹里の喪失を理解することは不可能だ。

何を奪ったかも理解できないのに罪の意識を感じる振りなどしても詮無いことだし、身勝手な自分をそうでないように取り繕うことは入江の美意識が許さなかった。

結局のところ入江は自分のしたいことしかするつもりはないのである。

＊

入江を拉致して二日が経ち、樹里は入江という男の御しがたさを痛感していた。

家族を盾に取った脅迫が入江に通用しないことは事実のようだった。塩害を免れていた親類縁者への危害を仄《ほの》めかしても入江は顔色一つ変えず、それどころか「ああ、まだ生きてたんだあの人たち？」などと目を丸くする始末である。それも嘯《うそぶ》いているなら救いがあるが、本当に興味がなくて知ろうとしていなかったことが明らかなテンションだ。

一体この男には弱味というものがないのだろうか。

唯一反応があったのは、高校時代からの友人のことを持ち出したときだが、そのときは真顔で諭された。

「一応は君の親の仇っていう責任上忠告しとくけど、奴にだけは中途半端に手を出さないほうがいい。どうせ真奈ちゃんのことも調べたんだろうけど、あの子ある意味核のボタンと一緒だからね。非合法な立ち回りなら秋庭のほうが断然上手だし、本気で潰されるよ君たち。しかもそこまでリスク背負っても、真奈ちゃんて僕に対しては人質の価値全然ないし」

「あなたのせいで友達の恋人が殺されてもそんなことが言えるの!?」

「何言ってんの？　殺すのは僕じゃなくて君でしょ。秋庭は僕を恨むかもしれないけど、それはこっちの問題。僕に恨み言吐く前に確実に実行犯の息の根を止めるね、奴は。甘っちょろいところもあるから子供は殺せないかもしれないけど、成人男性である柏木君は絶対に見過ごさないな。まぁ、どうしてもって言うなら別に止めないから、真奈ちゃんを人質にするメリットと柏木君が被るリスクを比較してみれば？」

逆に脅迫される始末である。正確には脅迫ですらない。入江は事実を示唆しただけであって阻止する意欲すらなく、その突き放した理論に樹里が勝手に怯《ひる》まされただけの話だ。

人の心というものがないのかあの男は、と樹里は歯噛《はが》みした。

「お嬢様、もう交渉の方法を変えられたほうがよろしいのでは」

控えめにそう諭したのは柏木だ。

「強制されて従う人ではないでしょう、あの方は。むしろ拘束の非礼を詫《わ》びてご協力を願ったほうが話が通じるのでは？」

「勘違いしないで」

樹里は八つ当たりのように柏木に食ってかかった。

「いいこと、私はあいつに何かお願いしたいわけじゃないわ。父を殺したあいつを苦しめたいの。苦しめて私に屈服させて従わせたいのよ」

「現状まったく苦しんでいらっしゃらないようですが」

「だから！　あいつが苦しむような弱味を探してって言ってるの！」

苛立《いらだ》って噛みつくと、柏木の眼差しが険しくなった。ぎくりと心が冷える。――怒らせた、のだろうか？

内心で怯みながら窺《うかが》うと、柏木は眉間に皺を寄せたまま悲しげな表情になった。

「そんなことを言っている間に手遅れになったらどうなさいますか」

その心底からの心配の表情に揺らぐ。だが譲歩する言葉は口に出せなかった。

「どうせもう手遅れだわ。治療法なんか今から探したって見つかるわけないもの。私は死ぬ前にあいつを苦しめることさえできたらそれで満足なの。それと、」

そこで躊躇《ちゅうちょ》が言葉を途切れさせた。――それまで、あなたが私のそばにいてくれさえすれば。

それは口に出す勇気がなかった。

「それと、何でございますか」

促す柏木を樹里は上目遣いで睨んだ。

「何でもないわ、言いたくない！」

柏木はそれ以上は食い下がろうとはせず、どこかが痛むような表情で樹里を見つめていた。


物心ついたら柏木は既にいた。

使用人を使っていた江崎家で柏木の父親は執事の職に就いており、柏木は息子として子供の頃から江崎家に出入りしていたという。

後に生まれた樹里がその柏木によく懐いたので、両親は遊び相手兼子守りとして柏木を便利に使っていた側面もあったらしい。

両親が離婚したのは、樹里が十歳のときである。母は父以外に好きな人ができて出て行った。

親権では揉めなかった。母は新しい生活に樹里が邪魔だったらしい。別れる前の激しい口論は、大人たちの不注意で樹里の耳にも入った。

「お母さまは私のこといらないって言ったの。お母さまは私のこと嫌いだったのかな」

大人たちは誰も樹里には悶着《もんちゃく》を聞かせていないつもりだったので、樹里がそれを話せる相手は柏木しかいなかった。

「そんなことはありませんよ」

柏木はその頃もう大学生で、父親の雇い主の娘として樹里には敬語を使うようになっていた。父親にそう躾《しつ》けられてもいたのだろう。

「お嬢様がお生まれになったとき、奥様はとても喜んでおられましたよ。私にお嬢様と仲良くしてほしいと仰いました。お嬢様がかわいくなかったらそんなことは仰らないでしょう？」

「でもお母さまはわたしを置いていくのよ。好きだったら連れていくと思わない？」

実際は定和が絶対手放さない構えだったが、母が未練も見せずあっさり樹里を手放したことはショックだった。

「奥様はご自分のことで精一杯でいらっしゃるんです。お嬢様のことをお嫌いではないけれど、それよりご自分を大事にするので精一杯なんです。そうした方は諦《あきら》めるしか仕方がないんですよ」

子供相手に容赦ない理屈を使ったものだが、諦めなくてはならないことは納得できた。そうすると戸惑ったままで固まっていた気持ちが悲しい方向に揺らいだ。涙がぽろぽろ零《こぼ》れる。

「柏木は私のことを好き？　お母さまみたいに置いていかない？」

母親に手放された痛みを柏木に埋めてもらおうとしたのは筋が違うと今なら分かる。しかしそのときは樹里は子供だった。

柏木は膝《ひざ》をついて背の低かった樹里を静かに抱きしめた。

「柏木はお嬢様が好きですよ。お望みならずっとおそばにおりますから」

今となってはもう同じことをねだることはできない。そのとき言わせたのとは同じ言葉だが、違う気持ちになっているからだ。

「もう無心にしがみつくことはできないし、無心に腕の中に入ることもできない。

だから樹里は入江相手に始めた賭《か》けを全うするしかなかった。

＊

賭けは急転直下で終結する。入江を拉致して五日目だった。

それを手に入れたときは勝ったと思った。これで入江を意のままに動かすことができると。

それが浅はかな考えだったことは、入江を詰めにかかった直後に思い知ることになる。

入江は一向に従う様子は見せなかったが、抵抗することも樹里に危害を加えようとすることも一切なく、三日目から手錠は外させていた。どうせ樹里の見ていないところで柏木が入江の手錠を外していることは分かっていたし、それにまんまとごまかされていると思われることも不愉快だった。

入江を部屋に呼び出し、柏木をいつものように外へ下がらせてから樹里は手に入れたばかりの切り札を出した。

「今度こそ私の言うことを聞いてもらうわ」

入江に渡したのは一枚の写真である。

受け取った入江の顔色は変わった。いや、むしろ表情が削《そ》げ落ちた。

勝った。そう思った。

「その人のこと好きだったんですって？」

写真の被写体は大人しそうということが外見的特徴の、取り立てて目立つところもない女性である。

入江の遠縁に当たり、入江より二つ年上であることが調査書に書かれていた。そして、彼女と入江にまつわる事情も。

「お互い好き合ってたけど、あなたのお父さんが女性に縁談を押しつけて引き裂いたそうね？　お気の毒さま」

女性の家には本家当主である入江の父親の意向を拒否する力はなかったようだ。恋愛や結婚に当人同士の気持ちより家の都合が優先される世界ではままあることである。樹里だって親戚筋でそんな話はいくつも聞いたことがある。

もっとも父親が逮捕されてからはそんな付き合いからも疎外されていたが。親戚中で樹里を相手にしてくれたのは祖父だけだった。

「今は円満な家庭を築いているらしいけど、これがあなたのせいで崩壊したとしたら、あなたはどうやって詫びるつもり？」

返事をしない入江が今まで煮え湯を飲まされた分心地よかった。黙りこくっているのは弱味を衝かれた焦燥か、古傷をえぐられた痛みか。入江が苦しみさえすればどちらでもよかった。樹里も祖父に続けて父を失ったとき苦しんだのだ。入江も同じように苦しむべきだ。

「何とか言ったらどうなの？」

勝者の余裕で弄《なぶ》ったとき、入江が初めて反応した。顔を上げて樹里に向けた表情は、――拉致してからこのかた最も人懐こい笑顔だった。

「いやあ、すごいすごい。正直そんな昔の話を探り出すとは思ってもみなかったよ」

あっけらかんとした口調で言いながら入江は写真をスーツのポケットにしまった。

「彼女はね、僕があの家にまつわる人の中で唯一心を許してた人なんだ。彼女の家が一族の中の傍流だったからかもしれないけどね。とにかく、身内の諍《いさか》いとは無縁に付き合えることが僕には安らぎだった。別に大して深い仲だったわけじゃない、僕が彼女に少し甘えてただけだ。ところが父にはそれが気に食わなかったんだ。彼女の家柄じゃ本家の跡取りに目してた僕とは釣り合わないし、僕がのめり込む前にさっさと彼女を片付けにかかったわけさ。他人の妻なら間違いの起こしようがなくなるからね。そんな理由で一人の女性の人生を左右しようっていうんだから、僕の父親も大概クソだろ？」

怒濤《どとう》のような饒舌《じょうぜつ》は樹里に口を挟む隙さえ与えなかった。

「彼女に無理な縁談を強いるくらいなら、僕は彼女と二度と会わないって言ったさ、もちろん。だけど、彼女が未婚だったら僕がいつ早まったことをするか分からないから駄目なんだってさ。何様って感じだよね。まあ、それでも彼女が今幸せなんだとしたらそれは僕には救いだけど、それだけに今さら僕のせいで彼女の生活が乱されるようなことがあれば死んでも死にきれないよ。せっかく塩害も生き延びたっていうのにね」

人懐こい笑みがいつの間にかどこかで緩やかに切り替わっていた。――笑顔なのに、笑顔の要件が一切削ぎ落とされた酷薄な、

「彼女を盾にされるなら僕は君の言うなりになるしかなさそうだ」

初めて入江が従う意志を見せたのに、樹里は反射的に車椅子を後ろへ漕《こ》ごうとしていた。

だが、歩み寄った入江のほうが早い。

「いやッ……！」

樹里の足下に屈んだ入江は無造作に樹里のスカートを膝掛けごとまくり上げ、足の付け根に手を這《は》わせた。右足だ。

「何する気!?　やめて！」

スカートを必死に押さえた樹里を入江が鼻で笑う。

「こんな棒っきれみたいな体に僕が欲情するわけないでしょ、自惚《うぬぼ》れなさんな」

屈辱に頬が燃える。

「塩害に罹ってるんでしょ、まずは塩化の進度を診ないとね。塩害は末端から始まるから」

体温が低いのか冷たい手が完全に事務的な動きで膝下から太腿《ふともも》までくまなく這い回る。

「症状が出たのが十ヶ月前って話だったっけね？　それにしちゃかなり柔らかいよね、まだ。こことか」

内腿を確かめるようにさすられ、我慢の臨界はあっという間に来た。

「離して！　柏木を呼ぶわよ！」

「呼べば？」

あっさり言われて言葉を失う。呼べばと言いつつ樹里が柏木を呼べないことを入江は知っている。こんなところを見られるなんて耐えられない。せめて乱れた服を整えないと。

「はい次左ね。自分的にはどこまで塩化してる感覚があるの？」

そんなことは訊かれても答えるどころではなかった。あくまでも事務的に、だがその分だけ遠慮なく動き回る手の感触をこらえるだけで精一杯だ。

「はい、腕診るよ。上着脱いで」

まるで樹里を荷物かなにかのように無造作に扱い、入江は樹里の羽織っていたボレロを驚くべきスムーズさで引っぺがした。

「塩害の治療法はないって言ったけどさ、一つだけ心当たりがないこともないんだよね。これは試したことがないから何とも言えないんだけど……」

押しのけようと抗《あらが》う樹里を苦もなく押さえ込みながら入江は薄く笑った。

「塩化した部位を切断したらどうなるのかなって。これは一度試してみたかったんだよね」

ぞっとした。その笑顔があまりにも興味本位なことに。

「命が助かると思えば試す価値あるよね。思い切って手足落としてダルマになってみようか？

それとももう使い物になってない足からにしてみる？　心配しなくても症例として術後は一生国が面倒を見るはずだ。介護は君の言うことなら何でも聞く柏木君に引き受けてもらえばいいしさ」

足ならどこから切るべきかなぁ、などと言いつつ入江が再び足の間に手を潜らせる。

「この辺感覚ある？」

太腿の半ばを押したりつねったりして塩化部位を見極めようとしているようだ。

本当にこの男は切るつもりだ。

「やめて……！　治らなくていいからっ……その人にも手を出さないからっ」

「そうは行かないよ」

入江はにこやかに微笑んだ。

「ちゃんと君の塩害を治しておかないと、いつ君の気が変わって彼女を盾に使うか分からないだろう？」

それと同じ理屈を聞いた。ついさっき、入江の口から。

彼女が未婚だったら僕がいつ早まったことをするか分からないから駄目なんだってさ。

入江の父親はその理屈で女性の縁談を押し通したのだ。だとすれば、息子の入江が同じ理屈を押し通さないわけがどこにある？

「君の塩害を治療させてくれるまで僕は絶対帰らないよ。安心して、柏木君にもちゃんと口裏は合わせるからね」

冷たかった入江の手が自分の足と同じ体温になっていた。

「ごめんなさい謝るからもうやめて！」

力一杯叫んだ。叫び終わる前にドアが激しく開く音がした。

「何を……してるんですかあなたはッ！」

柏木の声は今まで一度も聞いたことがないほど怒っていた。詰め寄ろうとした柏木に、入江が軽い仕草で何かを放る。反射で受け取った柏木が怪訝な顔になった。

「中身は食塩だよ」

樹里ははっとして入江に剝《は》がれたボレロを見た。ポケットに入れてあった食卓塩の小瓶だ。

「この部屋にこれ見よがしにばら撒《ま》いてあるのは全部それ。塩化で人体から吹く塩ってこんなに粒子揃ってないよ」

「いや……！」

黙ってて。

そんなことを頼んでも入江には通用するはずもなかった。

入江はぞんざいな手付きでめくれ上がっていた樹里のスカートをはたき落とし、ソファに腰を掛けた。

「この子最初から塩害になんか罹ってないよ。長いこと塩害の振りしてて足が萎《な》えてる以外はまったくの健康体。成長期に一年近くもろくに歩かずにいたら、そりゃ立つのも覚束なくなるだろうさ。そもそもホントに塩害に罹ってたら十ヶ月も保《も》つわけないって。それに塩害って別に運動能力が麻痺《まひ》するわけじゃないし。塩化したら動けなくなると思ったのかもしれないけど、完全に塩化する直前に大立ち回り演じて脱走した囚人だっているんだよ」

最期は寝たきりだった祖父を真似たのだが、それは老衰のせいもあったのだろう。

柏木は呆然《ぼうぜん》とした様子で樹里を見つめ、その眼差しを受けられず樹里はずっと俯《うつむ》いていた。

「必然的に、元々罹ってなかった塩害を僕に治してほしかったわけじゃないよね。かと言って執拗《しつよう》に僕の弱点を探し出してきたのは、お父さんの復讐のために僕を苦しめたいからだけとも思えない」

「あなたを苦しめたかったのは嘘じゃないわ」

柏木に向かっては言えず、樹里は俯いたままで入江に口を挟んだ。

「あなたも私と同じくらい傷ついたらいいって思ったのよ」

父親を奪われた恨みを何らか晴らしたいと思ったのは本当だ。

「でもそれだけじゃないよね。僕の弱味に拘《こだわ》ったのは僕を言いなりにしたかったからだ。柏木君に内緒で君を塩害にしてほしかったんだろ？」

「どうして……そんなことを」

柏木がどちらにともなく呟き、入江がつまらなさそうに突き放す。

「そんなこと僕が知るもんか。ヒステリックで思い込みの激しいお嬢様の思考回路なんか」

痛烈な形容がいたたまれなく刺さった。柏木も同じ台詞《せりふ》を聞いていると思うと身が縮んだ。

入江が最後に喋ってからは誰も口を開かず、樹里にとってはひたすらに重たい沈黙が続く中、ドアがノックされた。

誰も答えようとせず、しばらく待ってから遠慮がちにドアが開けられた。顔を覗《のぞ》かせたのは使用人の初老の女性だ。

「あの……入江様のお迎えと仰る方がいらっしゃいましたが」

「ああ。行くよ、待たせて」

言いつつ入江がソファを立った。まるで、入江がこの家の主人であるかのようだった。出口に向かいかけた足が止まり、樹里を振り返る。

つかつかと歩み寄った入江は、樹里の顎を掴んで顔を上げさせた。とっさに目を伏せようとしたが逃げ切れない。

「自分の命令なら何でも聞くなんて息巻いといて、結局えらく卑屈だったね？　言いたいことを言えないからって僕をダシに使おうなんざ百年早いよ。僕は他人の都合で僕を使われることは我慢ならないんだ。その逆は大好きだけどね」

今まで樹里が脅したり責め立てたりしていたときは、随分受け答えを手加減されていたのだと初めて分かった。口調は同じように軽いのに吐かれる言葉は針のようだ。

「しかも最初から自分の弱点はさらけだして正気じゃないね。急所丸出しで優位をひけらかしてるのは滑稽《こっけい》にも程があったよ。今回はこれで帰ってあげるけど二度目はもうない。もし次があれば、そのときは君を弱味の一切ないきれいさっぱりな身の上にしてあげるよ」

言われて初めて自分が先に弱味を摑まれていたことに気づく。

「ごめんなさいっ……だから、」

許して――

「甘ったれたお子様の謝罪に何か価値でもあると思ってんの？」

「おやめください！」

割り込んだのは柏木だ。樹里の顎を持ち上げた入江の手を摑んで引き剝がす。

「お嬢様が何をなさったとしてもその責は私にあります。それは最初に申し上げたはずです」

入江は急にその場の状況に興味をなくしたように冷めた表情になった。

「もうどうでもいいや、バカバカしい。後は勝手にやれば？」

言いつつ入江が出口に向かった。

「バイバイ、幸せなお嬢さん」

皮肉混じりに言い残し、入江は振り返りもせずに手だけ後ろにひらりと振った。

祖父が亡くなった後、使用人が次々と辞めていった。

長年勤めた雇い主が亡くなり、残された孫娘に使われる義理はないと暗に言われているようだった。

それでも江崎家からついてきた人間は、かなりの数が残ってくれた。服役しているとはいえ、定和はまだ刑務所の中で生きているからだ。懲役が終われば戻ってくるはずだったし、樹里は彼らにとって雇い主から預かった子供だった。

その定和もやはり塩害で亡くなった。

毎日泣き暮らして、泣き疲れた頃に——樹里に気兼ねする風情は見せながら、江崎の使用人たちがぽつりぽつりと辞めはじめた。

やっぱりご当主様が亡くなられては。未成年者と不安なく雇用関係が続くとは思えない。仕方がない。樹里は資産が残されたとはいえ頼りない子供だったし、彼らの雇用関係は樹里とではなく定和と結ばれたものだ。個人的に樹里に同情してくれたとしても、所詮《しょせん》他人の子供にそこまで心をかけられるものではない。

柏木さんはいつまでいるのかしらね。

辞めていく家政婦がそんなことを話しているのを聞いた。

いくらお父さんの代から勤めてると言っても、こんなご時世に死んだご主人のお嬢様なんか抱え込んでいられないでしょうよ。まだ若いんだし。

そうよねえ。他人のコブつきじゃ恋愛も結婚もねえ。もう面倒見る義理もないわけだし。

いくら何でも他人の子供のために自分の人生までは犠牲にできないものねえ。こんなご時世に身寄りがなくなるなんて運が悪かったわねえ、お嬢様も。

柏木さんがいなくなったらどうなるのかしら。

悪意はないが無遠慮で無神経な会話は聞いた樹里を打ちのめした。

ああそうだ、何で自分は柏木がいなくならないなんて当たり前みたいに思ってたんだろう？

誰がいなくなっても柏木だけはずっとそばにいてくれるなんてそんなこと。

樹里と雇用関係があるわけではない。個人的に同情してくれたとしても、所詮は他人の子供。

それは柏木だってまったく同じ条件だったのだ。

その会話を聞いたときから、柏木がいずれ去っていくことは樹里の中で既定の事実になった。

そして樹里にそれを止める権利はなかった。

行かないで、そんなことは言えなかった。それを頼めば、柏木は自分が樹里に縛られている現実に気づいてしまう。まだ気づいていないかもしれないのに。

気づけば柏木はさっさと離れていってしまうかもしれない。樹里に同情しつつ辞めていった大人たちのように。

私のそばにいて。あなたが好きなの。そんなことが言えるほど大人だったらよかったのに。

どうしたら柏木を引き止められるのかそればかり毎日考えた。そして思いついた。

柏木は優しいから、私がかわいそうになったら私を捨ててはいかない。

身内から二人も塩害の犠牲者が出ていたので、塩害になったという訴えは疑われなかった。

お願い、私が死ぬまででいいからそばにいて。

柏木はもちろん頷いた。そしてもちろん浅はかな嘘は時間が経つごとに樹里を追い詰めた。

嘘がばれたら柏木はきっと呆《あき》れるだろう、そして樹里を嫌いになるだろう。それでも嘘など吐《つ》かなければよかったとは思わなかった。使用人はその間にもどんどん減っていったし、その嘘で引き止めていなければ柏木がまだここにいるなんて思えなかった。

そしてそんな頃に父親が塩害に罹った本当の理由を知った。

傷ついたし憤ったし許せないと思った。そして同時に、
自分から父親を取り上げて柏木との繋がりを危うくした入江が、柏木を繋ぎ止めることに手を貸すのは当然だと思った。

父を塩害で殺したのなら樹里も塩害にすることができるはずだ。樹里が塩害に罹れば樹里の嘘は嘘でなくなる。

死ぬまででいいからそばにいて。その頼みも絵空事ではなくなる。一生ずっとなんて言えば重いけど、塩害で死ぬまでだったらそれくらいはきっと柏木も迷惑じゃない。

自分の命が縮むことはどうでもよかった。その間そばにいてもらえるなら。

自分の命令なら何でも聞くなんて息巻いといて。

入江の皮肉は痛烈だった。結局のところ樹里は本当の願いさえごまかしや脅しでかすめ取るしかできない卑怯《ひきょう》者で臆病《おくびょう》者なのだった。

「ごめんなさい」

甘ったれたお子様の謝罪に何か価値でもあると思ってんの？　入江にはそう嘲笑《ちょうしょう》されたが、それでも樹里にはその言葉しかなかった。

柏木の顔を見ることはできず、謝罪の言葉は膝に落ちた。

「随分ひどいことをなさいましたね」

静かに詰る言葉に肩を縮めると、柏木の声が同じ高さに降りた。

「私に対して随分ひどかった」

前に屈み込まれて見据えられると視線の逃げ場がなかった。

ごめんなさい、と繰り返した声はもう声にならず、嗚咽《おえつ》が詰まる。

「あなたに口さがない話を聞かせた人たちと私を同じだと思っておられたんですか。そんな嘘で脅さないと私があなたを見捨てると？」

諭すように叱る声は昔から少しも変わらない。

「何かしてほしいときはどうするんですか」

忙しかった父親よりも叱る回数の多かった柏木は、ごまかせとも脅せとも教えなかった。

「私のこと嫌いにならないで」

ぼろぼろ涙が出て止まらない。そうだ柏木は昔からそう言っていた。

何かしてほしかったらちゃんとお願いしないといけなかったのだ。

「私が塩害じゃなくてもずっと私のそばにいて。私がかわいそうじゃなくても捨てないで」

に抱きしめてくれた。

何かを言おうとしても泣き声にしかならない。柏木はそんな樹里を、昔よりも少し遠慮がち
厳しく咎《とが》める眼差しが逆にどれほど大事にされているか悟らせた。

「もう二度とこんな嘘は吐《つ》かないでください。──あなたが死ぬだなんていう嘘は」

言いつつ柏木が膝の上で強ばっていた樹里の手を包んだ。

「私からもお願いしてよろしいですか」

＊

ご大層な屋敷の表に無骨な軍用車両が停まっていて、運転席では旧友が待っていた。

「やあ、悪かったねわざわざ」

「厚木《あつぎ》に泣きつかれたからな」

秋庭は無愛想に応じた。

「足取りを見失ってこのままだと責任問題だって青ざめてたぞ。奴ら、ドヤ街のネットワークには弱いからな。どうせ途中で連絡取れたんだろうに何を長逗留《ながとうりゅう》してんだ」

「まあまあ、貸しは一つでも多く作ったほうがいいじゃない」

入江が乗り込むや秋庭はさっさと車を出した。

「お前がガサゴソ動き回るのは勝手だが俺を巻き込むな。地方くんだりからお前の尻《しり》ぬぐいに

駆り出される身にもなってみろ」

「ありがたいことだねえ、友達って素晴らしいなあ」

「ここで蹴落《けお》とすぞ、てめ。好きで来たとでも思ってんのか」

古くから高級別荘地で知られる街を高台から下り、後にした屋敷は後方の景色に混ざった。

「結局どういう事情のご招待だったんだ」

「ん？　痴情のもつれに巻き込まれたようなもんかな」

怪訝な顔をする秋庭に入江は笑った。

「僕って年の差がある男女の縁を取り持つのが巧《うま》いかもしれないよ」

「お前に取り持たれた覚えはねェからな、俺は数に入れるなよ」

釘《くぎ》を刺した秋庭が面白くもなさそうに吐き捨てる。

「何に首突っ込んだか知らんが、どうせ遊び半分に状況引《ひ》っ掻《か》き回しただけだろうが貴様は」

「うっわ心外。僕がいつした、そんなこと？」

「いちいち覚えてられるほどお前の暴挙が少ないとでも思ってんのか？」

会うのは半年ぶりになるが、秋庭の物言いには久しぶりに再会した和やかさなど微塵《みじん》も感じられない。それも秋庭らしいことだった。

ポケットに固い用紙の感触があり、入江はしまっていた写真を取り出した。L判の下端には最近の日付が入っている。

写真とはいえその姿を見るのはほとんど十年ぶりだった。

生きていた。時世のせいか少しやつれているが、入江の思ったとおりに年を取っていた。

「何だそりゃ」

さほど興味もなさそうに尋ねた秋庭に入江はおどけた口調で答えた。

「僕の最初で最後の恋の相手」

冗談と受け取ったのか秋庭が苦笑する。「相手はどこの妖怪《ようかい》だ?」物の怪《け》の類《たぐい》でもなければ入江の相手は務まらないという揶揄だろう。

「さぁて、尻尾《しっぽ》や角はついてなかったけどね」

言いつつ入江は写真を大雑把に何度か破いた。その破いたことで秋庭は完全に冗談と思ったようだ。

開きっぱなしだった幌《ほろ》の窓から破いた紙片をぱっと散らす。

「こら、そんなとこから捨てんな」

すかさず咎めた秋庭の声に入江は笑った。

「捨てたんじゃないよ、一種の供養かな」

何の理屈だそりゃ、と秋庭は運転しながら渋い顔をした。

Fin.

塩の街 *-debriefing-* 旅の終わり

*

今でもときどき思い出す。

それは夢であったり、日常の中でふと頭をかすめるように浮かぶ記憶だ。

真奈《まな》が初めて秋庭《あきば》に拾われ、マンションに連れ帰られたときのことである。

秋庭はてきぱきと間取りの説明をして、

「取《と》り敢《あ》えずシャワー浴びてこい。石鹸《せっけん》や何かは適当に使え、タオルは棚のが洗い済みだ」

と言った。すぐにも体中洗い流したい真奈の気持ちが分かっているようだった。

ああ、でも着替えどうしようかな。着の身着のままで転々としていたので着替えが何もない。

それまで配給所でもらって溜《た》めていた下着など多少の荷物はあったのだが、アクシデントから逃げるときにどこかへやってしまった。

迷いながら脱衣所に入った真奈に、秋庭が「少し待ってろ」と声をかけ、別の部屋へ行った。

ややあって戻ってきて、真奈に何か放る。反射でキャッチしたのは女物の白いボストンだ。

「適当に使えるもの漁《あさ》って使え。服や下着も洗濯したのが少しはあるはずだ」

そう言ってから首を傾げ「多分、何枚かは……何せ無精な女だったからなぁ」と以前ここにいたらしい女性の性格を窺《うかが》わせた。

そして脱衣所を締めさせてもらい、ボストンを開けると確かに中身は無精な人の詰め込み方そのものだった。

洗濯したものとしていないものがかろうじて鞄《かばん》の両端に分けて突っ込まれているらしいが、両方ぐちゃぐちゃで真ん中は混沌《こんとん》地帯だ。恐る恐る匂いを嗅《か》いで洗剤の匂いがするものを選り分ける。

ブラはだめだな、と見て諦《あきら》めた。着けてみるまでもなくサイズが大きい。

ショーツは何とかなりそうだ。ボストンの主はLサイズだが、Mサイズの真奈にも穿《は》ける。

洗濯していないものは洗濯機に直に放り込まれている洗濯物の中に混ぜた。洗濯ネットなどという気の利いたものはもちろんない。

自分の脱いだ服や下着も見えないように洗濯槽の底へ押し込み、真奈は浴室へ飛び込んだ。

シャワーから熱いお湯を出し、頭から浴びる。一枚借りてきたタオルに石鹸をつけて、体中を力一杯こすった。

タオルの柔らかい生地がもどかしい。固い垢《あか》すりで赤むけになるほど体中を洗いたかった。秋庭が使っているらしい垢すりは浴室内のタオル掛けにあったが、さすがにそれを借りるのは抵抗があった。

シャワーを終えてから体をまた執拗《しつよう》なまでに拭《ふ》き、見繕っておいた下着を着けて服で悩んだ。助けてくれた人とはいえ、ノーブラで出ていかなくてはならないのは抵抗があった。湯冷めをするまで服を引っくり返した挙句、濃い色のキャミソールにくたびれた長袖《ながそで》Tシャツを重ね着して自分的な折り合いをつけた。

その後は秋庭が気を遣い、住人がもう消えていた同じマンション内を片端から開けて使える服や下着を探させてくれたので、悩んだ期間はとても短かったのだが。

あのボストンの女の人は誰だったんだろう？

入江と初めて会ったときの「女の趣味変わったよね」という発言と一緒にときどき泡《あぶく》のように思い返される。

趣味が変わったというのはどういう意味だろう。

少なくとも真奈より胸が大きくてスタイルがよかったことは確定している。残されていた服はサイズのタグを見ると余程自分のスタイルに自信のある人しか着られない数字で、デザインも同じくだった。

きっと年齢も近くて大人っぽくもあっただろう。


恋人だったのかな。


秋庭には大事にされていると思う。たまにキスをしてくれるようになった。たまに好きだと解釈できないこともないようなことを言ってくれるようにもなった。

でも、秋庭からはっきり自分がどういう存在か告げられたことはない。

恋人ですかと誰かに訊《き》かれたら、真奈がそうですとは答えられない。

あたしの好きな人です、としか。

一緒にいてくれる秋庭の気持ちを疑ったことはない。しかし、自分が秋庭にとってどういう存在なのか、それはそんな昔のことを思い出すごとに少しだけ不安になる。

あたしは秋庭さんの何ですか？　それは二人きりのときに訊けばあっさり答えてもらえそうな気もするのだが、結局物怖《ものお》じする気持ちが勝って訊けたことはない。

真奈とのことをからかわれると仏頂面になる秋庭は照れているのだと周囲の人々は言うが、真奈は曖昧《あいまい》に笑ってごまかすしかなかった。

＊

塩害から二年が経過した初夏。

国内の結晶処理は完了したという声明が臨時政府から出された。

「……と思ったらさっそく行方くらませやがったってよ」

寄宿している伊丹《いたみ》駐屯地の家族隊舎に帰宅した秋庭が苦笑混じりに発した第一声がそれだ。

「誰の話ですか？」

配給が安定したので一頃より豪勢な夕食を作って待っていられるようになった真奈が訊くと、秋庭は作業着代わりの戦闘服を脱ぎながら答えた。

「入江《いりえ》だよ」

「えー、ずっと立川《たちかわ》の臨時司令だったのに？」

「臨時政府から結晶処理の完了宣言が出た以上、塩害の終息宣言もそう遠くないからな。入江の自衛隊内での立場は微妙だったし、外部に漏れたらまずい事情を丸ごと握ってるのも奴だ。幹部扱いで取り込んで監視下に置くほうが幕僚部としては安心だったろうが、奴がその思惑に素直に乗るわけがないしな。この辺りが潮時だったろうよ」

「どこ行っちゃったのかなぁ、入江さん」

「心配することぁねえよ、どこに行っても自分勝手に生きてるに決まってる」

それもそうか、と真奈も素直に納得した。

「そんでこっちも異動命令だ。次は百里《ひゃくり》になる」

真奈はしばらく返事に迷って、それから口を開いた。

「古巣ですね」

昔、一度空自を飛び出した秋庭が勤めていた基地が百里だったという。

「ちっと戻るのが気まずいかな」

秋庭も苦笑しながら食卓の前に座った。

「秋庭さんはもうこのまま……？」

味噌汁《みそしる》をよそいながら何気なく訊くと、秋庭も椀《わん》を受け取りながら何気なく答えた。

「奴と違って義理もあるし思い入れもあるしな。一度は飛び出したけど、結局隊を使って自分のやりたいようにやったんだ。隊の立て直しに俺が要るって言われりゃそれを蹴《け》る権利はないな、入江と違って。俺がパイロット育てられる体制になるまでどれだけかかるか知らんが」

いつ動ける。訊かれて真奈は笑った。

「一日もらえたら充分ですよ」

いつ異動がかかるか分からないので荷物はあまり増やすな、と伊丹に来たとき言われている。結局着任してから二年、秋庭は伊丹を拠点に動き回っていたが。

「せっかく色々教わってたのに残念ですけど」

ここ一年半ほどは衛生科で看護師の手伝いをさせてもらいつつ、些少《さしょう》ながらバイト代のようなものまでもらっている。円だから通用するようになるのはまだまだ先だろうが。

「世話になったところには挨拶《あいさつ》行っとけ。お前、けっこうかわいがられてたしな」

頷《うなず》いた真奈に秋庭は言い足した。

「人手は圧倒的に不足したままだから、伊丹で一年以上衛生科手伝ってたっつったらそれなりに処遇も考えてくれるだろうよ。お前が希望すればの話だがな」

「また手伝わせてもらえるといいなぁ」

資格を取れるような社会体制はまだ整っていないが、せめて実務で看護師補助のようなことができるようになりたいということは秋庭には伝えてある。

「今度も車で移動ですか？」

「自衛官一人の異動で航空燃料使えるほど台所事情はよくないからな」

「車のほうが嬉《うれ》しいです」

素直な気持ちが言葉に零《こぼ》れた。

「今度は景色が見られる旅ですよね。ゆっくり行けたらいいな」

ふと秋庭が箸《はし》を置いた。真奈の頭を軽く叩《たた》く。

「――今までありがとうな」

知らない場所へ行くときは目隠ししてくれ。それは結晶処理の完了宣言が出るまで、秋庭が一度も譲らなかった頼みだ。

「着任は急がれてない。少しくらいなら寄り道できるぞ、何かあったら考えとけ」

「あ、だったら」

真奈は顔を上げた。

「お父さんとお母さんのお墓、どこかで作りたいな」

形見の本はずっと手元に置いたままだ。

「墓はどこにあるんだ？」

「あ、ないんです……まだ買ってなかったから」

父も母もまだ霊園を考えなくてはならないような年ではなかった。

「えーと、菩提寺《ぼだいじ》は」

「え、分かりません。菩提寺って何ですか？」

「そっから説明要るのか！」

秋庭は驚いたように声を上げたが、塩害の発生した当時、真奈はまだ高校生だった。法事の知識など親に丸投げである。

「ええと、家は仏教だよな？　先祖代々の供養を頼んである寺のことなんだが……法事のときに呼んだりしなかったか」

お寺さんのことか、と真奈は納得した。

「父は北海道出身で母は九州出身だったけど、知り合ったのは東京だったしそういうのは田舎に行かないと……よっぽど大きい法事じゃないとうちは呼ばれなかったんです。やっぱり遠いし、共働きだったから」

真奈も物心ついてから祖父母の葬式で一、二度帰ったことがあるくらいで、それもどこの寺を呼んでいるかなんて気にしている余裕はなかった。それに両家とも親戚《しんせき》が多くなかったので、今では親類がどうなっているかそれこそ行ってみないと分からない。

「うーん、さすがに日本の北端か南端に寄ってやれる余裕はねェなぁ」

難しい顔をした秋庭に真奈は慌てて手を振った。

「いいです、どこか適当なところで。お墓建てるのは無理でもどこかのお寺で納骨だけとか」

「言ってもお前、縁のない土地じゃ後が大変だろ」

言いつつ考え込んだ秋庭が「まあいい」と食事を再開した。

「ちょっとこっちでも考えとく。心配すんな」

そんな会話があってから二日後、秋庭と真奈は二年馴染《なじ》んだ駐屯地の人々に見送られて東へと旅立った。

通行だけはできるようにインターチェンジが無人で開放された高速道はいくつかあったが、事実上は公用車専用道路である。

秋庭はその中で名神《めいしん》高速を経由して東名高速に車を乗り入れたようだ。——というのは真奈が暇潰《ひまつぶ》しで地図帳を広げて道を追っていたから分かったことだ。秋庭のナビができるほど地理に明るくはない。

西へ行ったときのように寄り道がないので、高速を走る車は順調に距離を稼ぐ。もともと道が順調なら大阪—東京間は休憩を入れても八時間とかからない。

少しくらいなら寄り道できるって言ってくれたのにな。そんなことを内心思いながら、真奈はハンドルを握る秋庭に話しかけた。

「道、もう全然塩が残ってないんですね」

「さすがに自衛隊や消防、海保がフル回転で処理はじめてからもう二年だからな」

「景色見られて嬉しいな」

わざとらしいかなと思いながらそう言ってみると、秋庭が苦笑して横から頭を叩いた。

「心配しなくても途中で少し寄り道してやるよ」

その後何度かトイレ休憩を挟みながら車は静岡県掛川《かけがわ》市に入り、秋庭は掛川インターで下道

＊

に下りた。

その後向かった方向には、信号の復活した街を抜けると鄙《ひな》びた里山の風景が広がりはじめた。

「わぁ、いい景色！　富士山とかは見えないんですか？」

「お前な、さっきまで地図見てたろ。富士山はもっと先だ、こっちはこのまま県境まで突き進むと日本アルプスに突き当たるな」

「じゃあ東京行く途中で富士山見られるんですよね！」

「天気さえ良ければな。自衛官には庭すぎてわざわざ見たくもねェ山だけど」

「今日は日本アルプス見られるんですか？」

「そこまで行かねェよ」

じゃあどこに、と首を傾げた真奈に秋庭がやや複雑そうな表情で「俺の田舎だ」と答えた。

取り敢えずここでいいか、と秋庭が車を停めた道端は、周囲に休耕田の広がる農道だった。畦《あぜ》や田の中に春の野花が咲き誇っており、緩やかに連なっている里山の登り口がすぐそこだ。

意外、と思わず呟《つぶや》いた真奈に、「何が」と秋庭が怪訝《けげん》な顔をする。

「秋庭さんって都会の人っぽかったから……ここで育った秋庭さんて想像すると何か新鮮」

「うるせェよ、そっちこそ菩提寺も知らんくらい都会っ子だなんてイメージなかったぞ」

「え、それどういう意味ですか」

都会生まれに見えないのはいいけど、都会っ子って、都会っ子って――真奈は唇を尖《とが》らせた。

あたしが子供っぽいってことかなぁ、そういうことかなぁ。

「あたしもう、」

二十歳になったのに、と言いかけた真奈を秋庭が頭をぐしゃっとかき回して黙らせた。

「いいからその辺で花摘んでくれ、菊系混ぜつつ日保《ひも》ちしそうなの。俺は香花を切ってくる」

「コウバナ？　って何ですか？」

「あー、知らんか。この辺りから西日本のほうで仏前に供える木だ。西日本じゃ樒《しきみ》ともいうか。関東じゃあまり使わないらしいが、うちの山にはやたら自生してるもんでな。せっかくだから墓や仏壇に供えてるんだ」

「えー、うちの山⁉　ここの山、」

と里山の登り口を指差す。

「秋庭さんちの山なんですか⁉」

「全部じゃねえぞ。手前の稜線《りょうせん》のとこまでだ。親戚の墓山になってんだよな。権利がうちってだけで実際の管理は親戚に頼んであるしな」

「秋庭さんって実はすごくいいお家《うち》の……⁉」

「だったら家飛び出して自衛隊なんか入るかい。本家だってうちじゃねえし。ここらの家ならどこだって自前の山や土地くらい持ってるよ。ただし開発計画の気配もない田舎の地べただ、資産価値なんかないも同然の大らかさだけどな」

それにしても土地＝高いものという刷り込みがなされている東京育ちの真奈にはものすごい話のように聞こえる。

秋庭は登り口を入って姿を消し、真奈は誰が植えたわけでもない野の花だけで花畑のようになっている田んぼの中で夢中になって花を摘んだ。――こんな楽しいの初めて。

真奈にとって花というものは花屋で買ってくるか花壇に植わっているもので、こんなふうに自分の好きなものを勝手に摘んでいいなんて楽しくて仕方なかった。摘む端から別のがきれいに見えて、秋庭が戻るころには両手に抱えて余るほどの花束を作ってしまっていた。

「お前なぁ……一つの墓の花生けにそんなに入るわけないだろ、花」

「あ、そうか」

これ秋庭さんがお墓参りに使うお花なんだ、と言われて初めて気がついた。

「ごめんなさい。こんなところでお花摘むの初めてだから、楽しくてつい。お墓参りなんですよね」

しゅんと俯《うつむ》いた真奈の頭に秋庭の手が優しく乗った。

「まあいい、入りきらない分は近所の墓に分ければいいだけだ」

「……お墓参りのときって、いつもこうやってお花摘むんですか？」

「んなわけねぇだろ、平時なら花屋かスーパーで買ってるよ。だけど生花が流通に乗るご時世じゃないだろ、たまたま季節がよかったから代わりだ。……でも」

秋庭がどきりとするような優しい顔で笑う。

「お前がそんなに楽しかったならよかったよ」

「た……楽しかったです、すごく」

何だかどれくらい楽しかったか主張しなければならないような使命感に駆られ、真奈は懸命に秋庭に訴えた。

「すごく！　楽しかったです！」

山は軽装の真奈でも軽々と登れるくらいなだらかで、頂上まですぐだった。

秋庭が墓山と言ったとおり、途中に作られている段に古いものから新しいものまでいくつも墓が建っていた。

秋庭が足を止めたのは頂上付近である。てっぺんではないが日当たりがいい場所に大きな墓があった。それが秋庭家の墓だという。

「すごい、大きいお墓ですねえ」

「ああ、よそは個人個人で墓建ててるのをうちは一族でまとめてるだけだよ。このでかい土台が丸ごと納骨室になっててな、死人が出たら裏の扉から骨壺を納めるんだ」

説明しながら墓に歩み寄った秋庭が眉《まゆ》をひそめた。墓はきれいに掃除されており、花生けには香花が挿してある。

秋庭は花生けの水に指先を突っ込み、それを嗅《か》いだ。

「……どうしたんですか？」

「水が臭わねえ。昨日かそこら替えたばかりだ」

言いつつ秋庭は自分が切ってきた香花を投げやりに地面に放った。

「秋庭さんってば」

どうしたんですか？　問いかけを含ませた真奈の声には答えず、秋庭は隣の墓に立ち入り、やはり同じように水の臭いを嗅いだ。

「こっちは臭うか」

「あの……」

「何でもない、うちの墓に花生けてやってくれ。俺はお隣さんの花生けの水替えてくる」

「え、お水ってどこで」

「すぐそこに農業用水が通ってるんだよ。すぐ戻る」

秋庭は隣の墓の花筒を両方引き抜き、踏み分け道を下っていった。

残された真奈はきれいに掃かれた墓の土台に恐る恐る足を踏み入れ（恋人とはいえその実家の墓に立ち入るのはかなり気兼ねが要る）、摘んできた花を香花の前に生けた。

その間に秋庭は戻ってきて、洗ってきたらしい花筒を花生けに戻した。すぐ近くというのは嘘ではなかったらしい。

そして秋庭は自分の切ってきた香花はその隣の墓に挿した。

「花余ったらこっちにも」

「あ、はい」

真奈は言われるままに余った花を隣の墓に生けた。

「あの……」

「何でもねえよ」

秋庭は真奈の先を制するように、しかし投げやりなことが真奈には分かる声で答えた。

「いじましく墓の手入れをまめにする奴がうちに戻ってきてるってだけだ」

いじましく。墓の手入れをまめに。その二つの表現は真奈の中で巧《うま》く嚙《か》み合わない。

それより、と秋庭がややわざとらしく明るい声を出した。

「お前のご両親の形見、ここならどうだ」

急に話が変わって、真奈は戸惑いながら曖昧に首を傾げた。

「墓の名前が違うのは我慢してもらわなきゃならないけど、ここなら納骨堂に入ってもらえば盗みに入る奴もいないし、管理してくれてる親戚もいるから盆や彼岸には手入れにきてくれる。少なくとも俺の田舎なんだから、形見と一緒に事情を一筆書いとけば無縁仏になる心配はない。うちの菩提寺に頼めば戒名もつけてもらえるし位牌《いはい》も作ってもらえる。折々の供養も任せられるしな」

「え、あ、でも」

そこまで秋庭の世話になるということがどういうことなのか、秋庭は分かって喋《しゃべ》っているのだろうか。自分はここではいと頷いていいのだろうか。それは許されるのだろうか。

と、真奈の混乱を読んだように秋庭は苦笑した。

「お前の田舎にいつ連れてってやれるか分からないんだ。私用で公用車使わせてもらえるほどの身分じゃないしな。公共の交通網も分断されたままだし、鉄道と航空が回復する見込みは国で試算もまだできてない状態だ。今回の寄り道が俺のしてやれる最大限なんだ。お前がずっとご両親の形見を気にしてたのは知ってる。だから、もし――」

その次に来る言葉を真奈が待っていると、秋庭が真奈の背中のほうを見て眉をひそめた。

「――高範《たかのり》、帰ってきたのか」

嗄《か》れた声に真奈が振り向くと、秋庭にそのまま年を取らせたような初老の男性がいた。見ただけで親子だと分かるほど秋庭とよく似たその人は、秋庭の父親に違いなかった。

どうしよう、ここで挨拶ってするべき!?　だけど秋庭さんが紹介してないのに先に挨拶ってどうなんだろう、それってちょっと先走ってるかも！

混乱しながらかろうじて真奈は秋庭の父親に会釈だけした。

秋庭は父親から面白くもなさそうに目を逸《そ》らし、そっけなく言った。

「途中で寄っただけだ。用事を済ませたら百里に向かう」

「まだ辞めてなかったのか」

父親の声にも険が出た。

「三十も前にして親に進路の心配される筋合いねえよ」

吐き捨てた秋庭が真奈に行くぞと声をかけ、動き出さない真奈に苛立《いらだ》ったように真奈の手首を摑《つか》んで歩き出した。

横を通り過ぎながら見ると、秋庭の父親は掃除道具と一緒にバケツを提げており、バケツの中に線香やろうそく、供え物らしきものもちらりと垣間《かいま》見えた。

真奈の手を引き、真奈の足が滑らない程度の強引さで秋庭はどんどん山を下りていく。

「秋庭さんっ」

でも、真奈がどれだけ呼んでもその足が止まることはなかった。

「秋庭さん、秋庭さん、秋庭さんっ！」

返事をしない秋庭に真奈は懸命に呼びかけた。

「今のってお父さんでしょう⁉　お父さんですよね⁉　あんなふうに別れていいんですか⁉　だめでしょう⁉」

「——知るか。いじましく墓の手入れをまめにするジジイだよ」

「そんな言い方っ……」

山を下りきったところで、秋庭が摑んでいた真奈の手首を振り払った。

そして振り向く。

「ガキの分際で他人の家の事情に口出すんじゃねえ！」

自分の表情が凍りついたのがはっきり分かった。秋庭が真奈のその顔を見て自分も刺されたような顔になったのも。

悪い、とかすれるような声で呟いた秋庭に、真奈の喉《のど》はやっぱり凍りついたように一言も声を出せなかった。

一言も声を交わさず、気まずいままで行きに見かけた『道の駅』まで戻った。

秋庭が何度か話しかけようとする気配があったが真奈は全部気づかないふりをした。そんなことは二人でいるようになってから初めてだった。

日が暮れた頃『道の駅』に着いたが食欲は湧かなかった。寝袋だけ持って真奈は車を降りた。秋庭も食欲がないのは同じらしい、だが一応は背嚢《はいのう》も持って降りる。

車社会が回復していないせいでよそと似たような寂れようだったが、規模はそれなりで風呂《ふろ》とリクライニングルームがついていた。食事はお互い無言で省略を決めて風呂を済ませる。

マッサージ機などが並んでいるリクライニングルームの畳部分、施設内で探してきたマットや敷布で下敷きを作り、真奈は寝袋を広げた。珍しく秋庭が風呂を上がってくるのは真奈より遅かった。

「隣、いいか」

いくら無人の施設とはいえ、防犯の関係でこういうときは同じ部屋の隣り合った設備を使うのが暗黙の了解になっているし、真奈もいつも通りに下敷きは隣り合わせて作っているのに、秋庭がわざわざ声をかけてきたことできっかけがほしいのだと分かった。

言い放ってしまった言葉を撤回するきっかけ。傷つけたことを詫《わ》びるきっかけ。

でも、優しい言葉は出てこなかった。どうぞ、と驚くほど自分の声はそっけなく、

「あたしの分際で秋庭さんの判断に口出す権利ないですから」

「……悪かった」

秋庭の声はまるで呻《うめ》くようだった。

「ごめんなさい、今、秋庭さんに優しくできません。落ち着くまで時間ください」

秋庭はきっと父親と深い確執があるのだろう、それが察せられないほど子供ではない。

でも、一言で同時に何ヶ所も刺されて笑えるほど真奈は強くもなかった。

＊

ガキの分際で。

他人の家の事情に。

でもその事情は生きている父親とのことで。

もう乗り越えたと思っていた色んなことの蓋《ふた》が一気に開いた。

いつまで経っても年の差は追い着かない。真奈が二歳年を取れば秋庭も二歳年を取る。二十歳になっても十歳差が縮むわけではなかったと今更のように思い知らされた。

ガキの分際でなんて容赦なく傷つける言葉でそれを思い知らされるとは思わなかった。真奈でなければ、真奈という条件でなければぶつけられるはずもない言葉。

たとえば真奈が秋庭と会う前にいなくなっていた白いボストンバッグの人なら、他人の分際でとは言われてもガキの分際でとは言われないのだろう。その人でなくても、秋庭と釣り合う年齢の人なら誰でも。

真奈だから二つ重ねられる。その重ねられることが悔しくて悲しかった。自分でどうしようもない条件なのに。

それも秋庭から重ねられるなんて。

他人の家の事情に口出すな。

それも言うのか。真奈に向かって。

両親がもう二冊の本でしか残っていない真奈にあんなものを、父親と喧嘩《けんか》できる状況などを見せつけておいて。

真奈にそんなものを見せびらかしておいて。

その同じ口で真奈の形見を自分の家の墓に入れようとまで言っておいて。

「頼む、勘弁しろ」

不意に秋庭の声が聞こえた。隣で起き上がる気配。

「起きてたんですか」

「隣で静かに泣かれてて眠れるほど神経太くない」

真奈も起き上がった。

「——お墓のことなんですけど」

「……はい」

秋庭が真奈にはいなんて神妙に返事をすることはこれが初めてだ。何かを色々覚悟した声で、もう言うのはかわいそうかなと少し思った。でも。

「ガキの分際で他人なら、お世話になるのは申し訳ないです。それに秋庭さんがかまわないって言っても、お父さんの了解は取ってないですよね。秋庭さんとお父さんがずっとあんなふうだったら、あたしの両親もきっと肩身が狭いと思います。だから、今のままじゃ甘えてお世話になることはできません」

それに、と続けて声が震えた。

「お父さん生きてるくせに何でちゃんと話さないんですか。あたしが両親とどんな別れ方したか知ってるくせに」

喋っている間にどんどん記憶の蓋が開いてくる。

探しに行けば間に合ったかもしれないのに、現実から目を逸らしていて取り返しがつかなくなった最期の別れ。秋庭もそれを知っているはずなのに。

「生きてるって高括《たかくく》ってるから喧嘩なんかできるんですよ。明日お父さんが死んじゃったら、秋庭さん絶対後悔する。昼間のお父さん、帰ってきたのかって言ったとき少し嬉しそうだった。話し合うのも面倒なくらいお父さんが要らないなら、そんであたしにガキの分際で他人の事情に口出すななんて言うくらいなら、いっそあたしにお父さんをください。あたしにくれたら、秋庭さんよりずっとお父さんのこと大事にするのに」

真奈。

呼ばれて手を繋《つな》がれたが、山のときとは逆に真奈がその手を振り払った。

「いやっ！」

「真奈！」

「あたし秋庭さんの何なんですか⁉」

秋庭の怯《ひる》む気配がした。

「ガキの分際で他人ならもういいですからどっかその辺に置いてってください！　もう二十歳なんです、子供じゃないからもう秋庭さんに守ってもらう権利もないんです！」

「好きだ」

秋庭が強引に抱きしめた。抗《あらが》っても振りほどけない強さで。

「俺の好きな女で、親父と仲直りできたら俺と一緒になるって紹介したい女だ」

その一言で真奈の体からは力が抜けた。

秋庭にとっての真奈がどういう存在なのか。今まで一度もはっきりとは言われなかった立場を確定して、同時に真奈が責めた父親とのやり取りも謝っていた。

真奈の喉からゆっくり嗚咽《おえつ》がこみ上げ、秋庭も強く縛っていた腕を嗚咽に合わせてゆっくり解いた。真奈もそのまま秋庭の胸に体を預ける。

「ごめん。あんな八つ当たりでそんなに不安にさせるほどお前に何もやってないなんて思わなかった。お前も俺と同じ気持ちだと思ってた」

「秋庭さんはすぐ子供扱いするから自信なんて持てない」

反射で僻《ひが》んだ声が出た。こういうところが子供扱いされる原因なのかと自分でうんざりしたとき、秋庭がほとほと困ったような声を出した。

「それこそ勘弁しろ。大人ぶってないと保《も》たないんだよ、こっちが」

言われたことの意味ならもう分かる。しかしこの際のように僻んだような拗《す》ねたような言葉が止まらなかった。

「昔と女性の好みが変わったって入江さんも言ってたし、初めて助けてもらったときに借りた白いボストンバッグの人、今でもあたしは気にしてます。きっとあたしとは全然違う、大人っぽい人だったんだろうなって。……だらしなくても男の人が好きそうな女の人だったんだろうなって」

だからそれは、と秋庭が苦ったように呟いた。

「昔は単に後腐れのないタイプが楽だったんだよ。勝手に追いかけてきて勝手に出ていくような恋愛体質の女とかな」

「あたしは後腐れがあるタイプだから嫌だってことですか」

「そこに絡むな」

秋庭は困り切っている様子である。やがて真奈を振り向かせて唇を重ねた。いつもキスだけで止まる恋人の行為はその日はそれだけで止まらなかった。

直接素肌を重ねてくれるのを今までずっと待っていたような気がした。

明け方、秋庭は真奈が起きるのを待っていたらしい。薄明るくなった部屋の中で目を覚ますと、もう起き上がって着替えも済ませていた秋庭は真奈の髪を撫《な》で、しばらく逡巡《しゅんじゅん》した様子を見せてから思い切った様子で口を開いた。

「……絶縁状態で離れてもう十年も話してないんだ。そんな親子で話ができると思うか？」

秋庭が訊きたいのはむしろ、話になるのかということだろう。

真奈は寝袋から飛び起きて、露《あらわ》になった素肌に慌てて寝袋を胸元まで引き上げながら叫んだ。

「大丈夫です！――どういう事情があるか知らないけど、きっと」

帰ってきたのか、高範。

昨日、墓の前で秋庭の父親がかけた声には、ごく分かりにくい喜びが混じっていた。身内同士では却《かえ》って察することができないほどに微《かす》かな。

「お父さん、秋庭さんが帰ってきたの喜んでた。あたし分かります。保証します」

どうして分かるのか、説明できないのがもどかしい。どうして分かるかなんて訊かないで。分かるから分かるとしか言えない。

秋庭はしばらく黙り込んでいたが、やがて顔を上げた。

「今日、家で親父と話をしてくる。お前も一緒に来てくれるか」

「……いいんですか、あたしが行っても」

「お前がいるほうが素直に話せるような気がする」

それは初めて自分が頼られたようで素直に嬉しかった。

秋庭はやっと一山乗り越えたように深く溜息《ためいき》を吐《つ》いていた。真奈にその決意を伝えることで自分を不退転に追い込んだのだろう。

「じゃああたし、シャワー浴びてきますね！　善は急げって言うし！　朝ごはん食べたらすぐに行きましょう！」

真奈は下敷きに使っていた敷布を体に巻き、着替えを抱えて風呂場へ走った。

＊

「大きいおうちですね」

「土地だけは余ってるからどこでもこんなもんだ、田舎は」

日本家屋風の二階屋は今の流行《はや》りとは離れているが、ぱっと見ただけで家自体の造りが頑健なことが分かった。

秋庭が門のチャイムを鳴らすと、インターフォンはついていないのか使わないのか、引き戸の玄関が直接開いた。出てきたのは秋庭の父親である。一人暮らしということだった。

父親は秋庭を認め、むっつり唇を引き結んだまま何も言わない。だが、玄関を閉めようともしなかった。

真奈はそっと秋庭の背中をつついた。

「お父さん、怒ってないと思います。きっとどうしたらいいか分からないんです」

そしてもっと小声で付け加える。

「秋庭さんと一緒なんです」

ああ、と秋庭が小さく返事をし、それから玄関に向かって声をかけた。

「上がっていいか、親父。相談したいことと報告したいことがある」

秋庭の父は二人に背中を向けて家の中に入ったが、玄関はやはり開けたままだった。

通されたのはいつも使われているらしい居間で、縁側から手入れの行き届いた庭が見えた。

「待ってろ」

秋庭と真奈を座卓に座らせ、秋庭の父はそれなりに慣れた手付きでお茶を淹《い》れて持ってきた。

「俺が手慰みで作った茶だから口に合うかどうかは分からんが」

秋庭が口を付けたのを窺いながら、真奈も会釈してから飲んだ。何も言わない秋庭に代わり
「おいしいです」と感想を述べる。

秋庭の父も真奈のことは気になるようで、自分もお茶を飲みつつ何気なく真奈を窺っている。

うわぁ緊張する。真奈は思わずいつも以上に背筋を伸ばした。一緒になると秋庭は明言してくれた。要するにそれは結婚の約束で、結婚相手の父親にはできるだけ良く思われたい。

「……そちらのお嬢さんは？　昨日もおられたようだが」

我慢比べは秋庭が勝った。というより、秋庭の父が好奇心に負けたのだろう。

「俺の嫁さん」

秋庭はあっさり言い放ち、秋庭の父より真奈のほうが動揺した。

待って！　その話から入るの⁉　家族の話をしに来たんじゃないの⁉

真奈としてはその話はもっと後で、おまけで話してくれてもよかったくらいだ。

「は、はじめまして。小笠原《おがさわら》真奈と申します」

慌てて座布団を後ろに滑り降りて見様見真似の三つ指を突くと、秋庭の父は表情を柔らかくした。

「はじめまして。――いい娘さんを見つけたな、高範」

ああ、と秋庭もしれっと頷く。

「先方にはもう挨拶は済ませたのか」

「真奈の両親は塩害で亡くなったんだ」

カチコチに固まった真奈をよそに、親子は勝手に会話を進めていく。――逆にあたしの話が先だったほうがよかったのかな？　とその様子を見ながら首を傾げる。昨日、墓の前で別れた険悪な雰囲気が嘘のようだ。

「真奈さんは随分年が離れているようだが」

その質問は真奈に向けられたので、真奈はしどろもどろで答えた。

「あの、あたしが今年二十歳で、秋庭さん——高範さんとは、ちょうど十歳離れてます」

「よかったらこいつとの馴《な》れ初めを聞かせてもらえるかね」

秋庭を窺うが、助け船は出してくれなかったのでかいつまんで正直に答えた。

塩害で両親を亡くし、家を追われて秋庭に拾われた、と。

「それは大変な思いをなさったね」

素朴な労《いたわ》りの言葉は、父親という属性のせいか真奈にも在りし日の父を思い出させて少し目が潤んだ。

「それでは高範とはもう不慮の事故で不幸な別れをしたくないでしょう」

「親父」

秋庭の不機嫌な声が飛んだ。

「真奈から懐柔すんのはやめろ」

戸惑っている真奈を尻目《しりめ》に、今度は親子の会話がヒートアップする気配を見せた。

「こんな大変な思いをしてやっとお前という伴侶《はんりょ》を得た真奈さんを、もしまた一人にするようなことがあったらどうするつもりだ」

「俺らに自分とお袋重ねんな。しかも立場逆転してんじゃねえか、看取《みと》れなかったのはあんただろうが」

その会話で秋庭の母親が亡くなっていることを真奈は察した。昨日の墓参りは多分、秋庭の母のものだったのだろう。

いじましく墓の手入れをまめに。それはおそらく妻の臨終を看取れなかった秋庭の父のことで、しかしまだ今ひとつ事情が見えてこない。

「自分がお袋の臨終に間に合わなかったからって俺に隊を辞めさせるのは筋が違う。俺の空自志望を反対したこともな。そのくせてめえは退官まで航空徽章《きしょう》を捨てなかっただろうが」

秋庭のその台詞《せりふ》で繋がる。不慮の事故で亡くなったのは秋庭の母で、秋庭と同じパイロットだった秋庭の父は、パイロットであったことでその臨終に間に合わなかったのだろう。

それは秋庭の父にとって重たい悔恨に違いなく、息子に同じ思いをさせたくないというのは自然な親心だっただろうが、自分で道を選ぼうとしていた秋庭にとっては――それもおそらく父の背中を見てその道を志したであろう秋庭には、理不尽極まりない横槍《よこやり》だったに違いない。

こういうの、傍目八目《おかめはちもく》っていうのかな。真奈は完全に傍観者と化して言い合う二人を眺めた。身内ならではの遠慮のない言葉の応酬、でもそれは傍目《はため》には何て幸せそうな光景だろう。もう還暦を過ぎているであろう秋庭の父さえ微笑ましく見える。

――何だ。二人ともお互い大好きなんじゃない。こんなんで十年だか意地張り合って、ばかみたい。

「ああもう、話にならねえジジイだな！　知るか！」

怒鳴った秋庭が立ち上がった。部屋をそのまま出て行こうとするその背中へ、「秋庭さん」

と声をかけると秋庭は一瞬ばつが悪そうに立ち止まった。

そして、

「頭冷やしてくるだけだ、すぐ戻る！」

言い訳のように言い捨てて秋庭は外へ出て行った。


「すまないね、短気な息子で。苦労するでしょう」

苦笑した秋庭の父に、いいえと真奈は首を振った。慣れてます、とは言いにくいが、

「そういう笑い方、高範さんと似てます」

秋庭を高範さんと呼ぶのは即興だったが、大分慣れてきた。

「真奈さんはあいつが空自に勤めることをどう思われますか。――例えば、もっと安全な職種に就いてほしいとか」

秋庭の父が真奈に頷いてほしいことは分かっている。だが、秋庭は父親に一番言いたいことをまだ言えていないのだから、真奈が先に裏切るわけにはいかない。

返事をしない真奈を泣き落とすように、秋庭の父は訥々《とつとつ》と話した。

「自衛官はいざというとき、自分の命を捨てる職業です。特にパイロットは機種を問わず事故で亡くなる者が多い。私の同期は退官時には半分残っていなかった」

「……高範さんは優秀なパイロットだったって聞いてます。航空戦競会三連覇で、高範さんのこと知らない人なんて誰もいなかったって」

「そんなパイロットでも命を落とすことがある、それが空だ」

切り札のように出されたその台詞に、真奈は首を傾げた。

「お父さんはそれが恐かったんですか?」

秋庭の父は鳩が豆鉄砲を食らったような顔をした。

しばらく返事に窮していたようだがやがて、

「いや……自分が飛ぶときその覚悟をしていない者などいません。それは高範も同じでしょう、しかし飛んでいる間に家族が失われることは正直思ってみたこともありませんでした」

「お母さんのことですね」

一応尋ねると、秋庭の父も無言で頷いた。

「最期にそばにいてやれなかったことは一生の悔いです」

それならどうして秋庭さんが残っているのに飛行機を降りなかったんですか。それは真奈が訊いてはいけない問いだった。それを訊いたら秋庭の父は自分で答えを見つけてしまう。秋庭がずっと父親に言いたかったことは、やはり秋庭から言わせてやりたかった。

だから真奈は自分の話をした。

「女子高生と空自の戦闘機乗りって、どう思われます?」

唐突な話に秋庭の父はついて来られなかったようだが、構わず真奈は勝手に喋った。

「普通に回ってる世界だったら、塩害が来なかった世界だったら、絶対出会ってないですよね。でもあたし、高範さんに会ったんです。あたしが出会った高範さんはもう戦闘機乗りだったたんです」

　もし塩害がなかったら真奈は両親を失わなかった。しかし秋庭には出会わなかった。どちらがよかったかなど真奈にはもう決められない。

「神様はあたしから両親を奪ったけど高範さんをくれました。高範さんが戦闘機乗りで、それに誇りを持ってる人であることを、あたしがどうこう言う権利はないんです。だって、」

　高範さんは、神様がくれた人だから。

「それにあたしたち、もうそんな段階は越えてきちゃったんです」

　塩害が始まってから知り合った、海へ行った恋人たちを思い出す。

「東京湾の結晶を攻撃したのは高範さんなんです。しかも、米軍から用途の合う戦闘機を奪う作戦で」

　秋庭の父は退官してからそちらの事情に疎かったのだろう、驚いたように目を瞠《みは》った。

「もちろんあたしは行かないでって泣きました。そんな危険な作戦引き受けないでってすがりつきました。でも高範さんは引き受けました。あたしが塩害に遭うのを見たくないからって。あたしのこと、振り捨てて行っちゃったんです」

　初めてのキスは今でも覚えている。分かれと怒鳴った声も。

「そのうえ、すごく悪い人が立てた作戦だったんです。あたしはその悪い人に人質に取られて、作戦が失敗したら殺されることになってました」

　話を簡略化するために入江を悪者にする。それくらい許されるだけのことをされている。

「あのとき高範さんが危険な飛行をしてなかったらあたしは今生きていなかったかもしれないんです。もしあのとき高範さんが飛ばずに済んでても、塩害が解決できてなかったらどっちかが塩害で死んだかもしれない」

秋庭の父は呆気《あっけ》に取られて言葉もない様子だ。

「だからあたしたち、もうそういう部分は越えてきちゃったんです」

そのタイミングで役者が帰ってきた。玄関で荒い開《あ》け閉《た》ての音がして、廊下を足音が渡ってくる。

出ていったときと同じ仏頂面で、秋庭は不機嫌そうに父親を睨《にら》んだ。

「一回しか言わないからよく聞けよ、クソ親父」

秋庭の父は何かを察したように秋庭を見上げ、秋庭の言葉を待った。

「お袋も俺も親父が臨終に間に合わなかったことを恨みになんか思ってねえよ。あんたはお袋と俺の誇りだったんだ。もしものときのことなんか下のほうでも覚悟してるんだよ、待ってる側を見くびるな。それをいじましくいつまでも後悔の種にしやがって、お袋きっと泣いてるぞ。臨終に間に合わなかったあんたを恨んで死んだなんて思われちゃあな！」

秋庭の父の頬にすうっと涙が滑った。

「今だから言うけど、お袋はもしも自分が先に死んだら親父が後添いを迎えても反対しないでくれっていつも俺に言ってたんだぞ！　家じゃ何にもしない人だからってな！」

「……今さら後添いなんか要らんよ。俺はあいつが思ってたほど家のことができないわけじゃないしな」

秋庭の父は頬に一筋涙を光らせたままで静かに笑った。

「ここまで育った息子がいて、性根の据わったできた嫁さんが来て、そのうち孫でもできて偶《たま》に便りでも寄越してくれたら、もう充分だ。やっとあいつの供養をしながらゆっくり暮らせるようになったんだ」

性根の据わったって、お前一体どんな話してたんだ。

秋庭に怪訝な顔で訊かれて、真奈は笑ってごまかした。

＊

最後に残った秋庭の「相談したいこと」は真奈の両親の形見のことだった。秋庭の父は快く引き受けてくれた。

それが終わるまで数日、秋庭の実家に泊まることになった。秋庭の部屋など真奈にとっては見所が多い。

「ここで勉強とかしてたんですか？」

「高二から東京に進学して下宿だったから、それまでしか使ってないけどな」

母親が高校一年のときに亡くなって、進路問題で父親と反目するようになったのを機に親戚を頼って上京したという。

「意地っ張りですね、十年も親子喧嘩なんて」

真奈がからかうと、秋庭も逆にからかうように笑った。

「その意地っ張りジジィがこれからお前の義理の親父だぞ。――要らないんならいっそくれって言っただろ、要らなくはないけどお前にもやるよ。気に入ったか」

頬が急に熱くなった。

「き、気に入りました。だって秋庭さんにそっくりだし」

聞き捨てならんと渋い顔をした秋庭に真奈はすがりついた。

「でも、お父さんくださいって言ったのは内緒にしてくださいね」

何て子供じみた、そして大胆な駄々を捏《こ》ねたのだろう。娘さんをください、ならぬお父さんをください、なんて。

まるでお父さんにプロポーズをしているような。

「いやー、親父が聞いたらさぞや喜ぶだろうな」

「秋庭さんっ！」

叫んだ口を唇で塞《ふさ》がれた。

「高範って呼べ。親父も名字も一緒になるんだろ」

唇の上で囁《ささや》かれて、真奈は真っ赤になって頷いた。

位牌は小さいものをそれぞれ二つ作ってもらい、一組は秋庭の実家で仏壇に入れてもらって、一組は真奈が持っていくことになった。

最後に墓参りをして秋庭家の墓に形見の本を入れてもらい、山を下りたところで秋庭の父とお別れだった。

「いつでも、とは中々いかんだろうが、いつでも帰ってきなさい。ここはもうあんたの実家だ。高範と喧嘩でもしたら怒って帰って来られる場所にしなさい」

ありがとうございますもろくに言えず、泣きながらただ何度も頷いた。

実の父子のほうはと言えば、「じゃあな」だの「おう」だのあっさりもいいところだったが、秋庭が車を走らせると、道の向こうに姿が消えるまで秋庭の父は手を振ってくれていた。

「寄り道、楽しかったか」

ハンドルを握る秋庭に訊かれて、真奈は笑った。

「富士山とかもうどうでもよくなっちゃった」

「現金な奴だな。大泣きして喧嘩したくせに」

「原因あたしじゃないもん、高範さんだもん」

唇を尖らせて、真奈は過ぎていく道を振り返った。

「また帰ってきましょうね」

「何かのついでがあったらな」


それから、三年。

百里に着任してから秋庭に異動はまだかかっていない。だが、飛行訓練ができる状態もまだ戻っていない。実技訓練はシミュレーターに頼るばかりだという。

身近な社会システムとしては役所が住民管理の部門だけようやく再開して、待ちかねたように婚姻やその他届けを出す者が殺到したという。秋庭と真奈ももちろんその中の一組だった。

経済の復活もまだまだ遠く、この先数年は配給生活が続くらしい。

通信は軍用のネットワークは回復したが、民間では一人が一つ携帯を持っていた便利な時代はまだ兆しも見えない。家の電話がどうにか繋がった程度だ。数軒で呼び出しのところも多い。流通はかつての「一日で日本のどこへでも」とは比べものにならないが、何とか郵便が小包まで含めて復活した。ただし生鮮食品は肉・魚介類は配達期間が一日圏内、青果類は三日圏内のものに限られる。

*

真奈は百里でも看護師の手伝いをしながら実技の腕だけはどんどん上がっている。試験制度が再開したら合格間違いなしと医官にも太鼓判を押された。

だが、その手伝いもここしばらくは休んでいる。子供ができたことが分かり、真奈はつわりがひどい質《たち》だったからだ。一山越えるまでは出勤しても逆に足を引っ張ってしまう。

掃除に洗濯、そして食事を作るのがいっぱいいっぱいだが、起き抜けは食べ物のにおいだけで吐いてしまうので、朝だけは秋庭に基地で食べてもらうようにしている。

そういえばお母さんもあたしを生んだときつわりがひどかったって言ってたな。そんなことを思い出し、久しぶりに少し泣いた。母がまだ生きていたらどれほど心強かっただろう。

妊娠を知った秋庭の父からは、定期的に自家栽培の野菜などが送られてくる。配給でも野菜は不足しがちなのでありがたい。名前はもう考えているのかと手紙や電話でもお祭り騒ぎで、内心名付け親になることを期待しているらしいが、命名権を巡って秋庭と火花を散らしている。

そんなある日、秋庭が上機嫌で帰ってきた。

おみやげだと言いつつ秋庭が渡した袋は単なるB5サイズの封筒、それも隊内で使い古しのもので、とても素敵なものが入っているようには見えなかった。

だが、その中身は確かに素敵な――特別のおみやげだと秋庭が上機嫌で持って帰ってくる程のものだった。

「高範さん、これ……」

「購買に何冊か入ってきてたんだ、仕入れに無理言って一冊だけ都合つけてもらった」

封筒の中に入っていたのは一冊の薄い冊子だった。塩害前ならムックと呼ばれる種類に入るだろう。出版業界が復興したという話はまだ聞かず、不定期の新聞がようやく何紙か復活した程度なので、版元はそれらの新聞社のどれかだろう。印刷も紙も粗い。

だが、そのタイトルと作者名に大きな意味があった。

『僕の見た塩害』――高橋ノブオ

「これノブオくんですよね!? 昔一緒に旅した――」

「ああ、読んだら分かる」

そう言って笑った秋庭は、多分もう先に目を通している。

「読んでていいぞ。夕飯の仕上げは俺がやる」

その言葉に甘え、真奈はソファに腰を下ろした。体調思わしくない時期がしばらく続く真奈が少しでも楽なように、秋庭が隊で廃品扱いのものをもらってきてリフォームしてくれたものだ。思い返せば一つ一つ集めた家具からファブリック、洋品類に至るまで、不自由な中を二人で少しずつ居心地を整えてきた喜びの詰まった部屋だった。

背もたれに背を預け、真奈はその薄い本のページをめくった。


『世界が終わる瞬間まで、人々は恋をしていた。

その中の一つの恋が世界を救った。

そのことを僕はこれから書こうと思う』

それが前書きだった。

『世界は突然変わってしまった。
その変わってしまった世界の狭間《はざま》にいるということは、とても得難い機会だ。
聞くところによると、世界の変貌《へんぼう》はもう終息に入っているらしい。
だから僕は、この変わってしまった世界を見てこようと思う――

そんな大志を抱いたつもりで中学生のときに家出をした僕は、今にして思えば本当に鼻持ちならないガキだったと思う。

将来の夢はルポライター、事あるごとに自慢げに語っていた夢も充分に他人の目を意識してカッコをつけていただけだった。

幸運にも塩害で親しい人を誰も亡くさなかったがために、この悲痛な災害もルポルタージュの修行などと嘯《うそぶ》いて傍観者を気取っていたのだ。

そんなふうに家を出た僕を最初にガツンと叱ってくれたのは、ヒッチハイクする僕を拾ってくれた自衛官とその伴侶《はんりょ》である可憐《かれん》な少女だった。

(驚くなかれ、僕はそのとき燃料の供給が滞っているため民間人が車に乗ることがほぼ不可能になっていることすら知らなかったのである！　実際皆さんがご存じのとおり、国の確保する燃料類は公共機関に回され、自家用車の交通は今に至るもほとんど復活していない)

彼らは任務で西に赴くために偶然、自衛隊の車両でその道を通りかかったのである。

しかし、僕は旅に出て最初にこの二人に「偶然」出会ったことを運命だと信じる』

やだ、可憐な少女だって。

さすがにもうその資格を失った真奈にはその表現が面映《おもは》ゆい。

けれど、まるで昨日のことのようにノブオと過ごした数日間が蘇《よみがえ》った。

『目つきの鋭い、分かりやすい言葉で子供を甘やかしてくれないその自衛官は、東京湾で最初に結晶を攻撃した航空自衛隊のパイロットであったという。

見たら伝染る——その情報は自衛隊がいち早く摑んでおり、彼は結晶に最接近するその任務の危険性を充分知っていたはずだ。

一体何がその危険を押してそんな任務を引き受けさせたのか僕には不思議でたまらなかった。

使命感かと訊くと違うと言った。

彼は、好きな少女が自分より先に塩になるのを見たくなかっただけだと言った。それは、彼が僕と知り合ってから初めて真剣な答えをくれた瞬間であったと思う。

(もちろん僕は、それまで可憐な少女にのぼせ上がってはしゃぎまくっている状態で、自衛官の彼にも愚にもつかない質問や駄々を繰り返してはいなされていたのである)』

『困った子供であった僕にずっと優しかったその少女に、僕はとても自分勝手な恋心を抱いた。自分勝手に振り回そうとして、ついに少女の逆鱗《げきりん》に触れた。

少女はその自衛官だけだと言った。自分が全て預けられるのは彼だけで、彼以外には何一つ預けたくないのだと言った。

僕は気遣いの必要な生活を送っていた少女を勝手に自衛官の目の届かないところへ連れ出していたので、彼の逆鱗にももちろん触れた。

殴られる、怒鳴られると思って、見つかった瞬間に体が竦《すく》んだ。だが、僕たちを見つけて彼が真っ先に駆け寄ったのは少女の下へだった。まるで騎士のように少女の前にひざまずいて、彼女に静かな声で「大丈夫か」と訊いた。

少女は彼を心配させないように(そして多分僕のことも庇《かば》って)「何もなかった」と答えた。

余人が立ち入ることを許されないような労《いたわ》り合う思いがその場にあった。その二人を見て僕は初めてとんでもないことをしてしまったのだと知った』

『世界を救うなんてご大層なお題目のために命を賭《か》けられる者などいない、と彼は言った。

彼が世界を救ったとしたら彼女のためだけに救ったのだ。彼女がその世界にいるから。その世界に彼女が生きているから。

その他の僕らは、きっとおまけで救われたのだ。

僕らは彼らのおまけであったことを感謝せねばなるまい。

そして僕が塩害をどこから書いていくかも決まった。

あんな恐ろしい災害の中でも人の気持ちがきっと一番強かった。善い意味でも悪い意味でも。

その中で僕は、塩害の中でも恋をしていた人たちのことを書こうと思った。

僕が旅に出て最初にあの二人に会ったのは、きっと運命だったから。

(といっても、最初の家出は二ヶ月ほどで家出人届けで見つかって家に連れ戻されてしまったのだけど)』

著者近影のノブオはまだ幼さが残るが青年の顔になっていた。著者紹介には瑞々《みずみず》しい感性が魅力の若きルポライターと書かれていた。まだ十代であることも売りらしい。

おめでとう、と一区切り読んで閉じた本の表紙を撫でると、秋庭がトレイを運んできた。

「どうだった」

「何か……照れくさいですね。でも嬉しい。こんな立派になって」

「その感想は若い娘の感想じゃないぞ。早くもお母ちゃんモードに入ってねェか」

「んー、ちょっとそうかも」

真奈は皿を並べるのを手伝いながら、何気ない素振りで言った。

「男の子だったら、ノブオくんみたいに元気な子だといいですね」

「勘弁してくれ」

当時を思い出したのか苦笑しながら、秋庭は満更でもない様子だった。

Fin.

あとがき

紆余曲折《うよきよくせつ》を説明しているといい加減こんがらかってくるほどに数奇な運命をたどりまくったデビュー作です。

二〇〇四年に電撃小説大賞〈大賞〉受賞作としてメディアワークス（現アスキー・メディアワークス）の電撃文庫から発行。その後の作品が単行本展開となったため、デビュー作である『塩の街』も「自衛隊三部作」シリーズとして判型を揃えようということになり二〇〇七年にそれまで発表していた番外編を加えて単行本化（追加部分が「その後」になります）。

これを再び文庫化したものが本書です。自衛隊三部作の中で最初に文庫化した『空の中』が角川文庫に移籍したので『塩の街』も角川文庫に入ることになりました。電撃文庫↓単行本↓角川文庫という道筋をたどっております。

殺すなら一度で殺せって感じの引き回されっぷりですが、やっとゴールにたどり着きました。素性の説明だけでこんだけ行数使うというのもどうなんだ。

文庫化作業で久しぶりに読み返すといろいろ面白かったです。投稿時から数えると七年以上前の作品ですから当然今より拙《つたな》いです。今も決して巧《うま》くはありませんがそれに輪をかけて拙いです。

読み返していると本格的に体裁を整えたくなるのですが、今の私が手を入れようとすると、物語そのものが成り立たなくなるのです。あちらを立てればこちらが立たない、結局手も足も出ずに全編最低限の調整だけで終わらせました。

仮にも活字でメシ食って七年目に入る人間の剪定《せんてい》を拒むほどに我の強い原稿でした。これはこれで大したもんだと思いました。拙いけど我の強さだけは認めざるを得ない。拙いくせに、拙さを何とかごまかそうとすると成立しなくなるのです。このお話は当時の私の拙さと青臭さに拠《よ》って立っておりました。

何とかならんもんかとしばらくあがいたのですが、電撃文庫版のあとがきを読んで肩の力がすぅっと抜けました。当時の私はこんなことを書いていました。

『「上手に書こう」じゃなくて初めて「書きたいように書こう」と思った』

いやー笑いました。今の私よか昔の私のほうが腹括《くく》れてんじゃん。思い出せ有川浩、上手に書こうとあがいてた頃はデビューにかすりもしなかったじゃないか。上手じゃなくてもいいと開き直って初めてこの業界に来られたんじゃないか。そんで目の前のことになりふりかまわず全力で突っかかってきたから何とか生き延びてるんじゃないか。何を今さら小賢《こざか》しくなろうとしてるんだ。恥は生きてるうちしかかけねんだ、ばんばんかいといてオッケーだ。

だから拙いまんまゴールしてしまいます。きっとどの作品もその当時の拙さが成立の要件になっているのだろうなぁと思います。デビュー七年目の私が書いている物語は、それを改めて読み返す頃の私が見たらやっぱり拙いのだろうと思います。

きっとこの仕事を続けている限り冷や汗をかいていくのだろうなぁ。今回の再文庫化で腹が括れました。

冷や汗かきつつ、けど倒れるときは前のめりで。

大人にもライトノベルが欲しいと思って作家になりましたが、このお話は最も純粋にライトノベルだったと思います。

登場人物たちとも長い付き合いになりました。ゴールするまでこんなに長くなるとは思わんかった。

この人たちが私を作家にしてくれたことを一生忘れません。この人たちがこの人たちの世界で幸せであってくれたらいいと思います。

もうちょっと上手に書いてあげられたらなぁ、とはもう言わん。

元気でいてください。

F14は行数調整に血反吐《ちへど》を吐きつつ今回も意地で同じ場所に入れております。

こういう遊び方もこの当時から既に始めておりました。デビュー作ってホント恐いほど自分の全部が出てるものだなぁと驚きました。自分の持ってるものを出し尽くしてたどり着くから当然かもしれませんが。

ちなみに何でこの形でF14を入れようと思ったかというと、応募原稿がたまたまその場所で改ページになっていたのです。「ここにF14入ったらかっこよくない?」ということで三度にわたって同じ場所でF14が入るように調整しました。

電撃文庫版、単行本版と楽しんでくださった読者さんも多いようで、意地になって調整した甲斐《かい》がありました。血反吐を吐いて悔いなし。

好きな人を失う代わりに世界が救われるのと、世界が滅びる代わりに好きな人と最期を迎えられるのと、自分ならどっちを選ぶかなぁとただそれだけで走り出したお話でした。

ゴールに立ち会ってくださった全ての方に心から感謝します。

有川　浩

『塩の街』との出会い

アスキー・メディアワークス　電撃文庫編集部
徳田　直巳

『塩の街』に出会った瞬間は、今でも明確に記憶している。

二〇〇三年初夏。第十回電撃小説大賞の三次選考の最中。

深夜、家族が寝静まった自宅のダイニングテーブルで読み始めたその応募作は、見事に私の心を鷲《わし》づかみにした。ガッツリ握られた。連日連夜の読み込みで睡眠不足が続いていたのだが、そんな疲れをもぶっ飛ばすほどのインパクトだった。

無我夢中でページを捲《めく》り、あっという間に読了。誰もいない台所に向かって、

「おもしろい！」

と、一人叫んだのだった。

今まで、数え切れないほどの応募作を読んできたが、受賞する作品は、出会った瞬間、何かを発する。陳腐な言い方だが「ビビビ」と来るのだ。そして「ドキドキ」させる。

『塩の街』は、その中でも、その「ドキドキ」具合がハンパなかった。

当時私がメモした『塩の街』の評価コメントがデータとして残っている。

〝塩の結晶が地球に飛来したことで人間が塩化し世界が死滅していく……という話。一見荒唐《こうとう》無稽《むけい》な設定もどっかに飛んでいってしまう程よくできた話。元自衛官・秋庭と高校生・真奈の人間ドラマ、恋愛ドラマにめちゃくちゃ感動を覚えた。すごくおもしろい！〟

そしてABCで付ける総合評価の欄には「A＋」と記されている。

あまり選考の詳細をぶっちゃけるのもどうかと思うが、「A＋」と評価を付ける作品は、そうそうない。「A」に「＋」が付くのは、作品として高評価な上に、さらに個人的に好みである、というしるしである。

選考は進み、『塩の街』は見事、第十回電撃小説大賞の大賞を受賞し、私は念願叶《かな》って担当編集に就くことができた。

電撃小説大賞の受賞作は、電撃文庫として出さなければならないという、一応の原則がある。悶絶《もんぜつ》した。

大人に向けたパッケージで小説を作ってみたい！　という欲求が猛烈湧き上がっていた当時、

それにドンピシャの作品に出会えたのに――。

だから、有川氏へ大賞受賞決定の電話をした際の第一声が、「大賞を受賞しちゃいました」だった。

今でこそ笑い話だが、よくよく考えると大変失礼な物言いだ。

この場を借りて、ごめんなさい。

そして、私の野望は、次作の『空の中』で実現することになる。さらに『海の底』、『図書館戦争』シリーズと二人三脚は続き――。

有川浩、という作家の誕生に、リアルタイムで立ち会えたことは、編集者冥利《みょうり》に尽きると心から思っている。

今や、飛ぶ鳥を落とす勢いの売れっ子作家になった彼女は、今後もたくさんのエンターテインメントを生み出し、出会った当時の私にしたように、読者の心を次々と鷲づかみにしていくことだろう。

そんな瞬間に、私もひとつでも多く立ち会えたら嬉《うれ》しい、と思う。

挿絵　白猫

この作品は二〇〇七年六月、メディアワークスより刊行されました。
文庫化にあたり、加筆、訂正を加えています。

塩《しお》の街《まち》

有川《ありかわ》 浩《ひろ》

角川文庫 16082

平成二十二年一月二十五日 初版発行
平成二十四年十一月 十 日 十三版発行

発行者―井上伸一郎
発行所―株式会社角川書店
東京都千代田区富士見二―十三―三
電話・編集 (〇三)三二三八―八五五五
〒一〇二―八〇七八
発売元―株式会社角川グループパブリッシング
東京都千代田区富士見二―十三―三
電話・営業 (〇三)三二三八―八五二一
〒一〇二―八一七七
http://www.kadokawa.co.jp
印刷所―暁印刷 製本所―BBC
装幀者―杉浦康平

あ 48-3 ISBN978-4-04-389803-9 C0193